# Michel Déon

*de l'Académie française*

# Un déjeuner
# de soleil

*Postface de*
*Lakis Proguidis*

Gallimard

Le texte de la Postface de Lakis Proguidis a été publié initiale-
ment dans *L'Atelier du Roman* (n° 4, mai 1995), sous le titre : « Les
criques d'antan. Sur *Un déjeuner de soleil* de Michel Déon ».

Michel Déon est né à **Paris** en 1919. Après avoir longtemps séjourné en Grèce, il vit en Irlande.

Il a reçu le prix Interallié en 1970 pour *Les poneys sauvages* et le Grand Prix du roman de l'Académie française en 1973 pour *Un taxi mauve*. Il a publié depuis *Le jeune homme vert, Les vingt ans du jeune homme vert, Un déjeuner de soleil, « Je vous écris d'Italie… », La montée du soir, Un souvenir*, un dialogue avec sa fille Alice Déon : *Parlons-en…, Pages grecques*. Il a également rassemblé quelques souvenirs dans *Mes arches de Noé, Bagages pour Vancouver, Je me suis beaucoup promené*, et écrit deux pièces de théâtre : *Ma vie n'est plus un roman, Ariane ou l'oubli*. Il est membre de l'Académie française depuis 1978.

*Where are you dying tonight?*

EVELYN WAUGH

Sa première apparition date de 1925, en classe de troisième à Janson-de-Sailly. Un matin de février, le surveillant général entra suivi d'un grand garçon qui paraissait environ seize, dix-sept ans, aux cheveux blonds tombant sur les épaules comme ceux d'une fille, aux yeux bleus amusés par la curiosité que suscitait son accoutrement : pieds nus dans des espadrilles, pantalon de velours côtelé marron, chemise de laine bariolée et gilet cintré en peau de mouton retournée. Je rappelle qu'il s'agit de 1925 et que cet accoutrement si familier aujourd'hui qu'il est exploité à l'échelle industrielle par les maisons de prêt-à-porter, étonnait à l'époque et semblait même singulièrement inadapté à la clientèle d'un lycée plutôt snob, composée d'enfants de bourgeois enrichis par la guerre, de jeunes Russes émigrés tous fils de colonels et de princes mués en chauffeurs de taxi à la Muette ou en violonistes de boîtes de nuit à Montmartre.

Le surveillant général échangea quelques mots à voix basse avec le professeur de français, désigna une place au fond de la classe au garçon qui remercia d'un signe de tête. Il n'avait ni cahier, ni livre, même pas de porte-plume, et s'assit tranquillement, les bras croisés sur le pupitre. Le professeur reprit son cours à l'endroit où il l'avait interrompu. André Garrett, mon père, qui a raconté dans ses carnets intimes l'entrée de Stanislas, se souvenait que la leçon portait sur *La Farce de Maître Pathelin* lue par le professeur avec l'accent rocailleux qu'il empruntait pour dire du vieux français. Par le cahier des présents, on apprit le lendemain le prénom du « nouveau » : Stanislas, mais son patronyme restait imprononçable, composé de consonnes accouplées que séparait mal une seule voyelle. Devant les récriminations des professeurs qui refusaient de se colleter avec un nom pareil, les hautes instances du lycée décidèrent de simplifier ces sons barbares en éliminant quatre consonnes et en ajoutant une voyelle, d'où Beren, Stanislas Beren, appellation que l'arrivant accepta sans sourciller et garda sa vie durant.

On ne pouvait rêver d'élève plus modèle : toujours à l'heure, sans un cahier, sans un livre, les bras croisés sur le pupitre, un sourire éclairant son visage aux traits assez rudes quand le professeur égayait la classe d'une plaisanterie dûment rodée depuis des années. Il faut supposer qu'à cause de son ignorance totale du français, on l'avait mis en troisième à tout hasard, en dépit de sa taille et de son âge. À la première récréation, ses nouveaux camarades l'avaient entouré pour tenter de lui tirer quelques mots. Dans ce milieu assez mélangé où beaucoup d'élèves savaient une seconde langue : anglais, allemand, russe ou espagnol, Stanislas montrait son incompréhension d'un curieux mouvement de tête : il levait le menton, ou, simplement, les sourcils. Parfois, il prononçait d'une voix suave quelques mots étrangers. Consultés, des professeurs reconnurent des racines grecques, d'autres assurèrent qu'il s'agissait d'un dialecte slave. L'intérêt, vif au début, s'éteignit vite. Un seul élève s'efforça de rester en contact avec ce garçon aimable et facilement souriant. Ce fut mon père, André Garrett. Sur une photo de la classe, prise avant la fin de l'année scolaire, on les voit, côte à côte, au dernier rang. Ils correspondaient par gestes ou par menus cadeaux. Les cadeaux — barres de chocolat, portraits d'actrice — ne venaient pas de Stanislas. Manifestement, ses parents — s'il en avait — ne lui donnaient pas un sou d'argent de poche. Il arrivait à pied d'on ne sait quel quartier du seizième, toujours chaussé d'espadrilles. En cas de pluie, il traversait la rue de la Pompe, pieds nus, ses espadrilles nouées autour du cou par leurs lacets. Il semblait ne posséder qu'un pantalon, qu'une chemise et le gilet de mouton retourné. Dans un lycée à la discipline assez stricte où les élèves raffinaient sur la toilette, il détonnait étrangement mais une autorité invisible le protégeait. Un pion nouveau qui surveillait l'entrée des élèves par la rue de Longchamp, le voyant un jour arriver pieds nus, voulut lui interdire la porte et le saisit par le bras pour le repousser dans la rue. Des élèves intervinrent :

— Monsieur, c'est Stanislas Beren. Il est en troisième A'.

Stanislas ne protestait pas et restait devant la porte, l'air indifférent. Mon père courut chercher le surveillant général qui vint lui-même préciser au pion trop zélé qu'il s'agissait bien d'un élève du lycée.

— Un élève spécial, je vous le concède. Il est là pour apprendre le français.

Le nouveau pion, très plat, tapota dans le dos de Stanislas qui, une fois à l'abri du préau, chaussa ses espadrilles et se joignit à la queue attendant l'arrivée du professeur d'anglais. Une consigne avait dû être donnée : aucun des professeurs ne l'interrogerait. Ils se contenteraient de l'attention de ce garçon poli et silencieux. Au mois de juin, il y eut des examens de passage, du moins pour ceux qui n'avaient pas la moyenne. Stanislas en fut, bien entendu, dispensé. Il paraissait n'avoir fait aucun progrès en français encore qu'il répondît oui ou non, et sût dire bonjour et au revoir, parfois merci. Qu'allait-il devenir pendant les vacances ? Mon père s'en ouvrit à son père qui se rendit au lycée où il eut une longue conversation avec le professeur. Le secret demeura bien gardé, mais le résultat fut l'arrivée, le 13 juillet, de Stanislas avenue Mozart, peu avant le départ qui avait été fixé au début de l'après-midi pour éviter les encombrements sur les routes. La mère d'André eut un haut-le-cœur. Généreuse d'une manière assez traditionnelle, elle aimait s'occuper de la vie privée de ses domestiques, protéger une famille d'immigrés ou participer aux travaux d'un ouvroir à l'église de l'Annonciation. L'apparition de cet escogriffe aux cheveux de fille, au visage ingrat, à la tenue qu'elle qualifia aussitôt de clownesque, la troubla si fort qu'elle put à peine lui sourire. Dans la seconde, elle décida de changer tout cela : coiffure, vêtements et ongles endeuillés.

Qu'on se rassure : ce n'est pas une fois de plus l'histoire d'une famille bourgeoise, la mienne, que j'entends raconter ici, mais celle de Stanislas Beren et, dans la mesure où il est concerné, celle de mon père, qui fut son premier et peut-être unique ami. Mes grands-parents n'apparaîtront, à quelques exceptions près, que cet été-là. J'ai à peine connu mon grand-père puisqu'il est mort en 1939, au début de la guerre, âgé de soixante-dix ans alors que je n'avais pas quatre ans. Une image m'est restée de lui par un de ces phénomènes de la mémoire qui enregistre sans raison apparente une silhouette, un décor isolés de leur contexte disparu. Je le revois quarante ans après, je ne sais à quelle saison, ni à quelle heure, pro-

15

bablement le matin, en caleçon de laine long, gilet de corps, une serviette éponge enroulée autour du cou, rouge, la barbe ruisselante de sueur. La scène est restée gravée dans mon souvenir par son absurdité. En effet, mon grand-père pédalait dans une salle de bains aux murs carrelés de blanc, mais, pour un enfant, son exercice tenait de la démence : où pensait-il aller ainsi sur une bicyclette sans roues ? Six mois après, il mourait d'une hémorragie cérébrale en apprenant la déclaration de guerre. Au musée d'art moderne, à Beaubourg, on peut voir son portrait en pied par Kees Van Dongen sur fond de champ de courses (Longchamp ou Deauville). Sur les photos que j'ai conservées, il apparaît dans des tenues diverses : en habit rouge pour une chasse à courre dans la forêt de Compiègne, en maillot de bain à épaulettes sur la plage de Deauville, en pilote de course sur une Christie moteur V 4 (1907), en aviateur sur un Farman (1912), enfin assis à côté de son chauffeur dans un coupé de ville 40 CV Renault, celui-là même qui, à peine sorti de l'usine, emmena Stanislas et mon père en vacances l'été 1925. On a deviné que c'était un passionné de mécanique et d'inventions nouvelles — ce qui explique peut-être combien, par réaction, son fils, mon père, en eut horreur et pourquoi il circula jusqu'à la guerre de 1939 à bicyclette dans Paris, ne prit jamais un avion, n'emprunta des trains qu'avec la plus grande répugnance et refusa un moteur sur ses différents voiliers qui furent sa seule ambition sportive.

Mon grand-père fut ce qu'il est convenu d'appeler un brasseur d'affaires. Il aimait, après une enquête minutieuse, racheter des usines en déconfiture, des sociétés expirantes, les remettre sur pied avec des procédés d'avant-garde, et les revendre. La vérité oblige à dire qu'il ne fut pas toujours heureux dans ses inspirations, traversa des crises et finit plus ou moins ruiné d'abord par la dépression de 1930, puis par le Front populaire en 1936 et la guerre en 1939 au moment où il lançait une agence de voyages organisés, idée neuve qui devait se développer à grande échelle vingt ans plus tard. On n'est pas impunément un novateur. Il aurait été bien étonné si on lui avait prédit que la seule affaire qui résisterait aux vicissitudes d'une époque à la fois aussi prospère que calamiteuse, serait une maison d'édition rachetée à un de ses condisciples des Oratoriens, Jérôme Quintin : les éditions Saeta, spécialisées dans la poésie. En 1930, Quintin, écrasé par les dettes, abandonné par sa femme, se voyant menacé de prison, fit le tour de ses amis, mesurant très vite le peu d'intérêt que suscitaient ses chers auteurs dans le milieu où il avait été élevé. Par une de ces contradictions qui lui étaient familières, et aussi par générosité naturelle, mon grand-père dont les connaissances poétiques ne dépassaient pas Sully Prudhomme, André Theuriet ou *Le Monologue des bouffons* de

Miguel Zamacoïs, ouvrit son portefeuille, paya les dettes, hébergea Jérôme Quintin pendant les six mois qui restaient à vivre à ce rêveur sans défense... et mit la clé sous la porte des éditions Saeta, préparant ainsi, sans y penser une seconde, l'avenir de son fils André, de Stanislas Beren et le mien.

Je suppose que la personnalité de Stanislas Beren l'intéressa au même titre qu'une affaire en péril : en cinq mois, Stanislas semblait n'avoir appris que dix mots de français et demeurait exactement le même qu'à son arrivée saugrenue en classe de troisième. Ma grand-mère le baptisa aussitôt « le paysan du Danube », une approximation ethnique qui se révéla fausse par la suite.

La 40 CV Renault — elle fut éphémère, car, dès 1927, mon grand-père se passionna pour les tractions avant de l'ingénieur Grégoire, acheta une Tracta et une Cord qu'il garda jusqu'en 1939, date à laquelle mon père, au front, les vendit une bouchée de pain pour financer les œuvres complètes de Samuel Bernstein, édition qui parut en juin 1940 et fut aussitôt pilonnée, figurant sur la liste Otto de la censure allemande, mais qui se souvient encore de Samuel Bernstein, prosateur lugubre, alors que les Tracta et les Cord figurent dans les musées de l'automobile et inspirèrent toutes les voitures de l'avenir ? — la 40 CV Renault, dis-je, les emmena à Deauville dans la propriété familiale disparue aujourd'hui sous les coups des lotisseurs. Ma grand-mère craignait le soleil autant que la pluie et vivait confinée dans le salon ou sa chambre pendant que son mari paradait sur la plage, au champ de courses ou autour du tapis vert du casino, en vertu de quoi on ne pouvait, sans doute, rêver couple plus uni et plus fidèle.

C'est lors de cet été 1925, qu'il faut porter au crédit de mon grand-père une de ses meilleures intuitions, son plus fructueux placement. À peine arrivé à Deauville, Stanislas se mit à parler, non pas quelques mots, mais un excellent français quoique encore un peu lent. Le plus étonné fut son condisciple de Janson-de-Sailly, alors que ses parents trouvèrent cela on ne peut plus naturel.

— C'est l'air de la Normandie! affirmait ma grand-mère.

Tout de même, il y avait de quoi être surpris. En quelques mois, sans prendre une note, sans rien laisser transparaître, il avait appris le français et le parlait presque sans accent. Le seul indice qui laissait soupçonner son origine étrangère et le différenciait des camarades de son âge, tenait à une certaine affectation, un rien de préciosité. Il parlait comme son professeur de lettres. Un auditeur attentif aurait, en vain, guetté un « ça » pour « cela », un « on » pour « nous ». Sa vie durant, Stanislas répugna aux abréviations communes : il prenait le « métropolitain », assistait à une « projection cinématographique », aimait la « photogra-

19

phie », roulait en « voiture automobile » et dictait sa correspondance à une « secrétaire sténo-dactylographe ». Plus tard, son œuvre a parfois souffert, aux yeux des critiques, de cette préciosité, involontaire d'abord, puis certainement voulue et même cultivée, mais il ne faut pas aller trop vite : en 1925, l'œuvre de Stanislas Beren n'existe pas. Il n'y a qu'un grand garçon maigre, aux cheveux trop longs, au visage ingrat de mal nourri, aux vêtements usés à la corde et incompatibles avec une promenade sur les planches de Deauville en compagnie de son ami André Garrett.

Ma grand-mère y remédia. Si peu que j'aie parlé d'elle jusqu'ici, j'ai des remords de l'avoir peut-être ridiculisée, ce qui est injuste. Elle n'était pas ridicule, mais par rigueur morale, par une intime réaction contre la vie brillante et dissipée de sa sœur Félicité, elle pliait son caractère aux règles d'une époque désuète, refusant de voir que la Première Guerre mondiale avait ruiné des mœurs, des idées, des rapports entre les êtres humains, une façon de vivre et même de penser qui avaient été les siens avant le grand bouleversement. J'ai lâché le nom de Félicité. Le lecteur le retrouvera tout au long de ce livre. Félicité avait quinze ans de moins que sa sœur, ma grand-mère, qui l'avait élevée, c'est-à-dire qu'en 1925 elle avait trente ans, en était à son troisième veuvage et vivait depuis peu avec un dadaïste. Ma grand-mère l'aimait trop pour la blâmer et d'ailleurs elle avait élevé cette beaucoup plus jeune sœur comme son propre enfant, c'est-à-dire avec des trésors d'indulgence bien qu'elle se reprochât de n'avoir pas su lui inspirer de principes. Est-ce pour cette raison qu'elle fut plus intransigeante pour son fils unique, mon père ? Qu'elle l'enferma — en vain — dans un cocon et ne le laissa sortir qu'avec prudence, essayant de lui inspirer l'horreur des intempéries et — tant elle craignait par-dessus tout les chauds et les froids — de lui inculquer le goût des caleçons longs et des tricots de corps ? L'échec total ne la démoralisa cependant pas. Après le baccalauréat passé en même temps que Stanislas, mon père brûla ses sous-vêtements de coton, acheta un Star qu'il ancra au Cap-Ferrat et rejoignit aussi souvent que possible pour naviguer seul et, en dehors du Midi, n'aima jamais que Paris. Le jour où il s'affranchit d'une pesante tutelle, grand-mère Garrett se contenta de pousser un soupir comme à chaque mariage de Félicité. Elle perdait et sa sœur et son fils. Cela dit, c'était une femme cultivée qui lisait sans cesse, une musicienne qui aurait pu devenir une violoniste virtuose si l'on n'avait pas considéré dans sa famille que la vie d'artiste est la source de tous les vices. Il lui arrivait cependant, malgré sa douceur, d'être inflexible. Ainsi à peine arrivée à Deauville, elle traîna Stanislas chez le coiffeur, lui fit couper les cheveux, chez le tailleur et lui commanda un pantalon de flanelle blanche, un blazer bleu et pour l'automne deux costumes de tweed anglais avec des poches à soufflets. Elle eut plus de mal à le chausser. Il détestait les chaussures, ne supportait que les espadrilles, et elle ne réussit à vaincre sa répugnance qu'en lui achetant des souliers deux pointures au-dessus de sa taille. C'est visible sur la photo, prise cette même année, de Stanislas et de mon père, à un match de tennis auquel ils assistaient : Stanislas, avec un rien de mauvaise volonté, avance un pied énorme. André qui s'attendait à une rébellion de son camarade, fut stupéfait de le voir accepter avec une relative facilité cette transformation extérieure. À dire le vrai, il en fut même brièvement déçu, jusqu'à ce qu'il comprît que sa mère âgée d'à peine quarante-cinq ans, qui s'habillait comme une femme de soixante et qui — à l'époque du jazz, du surréalisme, des premières voitures à compresseur et de la traversée de l'Atlantique par Lindbergh — vivait comme au temps de la comtesse de Ségur, inspirait à Stanislas une admiration sans borne dont il conserva le souvenir sa vie durant et qui est la clé du personnage d'Anne de Beautremont dans son premier roman : *La Vie secrète d'un orgasme*[1]. Plusieurs fois, Stanislas m'a dit :

— On ne sait rien si on n'est pas né à la campagne, quitte à n'y pas rester. On n'a de personnalité que s'il y a eu dans la famille une autorité grand-maternelle, forte, écrasante et contre

1. Éditions Saeta, 1932.

laquelle on apprend à se révolter. Toutes les autres révoltes, ensuite, paraissent dérisoires.

Jusqu'alors, l'amitié des deux camarades de Janson avait été faite de connivences. La parole la transforma. En réalité, Stanislas avait très vite appris le français grâce à ce don des langues qu'il développa par la suite, comme un jeu, pour s'amuser.

— Mais alors, pourquoi ne m'as-tu rien dit? demandait André. Pourquoi n'as-tu pas participé à la classe?

— Mon vieux, je voulais m'offrir des vacances. C'est très agréable d'écouter la musique des mots. Je l'ai goûtée infiniment. Tu n'as pas idée, toi qui l'entends depuis l'enfance, de la grâce secrète, presque invisible, inaudible de la langue française. Son relief est doux, poli par l'usage et les siècles. Même quand un étranger ne la comprend pas — comme c'était mon cas au début — il imagine sans peine le sens d'une phrase. Et puis j'aimais vous regarder tous dans la classe, vous observer, vous comparer aux enfants que j'ai connus dans mon pays, vous donner des notes, imaginer vos parents, vos vies de famille, tout ce qui vous différenciait de moi.

André — je ne l'appellerai plus mon père, c'est un peu ridicule pour un homme qui, en mourant le 12 mai 40, est resté plus jeune que moi — André tenait un journal que j'ai là sous mes yeux : une dizaine de cahiers à la reliure en spirale, à la

23

couverture jaune. Il y notait tout avec une minutie d'écolier qui, à partir de cet été 25, change soudain de ton, comme pour un passage à la vie adolescente, prélude à la vie adulte. La plupart de ses conversations avec Stanislas y sont rapportées. Les carnets sont tous du même modèle et, en comptant les feuillets, il est facile de vérifier que des pages — dans certains deux ou trois, dans d'autres près de la moitié — ont été arrachées, comme si André avait voulu effacer ce que ces notes avaient de personnel pour garder uniquement ce qui concerne Stanislas. Avec leur correspondance que j'ai en main, avec les premiers billets échangés sous la table en classe de seconde, première et philosophie, il n'y a pas de source plus sûre, et pourtant c'est à peine si l'on trouve quelques indications sur les origines de cet étrange garçon qui apparut, un matin de 1925, à Janson où l'arrivée d'un Hottentot n'aurait pas plus étonné. Malgré la richesse des carnets et de ces centaines de lettres, les raisons de sa venue en France restent inconnues. Stanislas et André ont constamment laissé cette question de côté, affectant de la négliger, de la considérer d'aucune importance à partir du moment où Stanislas, ayant adopté la langue française, signifia qu'il adoptait aussi la nationalité française. Une seule certitude : il était venu avec un passeport Nansen. Sa naturalisation date seulement de 1936.

Il faut avancer à tâtons dans cette histoire des origines de Stanislas. Il a voulu le mystère et il l'aurait conservé si, dans la première thèse qui parut sur son œuvre, en 1955 aux États-Unis[1], Charles B. Walker n'avait prétendu que Stanislas était le fils naturel de Ferdinand de Saxe-Cobourg, tsar de Bulgarie en 1908. Je ne sais où le canular prit son envol. Il est possible que Stanislas en fût lui-même l'auteur, se plaisant à des mystifications qu'il s'étonnait ensuite qu'on prît au sérieux ou qu'il oubliait simplement. Charles B. Walker était venu le rencontrer à deux reprises, une fois à Paris, une autre fois à Venise en 1953 où ils avaient longuement parlé pendant près d'une semaine. Cette prétendue révélation avait suffisamment agacé Stanislas pour qu'il s'en ouvrît à moi en 1960 :

— Tout cela est ridicule. Les Saxe-Cobourg ont fourni assez de rois à l'Europe pour qu'on se passe de leur imputer aussi des enfants naturels, et il faut être tombé sur la tête pour imaginer qu'un Saxe-Cobourg ait donné naissance à un écrivain ou un artiste. Non, je ne suis pas d'origine germano-bulgare, je peux te le garantir. C'est beaucoup plus compliqué.

Dans sa bibliothèque, il prit une revue à couverture orangée, comme il y en eut tant d'éphémères

---

1. Première publication par la Fondation Hoover (1955), puis en librairie chez Simon and Schuster (1957).

entre 1925 et 1939. J'ai vérifié dans les archives des éditions Saeta et à la Nationale. *Mots de passe* ne publia que trois numéros[1] :

— Prends cet exemplaire. C'est une relique. Personne ne sait lire. Toi, peut-être sauras-tu.

Rien n'est plus paralysant qu'un compliment pareil. Je ne vis d'abord qu'un poème de Stanislas où l'on retrouve deux des thèmes de son œuvre : la nostalgie résignée du pays perdu et la confiance dans sa langue d'adoption, mais, conscient qu'il fallait chercher une clé plus apparente — qui saute aux yeux quand on l'a découverte — et peut rester invisible à ceux que n'obsèdent pas les énigmes d'un poème, je recopiai ces vers et en découvris l'acrostiche. Je le reproduis ici, tel quel, bien qu'il ne s'agisse pas d'un chef-d'œuvre. Stanislas n'avait que vingt-quatre ans quand il le publia. Il venait de traverser une phase surréaliste après sa rencontre avec la poésie d'Apollinaire et tentait d'écouter sa propre voix :

*Pardon, mon pays, je t'oublie,*
*Le rideau est tombé, tu n'existes plus.*
*À moi-même, je suis né, un jour, ailleurs,*
*Venu à une autre langue, une autre terre,*
*Ni heimatlos, ni du Mont Noir.*

---

1. *Mots de passe :* trois numéros en février, avril, juin 1932. Directeur-rédacteur en chef, André Garrett (mon père). L'adresse était celle des éditions Saeta. Le poème cité parut dans le numéro 1.

*Il y a des siècles que je pleurais,*
*C'est fini. Mes yeux aux larmes taries*
*Au petit matin, ont vu l'invisible.*

Il aurait fallu longtemps pour découvrir le sens du mot Plavnica si une autre indication n'avait permis de le localiser : Mont Noir pouvait signifier Monte Negro. Une autre clé ne laissait plus de doutes. Dans son deuxième roman, *Le Compte à rebours*[1], le héros s'appelle Jezero Skadarsko. En serbe, jezero signifie lac, et Skadarsko est tout simplement le nom yougoslave du lac de Scutari au bord duquel est situé Plavnica. Est-ce là qu'il est né ? J'incline à le croire même s'il l'a nié lorsque je l'ai questionné, mais ce qu'il niait n'est pas plus évident que ce qu'il affirmait, et son désir d'égarer les recherches a toujours été, même avec moi, plus fort que le goût des vérités simples.

— Mon petit Georges, m'a-t-il dit, je suis venu au monde un matin de février à Janson-de-Sailly quand le surveillant général m'a confié au professeur de lettres. Avant, j'étais dans le ventre de ma mère. Bénie soit cette sainte femme ! Je n'aurais pas dû mettre le nez dehors, ce nez qui d'ailleurs est, tu l'as remarqué, un peu long. On n'est jamais si bien que dans le ventre de sa mère et c'est folie d'en sortir pour courir des aventures, mais les hommes sont fous, nous le savons. J'ai beaucoup

1. Éditions Saeta, 1936.

espéré être le fils d'un évêque. Comme Apollinaire[1]. Hélas, il paraît qu'il faut renoncer à ce rêve bien qu'il y ait sûrement quelque chose d'onctueux dans ma personne...

Non, il n'avait rien d'onctueux dans sa personne. Le mot était d'André Thérive qui fut féroce avec lui à la publication du *Compte à rebours*, et, plus tard, après la guerre, revint sur son appréciation et consacra de longs et vibrants articles à Stanislas. Je n'ai pas vraiment souvenir d'une onctuosité quelconque dans la manière d'être de Stanislas, à moins que l'on ne se méprît sur sa courtoisie qui enveloppait et caressait jusqu'à la minute où l'éclair fulgurant d'un sarcasme corrigeait cette impression doucereuse.

Au chapitre de sa naissance si bien dissimulée, je ne peux ajouter qu'un dernier indice : sa réaction un jour où je lui parlais, par hasard, du *Tartarin de Tarascon* d'Alphonse Daudet. Il y a là, on s'en souvient, un soi-disant prince de Monténégro

1. À l'époque où il me tint ce propos (1960) le livre de Pierre Marcel Adéma : *Guillaume Apollinaire* (La Table Ronde, 1968) n'était pas encore paru, affirmant avec une quasi-certitude que le poète était le fils non d'un évêque, mais d'un aristocrate italien, Francesco Flugi d'Aspermont avec lequel Angélique, Alexandrine de Kostrowitzky s'était enfuie de Rome en 1875, à peine âgée de dix-sept ans. Stanislas Beren le savait aussi, bien que j'ignore ses sources, mais il lui plaisait de croire à une légende qu'Apollinaire n'approuvait ni ne désapprouvait, comme lui-même s'amusait d'entendre dire qu'il était « fils de roi » au sens vrai du terme ou au sens gobinien.

qui escroque et vole proprement le pauvre Tartarin.

— C'est un livre infâme, dit Stanislas avec colère. Un livre cruel et méchant comme le *Don Quichotte* de Cervantès. Daudet, comme Cervantès, se joue trop facilement d'un imbécile. De quoi se moque-t-il? Du courage et du rêve. On n'est pas plus lâche. Enfin, quel est cet escroc qui part avec le portefeuille de Tartarin pendant que le pauvre homme croit tuer un vrai fauve et n'abat qu'un lion aveugle et sourd? Oui, qui est ce personnage sans scrupule? Pourquoi l'affubler d'une nationalité usurpée? Sais-tu, Georges, qu'après son *Tartarin* Daudet n'a jamais pu remettre les pieds à Tarascon... Eh bien, à mon sens, il n'aurait pas été mieux avisé de se présenter au Monténégro.

Ne prétendons pas qu'il s'agit de preuves, mais plutôt de présomptions. En 1961, j'essayai de me rendre à Plavnica. Des chantiers internationaux avaient attiré des milliers de jeunes qui travaillaient à une autoroute traversant le pays du nord au sud. De superbes lignes droites s'interrompaient brusquement et de vagues écriteaux indiquaient des déviations à travers champs. Une pluie torrentielle avait noyé un de ces champs où je dus laisser ma voiture embourbée jusqu'au capot, irrécupérable. En 1962, je renouvelai ma tentative et fus arrêté à Kragujevac, mis en prison une semaine pour avoir payé mon essence avec des dollars, aucun office des changes n'étant ouvert. Libéré, on me donna douze heures pour quitter la Yougoslavie. En 1963, je tentai de nouveau ma chance et, venant de Grèce, m'arrêtai pour la nuit à Skopje qui, à part son quartier musulman, est — ou plutôt était — une ville hétéroclite sans aucun charme. Vers deux heures du matin, un séisme réduisit Skopje à un tas de gravats. Ma chambre, au premier étage de l'hôtel, s'effondra dans la cave et je sortis, indemne, par un soupirail. Réduite à une galette, ma voiture resta au garage. Sur le chemin du retour, je m'arrêtai à Venise et habitai quelques jours chez Stanislas à qui je confiai mes déboires.

— À ta place, mon garçon, je n'insisterais pas. Plavnica n'est pas sur ta route. La quatrième fois tu y laisseras ta peau. J'ai repoussé Plavnica dans les limbes.

Il ne désirait pas en parler. La seule personne qui eût pu nous révéler le lieu de naissance de Stanislas est Tante Félicité. Leur acte de mariage doit nécessairement comporter un lieu de naissance, mais sur ce point elle se tut et je la soupçonne même pour égarer les recherches d'avoir toujours donné une fausse date de son mariage. Il faudrait compulser les archives de la Seine pour obtenir une indication, mais a-t-on le droit de déterrer ce qui a été caché avec tant de soin? Et si Stanislas a voulu n'être né de personne, n'est-ce pas son droit strict aux yeux de l'histoire à laquelle il appartient, l'histoire littéraire? En quoi d'ailleurs le nom de son père, le nom de sa mère, l'endroit où il a vu le jour peuvent-ils expliquer la génération spontanée de son talent, la naissance et la vie de son œuvre? Nous devons, par respect pour l'homme, en rester aux suppositions et ce que l'on peut inférer tient à l'histoire mal connue du Monténégro, principauté balkanique par le traité de Berlin en 1878, royaume en 1910, réuni à la Yougoslavie en 1918. Pendant des années, des Monténégrins insoumis tinrent le maquis. Il est à présumer que s'il en reste aujourd'hui, ils marchent avec des béquilles. Inventons un roman : Stanislas Beren serait le fils d'un de ces princes détrônés qui refusèrent de se plier à l'ordre symbolisé par les Karageorgevitch. Ce prince aurait-il confié son fils à la France pour qu'il fût éduqué et, un jour, renvoyé dans son pays afin de prendre la tête de la révolte? C'est possible. L'éducation de Stanislas fut réglée officieusement, jusqu'à la fin de sa licence ès lettres, par le gouvernement français. Chichement, il est vrai, comme si la France se sentait coupable de favoriser un plan contre son allié Alexandre I$^{er}$, mais au Quai d'Orsay il y a toujours un fonctionnaire qui nourrit de gris desseins que son successeur range brutalement au service des Archives. En 1931, les subsides s'arrêtèrent sans explication. Le protecteur invisible de Stanislas avait atteint l'âge de la retraite.

À Paris, Stanislas habitait chez un vague oncle

qui vivotait d'un commerce d'épices orientales dans une impasse de la Muette. Mon père n'aperçut ce parent qu'une fois et l'a décrit dans son journal intime comme un vieillard jaune et sec, assis dans une bergère éventrée, au fond de sa boutique, fumant son narghilé. Les clients étaient moins rares qu'on n'aurait pu le penser, dans ce quartier bourgeois français où se retrouvaient quantité d'émigrés, russes ou balkaniques. Tout de même, cela ne devait pas marcher fort et l'oncle, comme je le raconterai plus tard, avait une petite activité annexe. Il serait faux de croire que Stanislas cachait son seul parent. C'était son oncle qui se cachait, momie orientale indifférente à tout sauf au narghilé sur lequel elle tirait du matin au soir. Se parlaient-ils ? Ce n'est même pas certain, à part l'essentiel. Stanislas ne versa pas de larmes sur la mort de l'oncle en 1930, pas plus qu'il n'a évoqué un père ou une mère s'il les a connus. Il avait eu la chance d'être jeté dans un monde neuf où il était né brusquement à dix-sept ans un matin, à Janson-de-Sailly. Alors à quoi bon les références ? Le titre de son premier long poème révèle bien l'idée qu'il se faisait de lui-même : *Ma génération spontanée*[1].

L'été 1925 à Deauville est capital dans la vie de Stanislas Beren. En quelques semaines, il décou-

---

1. *N.R.F.*, numéro d'avril 1933. Le poème est présenté par Jean Paulhan : « Un poète tombé du ciel. »

vrit presque tout ce qui devait enluminer sa vie : un violent amour de la langue française, la littérature à travers les premiers livres que son camarade lui prêta, les mondanités, c'est-à-dire, à l'époque du moins, une bourgeoisie qui, sous les apparences de la frivolité, conservait un style et du goût pour le mécénat. Stanislas découvrit aussi... Tante Félicité qui débarqua un après-midi avec trois malles et dix cartons à chapeau. Elle avait trente ans, ai-je déjà dit, et elle était le négatif moral et physique de ma grand-mère, sa sœur, sacrifiant avec agressivité à la mode : le cheveu court, l'œil bleu roi outrageusement fardé, du rouge aux pommettes. Belle ? Non, sûrement pas, mais elle avait un de ces visages qui annoncent du caractère par l'agressivité du nez ou de la bouche, la longueur du cou. Ceux qui l'ont connue à cette époque disent que sa séduction tenait surtout à sa voix, rauque, presque masculine. Le meilleur portrait d'elle qu'on ait, à cette époque, est de Kisling dont elle me paraît être le modèle rêvé au point que tous les autres portraits de femme de Kisling lui ressemblent comme s'il n'y avait eu qu'un seul moule pour inspirer les peintres ou les écrivains des années folles. Elle traînait derrière elle une changeante petite cour d'admirateurs : compositeurs, musiciens, décorateurs, poètes ou gens de théâtre dont elle orchestrait les plaisirs, qu'elle excluait ou appelait à elle avec autorité. Lorsqu'elle mourut, au printemps 68, neuf ans avant lui, Stanislas me montra une enveloppe qui contenait quelques billets rédigés d'une écriture maladroite et hâtive.

— Aucune femme, me dit-il, n'a eu plus d'influence sur les écrivains, les musiciens et les peintres de son temps et voilà ce qu'elle laisse, des notes pour sa blanchisseuse et sa femme de chambre, un itinéraire pour visiter les Pouilles, un ordre de virement qu'elle a omis d'envoyer à son banquier à Londres, un brouillon de testament pour son avocat. J'ai cherché dans ses affaires des lettres de Chirico, de Picasso, de Reverdy, de Stravinsky, de Diaghilev, de Bakst. Rien. Elle mettait tout au panier. Un jour où je lui voyais jeter une lettre de Drieu la Rochelle et tentais de l'arrêter, elle m'a répondu : « Il ne faut rien garder. La terre refroidira. Il n'y aura plus d'hommes et nos vanités seront mortes. » Que voulais-tu lui répondre de sensé ?

Grâce à Félicité, Stanislas et André furent introduits dans le monde marginal de la littérature et de la poésie, André parce qu'il lui avait aussitôt montré ses premiers poèmes, Stanislas parce que ce « paysan du Danube » présentait un de ces cas étranges pour lesquels elle avait des passades. Ce ne fut pas une passade comme on le sait, mais un grand amour qui dura quarante-trois ans.

En 1925, mon grand-père se passionnait pour la photo. Il s'achetait sans cesse de nouveaux appareils commandés à Leipzig. On abandonnait les caméras à plaques et à soufflets pour des caméras portatives au maniement plus aisé. Les albums de la famille Garrett sont particulièrement riches jusqu'en 1930, époque où mon grand-père se passionna pour ce qu'on appelait encore la T.S.F. Les photos de Félicité et de ses amis parmi lesquels on reconnaît, encore timides et collégiens, André et Stanislas déjà homme malgré ses dix-sept ans, abondent l'été 1925. Pour moi qui n'ai vraiment connu Stanislas et Félicité qu'en 1946, à leur retour des États-Unis, alors que j'avais dix ans, j'ai peine à reconnaître dans cette jeune femme coiffée à la garçonne, habillée d'une jupe au-dessus du genou, d'un sweater lâche au col en V ouvert sur son long cou orné de plusieurs rangs de perles, la femme de cinquante ans qui débarqua du transatlantique à Cherbourg, appuyée au bras de Stanislas dont la main la soutenait avec discrétion car elle chancelait déjà, atteinte par cette maladie sournoise qui, lentement, avec des rémissions, la paralysa au point qu'elle passa les dix dernières années de sa vie allongée. Le contraste avec ma grand-mère est sidérant. Rien de commun en apparence, l'une figée dans une mode 1910 avec des robes longues, un chignon, un serre-cou qui la faisait surnommer Mme de Grandair comme dans les histoires de Bécassine; l'autre non pas à la mode, mais la devançant comme quelqu'un qui prend à peine le temps de respirer son temps et déjà le précède. Comme je l'ai dit, Félicité avait été mariée trois fois : une première fois en 1914 avec un banquier mort trois mois après lors de la contre-attaque de la Marne ; une seconde fois en 1918 avec un jeune officier américain tué d'une balle en plein front la veille de l'armistice ; une troisième fois en 1920, avec Italo della Croce, peintre, comme on sait, sans talent, mais une si forte, si généreuse personnalité que son entourage lui pardonnait son art mondain et pompier. Croce était mort en 1924 d'une crise d'urémie, laissant à Félicité, comme ses deux précédents maris, une belle fortune et la maison du Cap-Ferrat, car cet artiste avisé, ce fabricant de portraits élégants, de fresques officielles pour la S.D.N. et les banques, avait converti le fruit de ses croûtes en tableaux de Braque, Juan Gris, Derain, Dunoyer de Segonzac, Vlaminck, Friesz ou de Pisis, les peintres qu'il aimait et dont il savait qu'il aurait été vain pour lui d'emprunter la voie novatrice.

Ainsi, Félicité, en 1925, se trouvait-elle, sans l'avoir voulu, à la tête d'une immense fortune qu'elle ne mesurait même pas et qui lui valait, lors de cette après-guerre folle d'inventions et de plaisir de revivre, une réputation fascinante dans les milieux littéraires ou artistiques. Veuve consolable, elle vivait depuis quelques mois avec Béla Zukor — de son vrai nom, moins ronflant, Jean Poilé — un poète dada d'un ennui académique, mais qui, probablement, lui apportait des émo-

tions autres que poétiques et se payait en plaquettes à compte d'auteur. Elle vint sans lui, à
Deauville, consciente que les mélanges n'avaient
pas de sel, que chez les Garrett son poète n'était
capable que de piteux scandales pour insulter les
bourgeois. Béla Zukor eut tort de se laisser écarter
pour un mois. Il y perdit son râtelier et en conçut
une aigreur qui ne s'apaisa jamais.

La première rencontre de Stanislas et de Félicité ne fut pas un de ces coups de foudre comme
on les imagine. Félicité arrivait dans sa famille,
nimbée d'une auréole de célébrité. On commentait ses brillants et malheureux mariages, ses amis
de Paris, Londres, Rome ou New York. Dans sa
propriété du Cap-Ferrat, elle avait reçu Freud,
Marinetti, Valery Larbaud, Isadora et Raymond
Duncan, la Pavlova, Bakst, Nijinsky et Georges Carpentier, et pourtant elle trouvait du temps à consacrer à sa sœur qui était aux antipodes de ce
monde-là, à son beau-frère dont elle aimait l'appétit de vivre avec son temps, ce temps fût-il seulement mécanique, à André, mon père, qu'elle
aimait comme un fils. Pourquoi se serait-elle intéressée à ce Stanislas inconnu, aux allures empruntées dans des costumes nouveaux et qui marchait
douloureusement dans des chaussures trop grandes? Si remarquable que fût sa maîtrise soudaine
du français, Stanislas éprouvait encore de la timidité. Un jour, il dit à André qui le nota dans son
cahier jaune :

— C'est terrifiant de ne rien savoir d'un pays, de sa littérature, de sa peinture, de son histoire. Tu ne te doutes pas une seconde du retard que j'ai à rattraper. Ta tante lâche le nom de Proust. Je cours chez le libraire : il y a dix volumes à lire. C'est fou.

Il mit les bouchées doubles, mais surtout il écouta. Son don presque magique d'assimilation, l'excellence de sa mémoire, la vivacité de son intelligence et sa curiosité le mirent vite sur le même pied qu'André. Mon grand-père, lecteur de revues scientifiques ou de bilans de société, respectait les passions des autres. À ces jeunes garçons auxquels il aurait préféré offrir des leçons de golf, de tennis ou de natation, mais qui professaient alors un inintérêt total pour les sports, il ouvrit un crédit dans une librairie. J'ai retrouvé une note concernant les résolutions prises par les deux amis :

Nous avons six ans pour assimiler l'essentiel de :
a) la culture française : deux ans
b) la culture anglaise : un an
c) la culture allemande : six mois
d) la culture américaine : six mois
e) la culture russe : six mois
f) la culture espagnole : six mois
g) la culture portugaise : six mois, étant entendu que nous butinerons les auteurs grecs et latins suivant les programmes scolaires, et que notre année de philosophie sera consacrée à la philosophie allemande parce qu'il n'y en a pas d'autre.

Lorsque trente ans plus tard, je retrouvai cette note ambitieuse et naïve et la montrai à Stanislas, il n'ironisa pas sur ce programme catégorique :

— Nous avons tenu nos engagements. C'était grisant. En fait, au début, nous ne comprenions rien, mais, quand même, il en restait quelque chose, ce fond d'émotions, de sentiments, d'expériences qui nous donnait l'impression d'avoir vécu, en si peu d'années, tant de vies différentes que le jour où nous refermerions nos livres, nous allions mourir et renaître aussitôt comme des bébés prodiges.

À la rentrée scolaire d'octobre 1925, Stanislas stupéfia les nouveaux professeurs de la classe de seconde. Prévenus, ils s'attendaient à voir assis au fond de la salle une sorte de minus végétatif, un barbare exotique que de hautes instances protégeaient pour des raisons obscures. Lors de la composition française qui ouvrait les examens trimestriels, André fut premier et Stanislas second. Le professeur, un jeune homme désabusé, expliqua à ses élèves :

— Beren, votre rédaction est de loin la meilleure. Elle dénote chez vous une intelligence supérieure, mais je vous ai classé second pour deux raisons injustes et parfaitement légitimes : vous écrivez comme un chat. Vous déchiffrer est un pensum que j'entends vous faire payer. Ensuite vous avez une idée approximative de l'orthographe. Vous me répondrez... mais non vous ne me répondrez rien, vous êtes, sans raison, bien élevé par une sorte de grâce qui ne s'apprend pas... enfin j'imagine que, dans votre tête, vous me répondez : « Laissons l'orthographe aux imbéciles » et vous aurez tort. Vous aimez la langue française. Il vous faut découvrir à travers son orthographe même désuète, ses règles de grammaire même embarrassantes, sa préciosité qui est sa gloire. Quant à vous André Garrett, vos connaissances sont assez étonnantes pour votre âge, mais vous aimez tout, vous ne savez pas choisir. Il faudra apprendre à choisir. C'est essentiel. Le troisième de cette composition est loin derrière vous deux. Cela dit, messieurs les autres élèves de la classe de seconde, j'ai le plaisir de vous signifier votre ignorance crasse. Vous vous exprimez en petit nègre et ne réfléchissez à rien. Votre culture s'arrête aux *Pieds nickelés*. J'estime trop le travail manuel pour souhaiter que vous abandonniez vos études et appreniez la menuiserie ou la plomberie. Non, vous êtes mûrs pour les grandes écoles.

Quand en 1931, Stanislas et André décidèrent de rouvrir les éditions Saeta, avec pour premier but de publier *La Vie secrète d'un orgasme*, ils se souvinrent de leur professeur de seconde que sa désinvolture et ses sarcasmes à l'égard du fils d'un haut fonctionnaire avaient fait reléguer dans un lycée de province. Ils lui offrirent d'être premier lecteur, et Georges Dupuy quitta l'enseignement pour se consacrer à l'édition avec les deux élèves dont il avait, lors de cette rentrée mémorable d'octobre 1925, conquis le cœur par sa générosité et sa lucidité amère. Avec une modestie que rien n'altéra, il tint ce rôle ingrat de conseiller littéraire jusqu'à la mobilisation de 1939 où on utilisa ses talents à la direction d'un magasin d'habillement militaire. Croira-t-on que les Allemands tinrent à faire prisonnier un garde-mites? Quand M. Dupuy revint, tuberculeux, il trouva encore la force de travailler quatorze ans jusqu'à sa mort en 1959, comme s'il avait survécu uniquement pour attendre ma propre majorité et me passer la direction littéraire des éditions Saeta dont il voulait rester l'ouvrier effacé. Âme fière et secrète, il avait choisi le plus modeste bureau de notre local et s'y cantonna, ne recevant que les auteurs qu'il aimait et traitant les autres, ceux qui faisaient vivre la maison, de « fournisseurs » dont il se contentait de sabrer les manuscrits de coups de crayon rouge toujours judicieux et qui contribuèrent grandement au style de cette collection « Pour tous » si souvent imitée que nous avons fini par l'arrêter. À entendre Georges Dupuy, on aurait pu croire qu'il détestait la littérature, mais s'il la cinglait, c'est qu'il l'aimait d'un amour fou et ne lui pardonnait pas de le décevoir. Quand, deux ans après sa mort, fouillant les archives de Saeta, je découvris ses rap-

ports de lecture, je les lus avec assez d'éblouissement pour en composer un livre qui, je l'espérais,
rendrait justice à ce noble et intransigeant serviteur des lettres[1]. Malgré la préface de Stanislas, le
livre ne remporta aucun succès, ce qui dut faire
sourire dans sa tombe notre ami. Il avait décidé,
une fois pour toutes, que ses activités littéraires
resteraient dérisoires, mais qu'il pouvait d'un mot
susciter dans le cœur d'un écrivain la confiance
qui lui manquait à lui-même. Il est certain qu'il
eut sur Stanislas une influence très forte comme
nous le verrons plus tard, et que si celui-ci, au
moins deux ou trois fois dans sa vie, résista à la
tentation des modes c'est parce qu'il imaginait le
sourire moqueur de Georges Dupuy.

Au cours de l'année scolaire 1925-1926, le professeur mit de l'ordre dans les cerveaux exaltés de
ses deux élèves, choisit leurs lectures et, le jeudi,
les promena dans les musées, les modérant dans
leur fringale : théâtre, cinéma, conférences alter-
naient avec la visite du vieux Paris ou des châteaux
d'Île-de-France. Bien qu'il fût lui-même incapable
d'enfourcher une bicyclette ou de taper dans un
ballon rond, Georges Dupuy plaida la cause des
sports auprès de mon grand-père. Stanislas et
André reçurent des leçons de tennis, de natation,
de golf, de boxe et d'escrime.

1. *Une littérature prénatale*, par Georges Dupuy, préface de Stanislas Beren, éditions Saeta, 1961.

— Vous êtes deux rats de bibliothèque, disait-il. Je vais vous aérer, en somme faire de vous tout ce que je n'ai pas su être. Et n'ayez pas peur : le moment venu, quand vous en aurez envie, vous me laisserez tomber.

Ils ne le laissèrent pas tomber. Plusieurs fois, Georges Dupuy en montra de l'amertume, surtout après la guerre, avec Stanislas :

— Vous me décevez, vous ne m'oubliez pas. Toutes mes idées en sont chamboulées. Je vous en supplie, ne me laissez pas croire à la gratitude et à la fidélité. Ce sont des notions fausses qui ne peuvent qu'attirer le malheur sur la tête d'un homme.

Dès l'été de 1925 à Deauville, ma grand-mère avait pris en main une autre tâche : policer Stanislas. Avec cette rudesse qui la défendait de son immense fond de tendresse, elle lui apprit à manger, à s'habiller, à parler aux femmes. Il lui dut son aisance mondaine, inespérée chez un garçon qui avait passé son enfance dans des maisons en torchis et même probablement dans le maquis des montagnes autour de ce qui est maintenant Titograd. Le fait le plus remarquable est que Stanislas, au lieu de rejeter cette autorité comme sa forte personnalité aurait pu l'incliner à le faire, sut aussi écouter. Il avait vite mesuré son ignorance et peut-être fut-il animé du désir secret d'effacer son enfance. Jamais jeune homme ne montra tant d'ardeur à naître. J'ai conservé quelques lignes prises au vol, après un dîner un soir à Venise (1972) :

— Janson représente trois années fantastiques. Ton père et moi, nous plantions des arbres, impatients de voir les résultats, mais conscients qu'il fallait attendre. J'étais entouré de bonté, de générosité, d'attentions délicates qui ont contribué à me faire aimer éperdument la vie. Sur ce point, je ne suis pas de l'avis de M. Dupuy[1] qui considérait que c'est mal préparer un être à l'existence que de le caresser. Ton père était mon frère, ta grand-mère ma mère, ton grand-père mon mécène et Félicité ma maîtresse, ce que j'aurais voulu crier sur les toits mais qu'il fallait taire pour des raisons de convenance évidentes. Seule ta famille le savait et comme elle vouait un culte à Félicité, elle protégeait nos amours encore clandestines.

Quand cela se passa-t-il et comment, il est difficile de le savoir. L'un et l'autre se sont tus. André seul, avec eux, connaissait la vérité, cependant il y a toujours des clés dans l'œuvre de Beren, même si plusieurs d'entre elles sont volontairement trompeuses. Peut-on prendre pour plus ou moins vraie l'histoire que Timothée Jantzénovitch

1. Leurs rapports formels restèrent invariables jusqu'à la mort de Georges Dupuy, comme si, à Janson-de-Sailly, ils s'étaient une fois pour toutes distribué les rôles. Le professeur fut toujours Monsieur pour Stanislas, et Stanislas fut toujours Beren pour le professeur. Qu'à la longue, ce fût un jeu, n'en doutons pas.

raconte au deuxième chapitre de *Salut et mort du héros*[1] ? Dans ce roman qui n'est pas le meilleur de Stanislas malgré quelques pages glacées d'épouvante sur Amsterdam, la nuit et la solitude désespérée d'un homme qui a tout perdu et ne possède plus dans son appartement vide de Binnenkant qu'un miroir dans lequel il scrute son visage où chaque incident de sa vie est marqué d'une ride, d'une cicatrice, d'une denture abandonnée à la carie, Stanislas introduit soudain une nuit un jeune homme aux longs cheveux blonds, chaussé d'espadrilles, sanglé dans un gilet en mouton retourné. Le jeune homme sans nom dépose au milieu de la pièce nue un paquet ficelé et va repartir quand Timothée l'arrête d'un geste implorant :

— Restez, lui dit-il, je veux raconter une histoire que mon miroir refuse d'entendre parce qu'il me trouve trop vieux et trop laid. Si j'essaie de lui faire comprendre que c'est bien arrivé à moi, il le nie et insiste avec cruauté pour réfléchir une seule image, celle du vieillard d'aujourd'hui. Pourtant, j'ai été ce jeune homme à qui vous ressemblez et, un soir où j'avais trop parlé, dans l'excitation du plaisir où m'avait jeté Debussy joué par un virtuose livide, je me suis tourné vers ma voisine, je lui ai pris la main, elle a répondu à la pression de mes doigts, nous avons attendu la fin du concert, je suis monté chez elle et nous ne nous sommes plus quittés. Combien de femmes

1. *Salut et mort du héros*, par Stanislas Beren, roman, éditions Saeta, 1969.

sont capables de cet absolu ? Je vous l'apprends tout de suite : très peu. J'ai donc eu cet absolu et il faut crier haut que je suis un homme comblé. Vous voyez, monsieur, je vis avec elle dans cette pièce dont j'ai retiré les meubles pour qu'elle ne se cogne plus en marchant car son pas est hésitant. Elle aime s'approcher de la fenêtre et contempler le canal, les maisons gothiques d'en face. Quand elle reste longtemps ainsi, le front collé à la vitre, une buée se dessine à hauteur de ses lèvres et j'y colle les miennes pour goûter son souffle, le fruit de sa bouche. Ainsi je connais l'éternité dont rien ne me séparera. Vous êtes devant un homme très heureux, monsieur, et je ne sais ce qui me retient de vous rendre votre paquet et de vous reconduire en vous priant de ne jamais remettre les pieds ici, car vous me dérangez, et ma femme qui tient aux apparences reste dans son coin sans bouger, pour ne pas souffrir de votre pitié.

Le jeune homme sort de la pièce où Timothée reste seul, face au paquet dont, après une longue oraison, il se décide à dénouer la ficelle. À l'intérieur, dans un cadre argenté, il y a la photo d'une femme dont Stanislas Beren donne une description si minutieuse qu'on reconnaît Félicité à trente ans. Ce court passage du roman paraît ambigu, inachevé, mais l'auteur l'a voulu ainsi, aveu mélancolique et déguisé d'un homme qui voit rôder la mort et ne sait plus si elle a déjà fauché ou va faucher. Un an auparavant (1968), Félicité s'était éteinte à Venise.

En feuilletant les carnets de mon père, j'ai trouvé à la date du 17 février 1928 (ils étaient tous les deux en classe de philosophie), quelques lignes qui éclairent la scène dont on ne sait si elle est vécue ou rêvée par Timothée Jantzénovitch. André a noté :

Hier soir nous devions aller au concert, Maman et moi. Au programme : Debussy dont je ne raffole pas, mais enfin Maman l'aime et cela suffit. À six heures, une fièvre du diable m'envahit, Maman appelle le médecin qui m'ausculte et ne se compromet pas en me collant au lit avec des infusions de verveine et de l'ouate thermogène. Maman refuse de me laisser et appelle Félicité pour lui offrir nos deux places. Félicité ne veut pas y aller seule et Maman lui conseille d'emmener Stanislas. Cet après-midi, je vais mieux bien qu'il me faille encore garder le lit. Stanislas est passé cinq minutes, distrait, fatigué.

— Je ne reste pas longtemps, a-t-il dit, j'ai un devoir de philo à remettre demain.

Impression bizarre qu'il n'était pas le même que d'habitude, et il n'a pas eu un mot pour remercier Maman du concert. Ce n'est pas du tout son genre.

L'intrigue ne pouvait rester longtemps secrète. André fut le premier confident (19 février 1928) :

Stanislas qui est incapable de me cacher quelque chose plus de quarante-huit heures m'en apprend une bien bonne. Une énorme ! En un soir, après le concert, il est devenu l'amant de Tante Félicité. Il est transporté, grisé, étourdi. J'avoue que mon premier sentiment a été l'inquiétude : notre amitié n'en souffrira-t-elle pas et notre plan en vue d'acquérir une culture universelle pourra-t-il être suivi à la lettre ?

Il semble d'après d'autres notes du journal intime qu'il y ait eu, en effet, quelques flottements au début, puis la vie s'organisa autour de Félicité. Ma grand-mère apprit tout par sa jeune sœur, s'indigna, pour la forme, pendant cinq minutes et ne sermonna personne : sa morale ne s'appliquait qu'à elle-même. Elle eût considéré de la dernière mauvaise éducation d'en importuner les êtres qu'elle aimait. Mon grand-père trouva l'affaire « amusante » et s'en réjouit. En somme, l'union fut bénie dès ses débuts, si singulière qu'elle parût, entre le jeune « paysan du Danube » et Félicité qui, d'un coup, cessa de courir après ce qu'elle avait cherché en vain jusque-là. Le seul qui eut à se plaindre fut Béla Zukor, le poète dadaïste au flamboyant pseudonyme. Il se réveilla sur le pavé avec une malle remplie de ses plaquettes invendues et invendables. Cette mésaventure l'emplit d'une haine tenace à l'égard de Stanislas qu'il poursuivit, son existence durant, d'échos fielleux, d'articles incendiaires, dénigrant son œuvre avec une obstination qui aurait dû paraître comique si la victime n'en avait été, parfois, profondément affectée car nombre de ces flèches empoisonnées l'atteignaient aux points les plus sensibles, là où il doutait de lui-même. Quand les Beren revinrent des États-Unis où ils avaient passé les cinq ans de la guerre, l'ex-amant de Félicité qui venait de découvrir le patriotisme et le brandissait avec d'autant plus de fanatisme qu'il avait craché dessus avant la guerre, les accueillit d'un article virulent d'indignation... Ce rat pesteux qui, de mémoire d'homme n'avait jamais offert un verre d'eau à un être humain, qui courait ses amis peintres pour les supplier d'ajouter un dessin, une dédicace sur des éditions rares aussitôt revendues, jurant, quand on le confondait de son indélicatesse, qu'il avait été volé, ce rat pesteux, recalé de la littérature, glorieux quelques mois pour un poème — si on peut dire — daté de 1930 où il exhortait le « génial Staline » (sic) à lancer ses troupes à l'assaut du Vatican et à sodomiser le pape, grand ennemi du prolétariat, ce rat pesteux — la seule erreur de Félicité — se prenait depuis la Libération pour le Fouquier-Tinville d'un tribunal où les écrivains qu'il haïssait en bon médiocre étaient condamnés au silence pour haute trahison et intelligence avec l'ennemi, parce qu'ils avaient publié des livres pendant l'Occupation, ce qui, évidemment, rayait de l'histoire de la littérature tout ce qui comptait en dehors de Jean Poilé, dit Béla Zukor. Après avoir accusé Giono d'être un espion allemand, Montherlant le proxénète de la Kommandantur, Jouhandeau le responsable de Dachau, Chardonne l'éminence grise d'Hitler, Drieu la Rochelle le maître à penser d'Himmler, il pondit, comme un pou une lente, un article qui accusait les Beren de s'être enrichis aux États-Unis pendant que les Français souffraient sous la botte. Rien ne tenait debout, mais l'époque puisait dans ce genre de venin l'oubli de ses reniements et de ses lâchetés encore fraîches. Stanislas dédaigna de se défendre d'une accusation aussi stupide. On dément un fait précis, pas une rumeur. L'article resta dans beaucoup de mémoires et comme les journalistes se pillent sans scrupules, il fut répété — déformé d'année en année — dans les journaux et les revues, si bien qu'écœurés Stanislas et Félicité commencèrent de vivre de plus en plus à l'étranger.

Une photo de Félicité, au cours de l'été 1928, la montre telle que l'amour la transforma en peu de mois : elle laissa pousser ses cheveux, allongea ses jupes, abandonna le fume-cigarette pour les cigarillos qu'elle grilla éperdument jusqu'à son dernier souffle et qui accentuèrent la raucité de sa voix. Son grand appartement du boulevard Malesherbes lui déplut et elle vendit ses meubles — qu'il ne faut pas regretter, ils étaient d'un affreux modern style — pour s'installer dans une suite du Ritz. Stanislas était encore, comme André, un lycéen. Après la classe, il arrivait à l'hôtel, ses livres et ses cahiers serrés dans un sous-cul de tapisserie, s'installait à une table devant une fenêtre donnant sur la vieille cour, révisait ses leçons tandis qu'elle lisait, allongée sur son lit avant de l'emmener dîner chez Prunier, Larue ou Lucas-Carton dont les portiers avaient fini par s'habituer à ce qu'il leur tendît son sous-cul rempli de cahiers et de livres avant d'aller s'asseoir à la table réservée de Mme della Croce. Stanislas s'empâta légèrement à cette époque-là et ma grand-mère l'ayant fait remarquer à Félicité, celle-ci fit monter des repas diététiques dans sa chambre, ne gardant que le dimanche soir chez Maxim's, ce qui nécessita l'acquisition d'un smoking que le futur poète, le futur écrivain accepta sans vergogne de sa maîtresse. Il remaigrit. Il était fait pour la bonne vie, mais à petites doses.

Sur une autre photo de la même année, peu après qu'André et lui eurent passé leur baccalauréat — sinon brillamment car ils dédaignèrent les sciences exactes, du moins honnêtement, aussi conscients l'un que l'autre qu'il fallait se débarrasser de ces conventions pour commencer à vivre —, Stanislas apparaît déjà mûri, déjà homme, alors qu'à son côté mon père est encore un efflanqué qui a poussé trop vite et ne sait pas s'il a eu tort ou non de se rebeller soudain contre les caleçons longs et les tricots de corps, s'il ne va pas attraper froid selon les prédictions de sa mère. La photo a été prise au Cap-Ferrat peu après les examens. Stanislas n'est pas à son mieux. Quelque chose, un incident, une réflexion l'avaient agacé, et son visage reflète cette irritation qu'il savait de son devoir de ne pas montrer, mais elle est d'autant plus évidente, presque forcée que, semble-t-il, personne ne s'en est encore aperçu. Il n'y a pas de doute qu'au début Félicité le rabrouait facilement en public et c'est peu à peu qu'elle cessa de se défendre contre lui. Avec un instinct sûr, elle devina chez ce jeune homme gauche quelque chose de plus puissant que l'attrait fruité de l'adolescence : les prémices d'une âme décidée, un caractère que les années graveraient sur le visage de Stanislas en traits si nets que, vers la cinquantaine, personne ne douterait en le rencontrant qu'il s'agissait d'un homme d'une intelligence extrême et, mieux encore, d'un artiste.

Il n'en fallait pas moins, pour affronter avec un si jeune amant une société jalouse et méprisante, beaucoup de courage à Félicité. Plus prudente envers elle-même qu'envers les autres, elle ne s'afficha pas lors de leur premier été. André joua le rôle d'un chaperon. Quoi de plus naturel que le neveu passât des vacances chez sa tante avec un camarade qui, peut-être intimidé par le luxe et les étrangers qu'il découvrait, écoutait plus qu'il ne parlait ? Ainsi Stanislas apprit-il que si l'on disait « Jean » il s'agissait de Jean Cocteau, le « pauvre Raymond » de Raymond Radiguet mort à vingt ans, Paul » de Paul Morand, et quand un vieux monsieur à favoris évoquait « le petit Marcel » il s'agissait de Proust. Les deux amis se précipitaient alors dans les livres de ces héros qui leur paraissaient familiers, accessibles, et dont la présence —

vivante ou fantomatique — rendait leur œuvre si familière qu'en la lisant ils croyaient entendre la voix des auteurs. Stanislas était le plus assidu à ces séances de lectures boulimiques car, déjà, André naviguait sur son Star une partie de la journée dans la rade de Villefranche. Que cet été 1928 soit important dans l'œuvre de Stanislas Beren est évident. La maison et le jardin sur la mer apparaissent déjà dans *La Vie secrète d'un orgasme*, et le Cap-Ferrat est le personnage principal de la longue nouvelle qu'il publia trente ans plus tard sous le titre : *Une presqu'île*[1]. Si l'on en croit le journal d'André qui rapporte à cette époque-là les confidences de Stanislas, l'union singulière de celui-ci et de Félicité n'apparaît pas comme un de ces débordements de sensualité que l'on pourrait attendre entre un jeune homme de vingt ans et une femme de trente-trois. Certes, il n'y a pas de doute qu'ils se retrouvaient parfois la nuit et que Stanislas regagnait à l'aube la chambre partagée avec son ami mais Félicité n'était pas une femme de lit. Une seule fois dans sa vie, elle s'était laissé entraîner à des excès par un maniaque sexuel, Béla Zukor, et elle en conservait, maintenant qu'elle s'était libérée de ce dernier, un sentiment dégradant qui la rappelait à la pudeur. Tout se passait comme si sa liaison avec Stanislas, pour être sauvée, devait se maintenir à une hauteur

---

1. *Une presqu'île* par Stanislas Beren, éditions Sæta, 1958.

qu'elle entendait fixer elle-même, quitte à laisser Stanislas prendre du plaisir ailleurs et à le garder par des liens plus durables que l'amour physique dont elle se lasserait avant lui en raison de leur différence d'âge. Le comprit-il tout de suite ? Ce n'est pas certain. Il était dans ce que Retz appelle les « feux du plaisir » qui se prennent pour l'amour, et il enrageait de la distance qu'elle gardait avec lui sur ce chapitre des plus nouveaux dans sa vie. Un jour où elle avait condamné sa porte, il explosa auprès d'André :

— Elle me méprise. Elle joue avec moi. Je n'entre dans sa chambre que si elle le décide. Un soir, elle me montrera la porte et je n'aurai rien à dire. Tu entends... rien ! Je rentrerai dans mon trou de la Muette, chez l'oncle Dimitri qui ne parle presque jamais, je retrouverai mon galetas, cette odeur d'épices que j'ai du mal à supporter et, pour conversation le soir, le gargouillis du narghilé.

Dans son cahier, à cette page, André a collé en marge une feuille de papier à lettres à l'en-tête de la maison de Félicité : La Désirade, Saint-Jean-Cap-Ferrat, Alpes-Maritimes. L'écriture est bien la sienne, mais il n'y a pas de doute qu'il a recopié, pour le sauver, ce court poème de Stanislas, un de ses premiers essais où sourdent l'angoisse et la tristesse, tribut qu'une âme inquiète paye au bonheur :

*Oh cette mer qui bat*
*et ce ciel sans fin*
*que mes yeux dans mes poings*
*pleurent tout bas*

*C'est toi que je revois*
*tendresse regrettée*
*de nos corps jetés*
*lumière qui poudroie*

*Journée de froide mort*
*où se turent tes pas*
*ton image là-bas*
*le long du petit port*
*qui ne s'éteindra pas.*

Je cite ce poème oublié de Stanislas, non qu'il soit remarquable, mais parce qu'il est un des premiers, sinon le premier, et qu'il annonce déjà ce style qui fut le sien, tout de concision et de passion retenue. Il a dû être écrit après une brouille passagère comme il y en eut plusieurs cet été-là, Félicité se défendant avec cette brutalité qu'ont les femmes quand elles se voient placées devant une vérité qui les cabre. Était-ce la première fois pour Stanislas ? Non. Mais c'était le premier amour. Les précédentes aventures ? Des passes d'armes. André a noté un jour alors qu'ils étaient en première :

« Stanislas b... les bonnes[1]. » Sans commentaires.
Félicité est bien le premier amour.


— Je n'ai jamais aimé d'autre femme, me dit
Stanislas quand nous revînmes du lugubre enterrement de Félicité à San Michele en 1968.

Il oubliait Audrey, il oubliait les autres, celles
qu'elle lui servait sur un plateau pour distraire
l'âme mélancolique et angoissée de cet homme
plus jeune qu'elle de treize ans, et celles qu'il
s'offrait en cachette et dont, heureusement, elle
n'avait rien su car elle en aurait souffert comme
d'une trahison à leur pacte. Mais, comme l'a dit je
ne sais plus qui, la mémoire est oubli et, à l'heure
des comptes, seul subsiste le souvenir que nous
parfaisons lentement en nous-mêmes. Félicité
veilla jusqu'à lui épargner les souffrances des
amours parallèles. Elle veilla aussi sur ses premiers
écrits, et notamment sur son œuvre poétique qui,
en grande partie à cause d'elle, est restée disper-
sée, fragmentaire. Stanislas n'a peut-être pas été
un poète au sens précis du mot. Félicité, par ses
exigences et un instinct sans défaut, ne le lui permit pas. Comme si elle avait été comptable de ce
qui devait « demeurer », dès 1928 elle déchira et
jeta au panier les balbutiements ou les imitations

1. À la date du 17 mars 1927, dans le cahier d'André; mais
quelle discrétion encore dans les mots! Aujourd'hui, un collégien
de son âge écrirait ie mot cru et dédaignerait les petits points.

involontaires de Stanislas. D'un côté, elle semblait aimer la vie facile et d'un autre côté, intérieur, caché même à la plupart de ses amis, cette frivole était la rigueur même. Si Stanislas dans l'élan de sa jeunesse se rebella d'abord contre cette censure, il finit par comprendre et admettre que Félicité ne se trompait pas ou très peu. Elle ne laissait pas passer une médiocrité. André a noté un jour où elle parlait d'un romancier à la mode, cette condamnation sans appel :

— Naturellement, ce n'est pas bon et ce n'est pas non plus mauvais, même pas très mauvais ce qui laisserait l'espoir d'un retour de talent. C'est simplement médiocre, c'est-à-dire que c'est irrémédiable.

Il n'y a pas de doute que Stanislas fut assez malheureux ce bel été 1928, malheureux comme on peut l'être quand une femme dont on mesure l'importance vous tient au bout d'une laisse, s'assure de vous sans paraître rien perdre d'elle-même. Blessé dans son amour-propre, Stanislas luttait fièrement et seul. André, presque toute la journée sur son bateau, l'aidait peu, mais qu'on imagine les pensées de cet exilé, jeté dans un monde inconnu dont il découvrait les multiples visages ! Chaque jour, il y avait dix personnes à déjeuner, autant à dîner, et Félicité le plaçait en bout de table. Des invités croyaient séant de lui adresser des banalités du genre : « C'est la première fois que vous venez au Cap-Ferrat ? » ou :

«Vous êtes encore ici pour longtemps?» questions sans malice le plus souvent — enfin, pas toujours! — qu'il prenait avec un agacement grandissant, persuadé que ce mélange de snobs et d'artistes, de milliardaires et de pique-assiettes, s'étonnait de trouver, dans un paradis où régnait une telle femme, un «paysan du Danube» auquel ils suggéraient de ne pas s'attarder.

Je sais qu'en essayant de retrouver le ton des relations de Stanislas avec Félicité, je ne parais pas très tendre pour elle, mais je reste persuadé qu'elle se violenta et qu'au contraire des apparences une grande passion s'était enflammée en elle, la passion de sa vie. Elle avait peine à y croire et entendait ne pas la gâcher en s'y lançant à corps perdu. Une âme romantique a le droit de mépriser ces méfiances et, certes, Félicité n'était pas une âme romantique à plus de trente ans après trois mariages et une liaison qu'elle désirait effacer. Le monde qu'elle aimait et qui l'aimait, ne lui aurait pas pardonné si elle était partie s'isoler sur une île déserte avec Stanislas.

Georges Kapsalis, ce Grec francisé qui fut son ami intime et peut-être bien son seul confident après la mort d'André, m'a dit, quarante ans plus tard, en 1968, alors que nous venions de la conduire au cimetière de San Michele où elle repose pour toujours, qu'il avait tout deviné dès le premier jour :

— Nous étions l'un à l'égard de l'autre d'une

franchise totale. Je t'avouerai que j'ai commencé par la taquiner gentiment avant de comprendre qu'elle mûrissait pour Stanislas le premier grand amour de sa vie. Au début, elle en pleurait de désespoir. Oui, devant moi, crois-le ou non...

Pendant qu'il me parlait, dans la pièce voisine du palazzetto, celle dont les fenêtres donnent sur le Largo Fortunio, Stanislas marchait seul, de long en large, et nous entendions son pas lourd qui scandait son chagrin, comme si la distance imaginaire qu'il parcourait ainsi entre deux murs dans la lumière bistrée du jour finissant, l'éloignait de la sombre réalité du cercueil descendant dans la fosse double qui l'attendait. La dalle n'avait pas recouvert seulement Félicité, elle recouvrait aussi une partie de lui-même qui était finie, qui ne revivrait plus et, comme tout homme qui perd un souffle de sa vie, il se demandait pourquoi le sort était si cruel que de le laisser seul, désemparé comme un enfant. J'aurais aimé être près de lui, même si nous n'allions pas échanger un mot croyant que le seul fait de tenir sa main ralentirait, si peu que ce fût, sa chute. Georges Kapsalis devina et me retint :

— Laisse-le, dit-il. C'est l'heure, pour lui, où il n'y a plus qu'elle et je peux te garantir qu'il croit sincèrement, comme il éprouvera sans doute le besoin de te le dire, qu'il n'y a eu qu'elle dans sa vie. Ta présence, la mienne lui rappelleraient maladroitement ce dont nous avons été les témoins. Laisse passer cette journée. Ce soir, nous l'emmènerons dîner pour éviter qu'il ne fouille dans les affaires de Félicité, caresse ses robes, pleure sur ses bijoux inutiles, gratte le fond des tiroirs pour retrouver des photos qui lui déchireront le cœur.

Avais-je jamais vu Georges Kapsalis? Il faisait partie du décor, invité permanent partout à condition qu'on lui envoyât un billet de train ou d'avion. À Venise, je mesurai combien il était une des pièces maîtresses de cet édifice bâti par Stanislas et Félicité. Il avait été leur confident, leur ami, le conciliateur des heures orageuses. En somme, il leur avait donné sa vie, ce Grec désinvolte, un peu cynique, qui s'était ruiné au jeu sans cesser de s'amuser et vivait depuis la guerre dans une chambre de bonne à Cannes, parfaitement heureux, payant de sa gaieté l'hospitalité qu'il n'avait pas besoin de quémander tant tout le monde l'aimait.

— Il y a une chose que je ne t'ai jamais racontée, me dit-il ce triste jour vénitien où nous nous sentions si proches. L'homme que nous écoutons marcher dans la pièce à côté, qui est mon ami, qui a remplacé ton père auprès de toi, qui est un des grands écrivains français, m'a montré un jour qu'il aurait pu changer ma vie si je l'avais désiré. Ce regard tantôt absent, tantôt poli, empreint d'une attention condescendante qu'il pose sur les gens et les choses, n'a pas toujours été le sien. Il y en a eu un autre, qu'il a caché, refoulé quand il a eu conscience du danger. Et il a eu du mérite, je te prie de le croire. C'était en 1930 à Deauville. Nous étions au pesage. J'avais eu une très mauvaise semaine... enfin tu me comprends. Certes, ce n'était pas la ruine comme ces trente dernières années, mais... je n'avais pas eu de chance. Presque la dépression! Malgré la bonne humeur forcée de ton grand-père. Nous regardions tourner les chevaux au pesage et, bien que pas trop mauvais connaisseur, je n'osais pas me décider, lorsque Stanislas s'est penché à mon oreille et a murmuré, tout doucement, sans l'apparence de conviction : « Le numéro 2. » Je n'ai pas oublié le numéro 2, un jeune cheval gris, un peu trop beau pour qu'on lui fît confiance, mais enfin, par amusement, par défi, j'ai misé sur lui. Et j'ai gagné. Trois autres fois, Stanislas m'a suggéré un numéro et j'ai gagné aussi. Je sais que tu n'aimes pas le jeu, que les chevaux t'ennuient, et que tu peux simplement imaginer que Stanislas s'y connaissait mieux que moi. Mais non, mon petit, il ne savait rien ou à peu près. Il *voyait*. Quatre expériences auraient pu me convaincre si j'avais été naïf. Il m'en fallait plus. J'ai joué un mois. À une fois près, où le jockey tomba, il ne se trompa pas. Alors, j'ai commencé à observer son regard à cet instant-là. Ce n'était plus le regard que nous connaissons. Impossible à décrire et, encore aujourd'hui, je me demande s'il magnétisait les chevaux ou s'il obéissait à quelque vision intérieure. Je t'assure que c'en était presque effrayant. Tu me connais assez : je suis, enfin... j'ai été joueur, mais même si un joueur joue pour gagner, il ne supporte pas que ce soit en obéissant à une force supérieure à celle de la chance. Oui, pendant deux mois, Stanislas m'a aidé et j'ai connu une période dorée qui, très vite, m'a terrifié. Je croyais blasphémer... Eh oui, je croyais même pactiser avec le diable, avec des forces obscures. Nous n'avions pratiquement pas échangé un mot, Stanislas et moi, lorsque, à la fin de la saison des courses, j'ai voulu partager mes gains avec lui. Si tu avais vu sa tête! J'ai cru qu'il allait me tuer : « Non, m'a-t-il dit, c'est impossible! *Je n'ai pas le droit.* » Nous avons parlé toute une soirée et j'ai osé cette chose insensée : je l'ai supplié de ne jamais utiliser son don, ni pour moi ni pour qui que ce soit d'autre. Oui, je l'ai persuadé que nous courions un risque terrible. Il ne devait jamais toucher aux cartes ni parier — même par mon intermédiaire — sur les chevaux. Je sais que tu es empêtré dans le rationalisme de ta jeunesse, que tu me prends, en ce moment, pour un vieux fou qui radote, mais rappelle-toi : je suis Grec, je crois au mauvais œil, aux signes du destin et de la nature, et peut-être Stanislas et moi sommes-nous plus parents que nous ne le pensions, hommes du

62

Proche-Orient avec dans nos sangs un mélange angoissant parce que nous sommes les fils des Dieux mais aussi les fils des Héros, c'est-à-dire les pires crapules de la mythologie...

Georges Kapsalis ne m'avait jamais autant parlé que cet après-midi de 1968 où nous écoutions les pas de Stanislas dans le grand bureau voisin. Trois ou quatre fois Stanislas interrompit sa marche et Georges se tut, attendant que la porte s'ouvrît, mais elle resta obstinément close jusqu'à huit heures du soir. Le bruit reprenait et Georges remarquait :

— Il s'est arrêté pour prendre un livre sur les rayons de la bibliothèque. C'est son habitude quand le travail n'avance pas. En général, il choisit un poète, récite à mi-voix quelques vers — peut-être l'entends-tu, ton oreille est plus fine que la mienne — puis reprend courage et marche. As-tu remarqué le tapis : aux deux extrémités, il y a un endroit où la laine est usée, écrasée. C'est là qu'il exécute son demi-tour avec une précision parfaite. Lire, toujours lire. Cet homme a dévoré des montagnes de livres depuis son arrivée en France. Une faim terrible, comme s'il voulait combler non seulement son retard mais celui de ses ascendants que nous ne connaissons pas et dont il est facile d'imaginer qu'ils furent des petits seigneurs de guerre, des rois de la montagne. En 1928, quand je l'ai vu à la table de Félicité, intimidé, répondant par monosyllabes aux questions imbéciles qui l'assaillaient, je me demandais quelle passion extrême nourrissait cet adolescent bien musclé. Nous ne l'avons pas su tout de suite, mais à son premier roman j'ai compris. Les amis de Félicité ne l'ont plus regardé du même œil, et je dois dire que son comportement extérieur a changé du tout au tout comme si, avec ce livre, il avait payé son billet d'entrée dans ce milieu exigeant et facilement tenté par le mépris. Tout de même, parfois, on voyait se dessiner sur son visage sérieux un sourire qui ne trompait pas. C'était déjà un jeune homme plein de certitudes, et il s'amusait de notre ignorance à son égard, à l'égard de ses grandes ambitions.

— Mais enfin, les amis se doutaient?

— Oui, bien sûr, encore qu'il ait été d'une discrétion rare. Un jour, au Cap-Ferrat, comme nous passions sur la terrasse après nous être attardés à table ce qui devait agacer ce grand corps plein de vie et de force, il a tout simplement sauté dans le vide. Oh pas un grand vide, quatre mètres, ce qui est assez impressionnant car, d'un coup, nous l'avons vu disparaître comme un diable qui rentre dans sa boîte, peut-être fracassé sur les rochers qui bordent le chemin de ronde. Félicité a poussé un hurlement et s'est précipitée au balcon pour le voir debout, souriant et agitant la main avant de partir au pas gymnastique vers le village de Saint-Jean. Reverdy exprima l'étonnement général, roulant l'*r* avec son solide accent terrien : « Drrôle de pistolet ! » et Gaby Deslys a ajouté : « Un pistolet à six coups ! » ce qui a bien agacé Félicité qui mit un an à le lui pardonner. J'ai raconté ça à Stanislas longtemps après et il en a bien ri : « Six coups ? C'est arrivé mais pas avec elle qui s'intéressait peu à la chose. Avec une autre... avec deux autres... » As-tu remarqué comme son regard s'absente quand les hasards de la conversation lui rappellent une femme, un ami, un souvenir avec lequel, soudain, il se sent dans un tel état de connivence que plus rien ne compte autour de lui. Son corps est là, sa mémoire vogue ailleurs. On s'attend à le voir disparaître de l'autre côté de la balustrade, ne laissant derrière lui qu'un tas de vêtements inutiles.

À huit heures du soir, les pas se rapprochèrent et, après un temps, comme s'il avait eu une hésitation, Stanislas ouvrit la porte, se tint quelques secondes dans l'encadrement et nous sourit :

— Et si nous dînions à la trattoria de Simonetti ? Vous devez mourir de faim.

J'avais toujours bien aimé Georges Kapsalis, mais sans comprendre, jusqu'à ce lugubre après-midi vénitien, qui suivit l'enterrement de Félicité en 1968, que cet homme léger si désinvolte avec lui-même, dissimulait une belle intelligence de la vie sous une bienveillance parfois irritante parce qu'elle semblait s'adresser sans discernement à n'importe qui. En vérité, Stanislas et Félicité n'avaient peut-être pas eu d'ami plus attentif. Il avait veillé sur eux et sur leur entente qui n'allait pas de soi. Avec une élégance que n'altérait pas l'usure des années trop brèves vers la fin, il avait dominé sa ruine, accepté comme une ironie supérieure son parasitisme, et transformé en un art brillant la tristesse de recevoir l'aumône de billets de chemin de fer ou d'avion, d'un petit chèque de l'un ou de l'autre pour régler son tailleur ou son ardoise au bar du Carlton, d'invitations de dernière minute à un bridge ou à un dîner parce que la maîtresse de maison découvrait, affolée, qu'elle avait treize personnes à table.

Pourquoi ne l'avais-je pas interrogé avant? Après Venise, je le revis encore une fois à Paris. Déjà fatigué, absent, il avait l'esprit ailleurs comme averti de sa mort prochaine qui l'arracherait au monde des plaisirs et de l'amitié qu'il aimait tant. Il parla des lettres que Stanislas lui écrivait en 1930 lors de sa première fugue. C'était, affirmait-il, des documents d'une importance considérable. Il me les donnerait à condition que je promisse de ne pas les utiliser sans le consentement de Stanislas. Georges regagna Cannes et mourut le lendemain. Pour je ne sais quelle ordurière raison de loyer en retard, la propriétaire m'écrivit qu'elle avait saisi ses hardes pour les vendre à un fripier. Le reste, les souvenirs, les lettres, les photos étaient partis à la poubelle. Ou, du moins, le disait-elle cette acariâtre personne, car, trois mois plus tard, je retrouvai chez un marchand d'autographes dix lettres de Stanislas adressées à son ami grec.

Pour être plus tôt en confiance avec Georges Kapsalis j'aurais dû oublier un mauvais souvenir d'enfance, une de ces petites hontes secrètes dont on se débarrasse mal même en les racontant comme je l'ai fait à Stanislas qui en a ri et s'est moqué de moi, mais a bien noté l'histoire dans un coin de sa mémoire pour la transformer comme il en avait l'habitude.

Le résultat fut une nouvelle que publia le *New*

*Yorker*[1], en 1970, un an après la mort de Georges. L'original, en français, a été perdu par Stanislas. Comme pour Stendhal dont les articles au *New Monthly Magazine* ont dû être reproduits à tâtons, en espérant que le premier passage de notre langue à l'anglais ne l'avait pas trop trahi, j'ai essayé, mais sans y parvenir réellement, de retrouver le ton de Stanislas dans cet extrait de *Paradise of a Gambler*. L'histoire est celle d'un joueur qui a toujours porté beau dans la défaite et qui vient de perdre son dernier franc. Il emprunte un ticket de métro — pardon Stanislas ! — de métropolitain au portier du cercle, et se rend chez un bijoutier pour vendre son épingle de cravate, le dernier objet précieux qui lui reste. Cette épingle même avec un honnête diamant est l'ultime secours qui permettra à Dimitri Papanou de disparaître en beauté. Il ressent une véritable allégresse à l'idée d'en finir avec le jeu, avec la vie et a rajeuni de quarante ans. Le monde lui paraît plein de charmes qu'il sera sublime de quitter. Il est même incapable de remarquer la réprobation muette des voyageurs qui l'entourent et que son élégance surannée irrite. Un dandy est déplacé en l'an 1970, mais Dimitri qui a toujours parfait sa toilette dans un souci d'insolence à l'égard des traîne-savates, s'en moque. Jusqu'à la dernière minute, il n'aura pas failli. Et voilà qu'à la station

1. *New Yorker*, 1er avril 1970, sous le titre : *Paradise of a Gambler*.

Rue de la Pompe monte un groupe de lycéens échappés de l'étude du soir. Ils ne sont pas pires que d'autres, mais ils sont en bande ce qui leur assure une certaine impunité. Ils rient, ils chahutent, ils se bousculent autour de lui lorsque Dimitri reconnaît parmi eux le petit Jean, le fils d'un de ses meilleurs amis, un enfant qu'il a vu naître, qu'il a fait sauter sur ses genoux. Il voudrait lui faire un signe amical, lui serrer la main, l'embrasser, mais Jean se cache derrière ses camarades, et voilà que fusent les sarcasmes, des moqueries grossières qui emplissent les autres voyageurs de joie. On rit de Dimitri, de son chapeau à bords roulés, de son col dur, de sa cravate à pois, de sa pochette parfumée, de ses gants beurre frais, de son costume gris (de chez Johnson, 3 Saville Road), de ses bottines guêtrées de beige, de sa canne à pommeau d'argent, de sa belle moustache blanche de pallikare.

Dimitri Papanou subit comme un coup de tonnerre la révélation qu'il insultait à la misère de ce monde las, fatigué, jaune et hargneux comme devient hargneux un chien qu'on attache. Parce que le petit Jean n'osait pas le reconnaître, Dimitri se détesta. Il ne s'était jamais aimé à la folie et même, pour dire le vrai, il lui était arrivé de se mépriser en secret, mais que la dérision tombât sur lui le rendait soudain, à ses propres yeux, haïssable. Il en éprouva un malaise si violent que sa main libre agrippa avec rage la barre d'appui. Les yeux fermés, il réprima un sanglot de rage et de désespoir. À quoi rimait son beau suicide, si bien rêvé depuis tant d'années, sa chute dans la mer du haut des jardins du Rocher de Monaco? Il avait tant cru que ce vol plané au-dessus des fleurs et des plantes exotiques, son plongeon dans les eaux d'un bleu intense, donnerait un sens au sordide! Si Jean ne venait pas à lui dans la minute qui suivait, il ne supporterait plus rien. À la station suivante, Jean n'était pas venu. D'autres voyageurs montèrent en bousculant Dimitri qui, dans la lumière crue du néon, avait l'air d'une statue de cire aux yeux clos. Un coup violent lui meurtrit les reins, peut-être la boîte à outils d'un plombier dont il percevait, comme un défi, les effluves crasseux. Le métropolitain repartait. Dimitri rouvrit les yeux. Les enfants ne se maîtrisaient plus, le moquaient avec d'autant plus de grossièreté qu'ils se sentaient encouragés lâchement par les voyageurs ravis de cette mise à mort. Dimitri souleva son chapeau pour prier une dame de l'excuser, s'approcha des portes coulissantes, les écarta avec une énergie rageuse et se laissa tomber sous les roues.

Le droit sacré de l'imagination est d'embellir l'amour et de dramatiser la mort. Ma propre histoire dans le métro avec Georges Kapsalis — alias Dimitri Papanou — n'a servi que de point de départ. Il est exact qu'un jour, sortant de l'étude avec une bande de camarades, j'aperçus notre ami grec dans un wagon de seconde où sa tenue un rien trop raffinée jurait avec celle des autres voyageurs. On ne se fond pas dans la foule de six heures du soir quand on a entrepris, depuis l'adolescence, de se déguiser en dandy. Il me semble que j'eus tout de suite le pressentiment qu'il se passerait quelque chose de désagréable et que je devrais me cacher de lui. M'a-t-il vu, reconnu parmi ces gamins dépenaillés, bruyants et chahuteurs ? Je ne l'ai jamais su, mais quand mes camarades commencèrent de le couvrir de sarcasmes épais, de le traiter de vieux beau, je le vis se raidir pour ne pas les frapper de sa canne. Insensibles à sa dignité, ils continuèrent, raillant sa superbe moustache, le parfum qui émanait de lui par vagues, et luttait mal contre l'odeur d'électricité brûlée du métro, la sueur, la poussière. Au bout de trois stations, il préféra descendre et resta sur le quai, effaré, blessé cruellement par les faces grimaçantes qui, le nez écrasé contre les vitres, le narguaient encore. Je ne sus jamais s'il m'avait distingué des autres, et gardai longtemps un horrible sentiment de honte. Si j'étais allé vers lui, mes camarades se seraient tus. Peut-être m'aurait-on brocardé en récréation le lendemain, mais je l'aurais protégé, sauvé de ce jeu de massacre, lui que je savais le meilleur ami de Stanislas et de Félicité. Pendant des années, je l'évitai et il dut me croire hostile ou indifférent. Ce n'est que le soir de l'enterrement de Venise que nous nous ouvrîmes l'un à l'autre, puis une autre dernière fois à Paris.

Dommage ! Il savait tant de choses et je crois que, malgré sa discrétion, il se serait ouvert, notamment sur le chapitre de la première fugue de Stanislas en 1930.

Mais n'allons pas trop vite. La chronologie veut que nous ne soyons encore qu'en 1928, lorsque après le baccalauréat, Stanislas et son ami André s'inscrivirent à la faculté des lettres. Dans son journal intime, mon père a écrit :

Demain commencent les cours. Nous avons déjà repéré à la terrasse du d'Harcourt une table d'où l'on peut, en buvant des cafés crème, suivre confortablement les entrées et les sorties de la Sorbonne. Ce sera un spectacle des plus instructifs. Des hommes de notre âge munis d'un vernis culturel et de quelque goût pour la littérature, pénétreront dans le temple du savoir et en ressortiront, sous nos yeux, d'une ignorance fabuleuse, vidés de toute passion, déjà des vieillards, prêts à martyriser d'innocents écoliers. Nous ne les imiterons pas. Nous sommes des poètes et nous entendons sauver nos génies de la dictature des pions et des archivistes.

On reconnaît là, jusque dans les termes, l'influence de leur professeur de Janson, ce Georges Dupuy qui, bien qu'on l'eût muté en province, continuait d'influencer ses deux jeunes élèves. Grâce à lui qui en avait l'expérience, ils ne tombèrent pas dans le piège grossier des études universitaires. Mais eut-il raison d'étouffer dans l'œuf le talent naissant d'André ? J'ai retrouvé une lettre de lui, adressée à mon père et datée de janvier 1929 : « Cher Garrett, j'ai un petit service à vous rendre : ne vous prenez pas pour un poète.

Bien à vous. G.D. » André après avoir tout déchiré avec allégresse, écrivit dans son carnet :

Vive la liberté ! M. Dupuy me libère de l'hypothèque poésie. Sacrifié avec joie quelques centaines de vers exécrables. Je consacre ma vie à la littérature des autres. Quel soulagement ! Et avec quel enthousiasme j'envisage l'avenir ! Parler dès demain à papa de rouvrir le dossier des éditions Saeta qu'il garde sous son coude sans rien en faire.

Il n'est pas encore question de considérer Stanislas comme un grand poète ou un futur romancier. Peu après le verdict tranchant de Georges Dupuy, je trouve dans le journal intime d'André cette note de commisération :

Stanislas continue de scribouiller. Quel courage ! Il est vrai que Monsieur Dupuy ne lui a pas coupé les ailes comme à moi. Je ne serais même pas étonné qu'en cachette il le pousse à travailler.

Nulle amertume, on le voit. L'amitié l'emportait sur tout. S'ils ne tinrent pas continuellement table à la terrasse du d'Harcourt, il est, en revanche, certain qu'ils ne mirent pas les pieds à la faculté et même se dispensèrent d'examens. Quoi de plus simple ? Ils prétendirent l'un et l'autre avoir réussi leur premier certificat, et partirent en vacances, pour le Cap-Ferrat, assurés que ni mes grands-parents, ni Félicité n'iraient vérifier, et que le fonctionnaire du Quai d'Orsay qui continuait de verser une maigre pension à Stanislas avait d'autres chats à fouetter.

Poussant le canular jusqu'au bout, en juin 1931, ils revinrent gaiement un matin, licenciés ès lettres. On admira bien plus Stanislas que mon père. Avec quelle énergie n'avait-il pas comblé son handicap, maîtrisé le français et rattrapé le temps perdu pendant les trois mois de sa fugue! Dans de nombreux articles parus après sa mort, on retrouve, parmi les éléments d'une biographie, la mention de cette licence qu'il ne passa jamais et dont il ne se vanta plus le lendemain du jour où il prétendit l'avoir en poche. Peut-être Félicité, au cours de l'été suivant, fit-elle valoir devant ses amis les mérites de ce « paysan du Danube » qu'elle était décidée à épouser, la cause ayant été longuement mûrie. Elle l'aimait et il l'aimait, ce qui n'est pas la même chose que de dire : ils s'aimaient. Félicité le voulait. Elle l'eut. Le mariage assura une liaison secouée par la fameuse fugue. Force était à Félicité d'admettre qu'elle avait tremblé et souffert d'un excessif désir de possession qu'effaça le passage à la mairie. Georges Kapsalis se rappelait très bien la cérémonie qui se déroula devant quelques intimes au Cap-Ferrat :

— Au cours du déjeuner qui suivit, me dit-il, nous vîmes devant nous un changement radical s'opérer en elle. L'anxiété qui la minait plus que nous ne l'aurions cru, disparut par enchantement. On ne peut pas prétendre qu'elle s'épanouit car elle n'était pas femme à s'épanouir, mais nous sûmes qu'une tension intérieure avait disparu. Maintenant que Stanislas était son mari, elle ne souffrirait plus des libertés qu'il était décidé à prendre. Il pouvait s'en aller six mois, un an, elle le retrouverait en fin de compte. Une paisible certitude l'habitait : ils ne se quitteraient jamais. Quant à lui, je crois qu'il éprouva un sentiment sinon semblable du moins voisin : ses nouveaux liens avec Félicité mettaient fin à une situation irritante et lui offraient un refuge dont personne ne le chasserait les jours où, las et amertumé, Félicité apaiserait son cœur et le guiderait vers un travail délaissé dans le doute ou le feu d'une de ces passions qu'il ne se refusa jamais, non par gloriole ou faiblesse, mais parce qu'il en ressentait l'extrême besoin pour nourrir son œuvre, la raison de sa vie. Une manie l'agaça cependant longtemps : Félicité était toujours appelée Mme della Croce. Sous ce nom, elle avait reçu tout le monde. Il parut difficile de remonter ce courant d'habitudes et qu'elle devînt, du jour au lendemain, Mme Beren. Le succès d'estime rencontré, quelques mois plus tard, par *La Vie secrète d'un orgasme* ne permit pas de renverser la situation. Le jour où une écervelée — pour rire ou par pure méchanceté — présenta Stanislas à une princesse russe complètement idiote, en le nommant : M. della Croce, il pâlit au point que je le crus prêt à la gifler. Durant le déjeuner, j'attendis un éclat, mais il était visible qu'il se calmait et méditait une farce plutôt qu'une vengeance. Quand nous nous levâmes de table, les invités pouffèrent : Stanislas avait tiré, entre deux boutons de sa braguette, un pan de chemise qui s'avançait orgueilleusement. Le plus drôle fut l'effort désespéré de quelques-uns pour lui signaler son inconvenance, les coups de coude, les paroles murmurées à l'oreille, et la feinte incompréhension de Stanislas. Quand, enfin, il ne lui fut plus possible d'ignorer les avertissements, il remit le pan de sa chemise dans la braguette sans la moindre gêne et continua de pérorer avec une aisance si parfaite qu'elle fit encore plus rire...

En 1930, avant le mariage, Stanislas vivait complètement avec Félicité. À Paris, il habitait une chambre voisine au Ritz, et pendant les vacances, à Noël, à Pâques ou en été il la suivait au Cap-Ferrat ou à Deauville. Il n'oubliait cependant pas l'oncle Dimitri dans sa boutique de Passy et le visitait au moins deux fois par semaine, pieux devoir qu'il respectait comme s'il essayait, par ce dernier lien, de ne pas couper tout à fait avec son passé secret. Un matin de mars 1930, il trouva la boutique fermée et ne put entrer que grâce à un serrurier et à un agent de police. L'oncle Dimitri était mort dans son fauteuil, tenant à la main le tuyau du narghilé. Le serrurier et l'agent ne sont plus là pour témoigner de la vérité de la scène décrite, sept ans plus tard, dans *Cryptogramme* où le héros,

S., découvre son père mort dans les mêmes conditions que l'oncle Dimitri :

Contrairement à ce que l'on a l'habitude de croire dans un cas pareil, il ne paraissait pas du tout dormir. Il était même très bien éveillé, les yeux grands ouverts (bien qu'un peu glauques, l'iris écarquillé comme pour mieux voir dans le vide), la tête renversée, appuyée au dossier du fauteuil, et comme le grand zygomatique et le masséter relâchés soudain après la mort s'étaient ensuite figés dans la rigueur cadavérique, la bouche béait, découvrant de longues dents jaunes et carrées de cheval, si bien que le serrurier (dont le père avait été charretier et qui s'y connaissait encore assez bien en hippologie) se pencha instinctivement sur ce gouffre violacé pour déterminer l'âge du vieillard. Il allait écarter la joue droite et examiner les molaires quand trois mouches qui pondaient sur la langue recroquevillée, sortirent, affolées, bourdonnantes dans la pièce miteuse éclairée par une lampe jaune de 40 watts, balancée au bout d'un fil par un courant d'air. S. comprit que son père était mort et il en fut très heureux pour ce vieillard qui avait trouvé seul la meilleure solution possible à une vie végétative, uniquement suspendue au gargouillement et à la fumée froide du narghilé. S'il y avait un monde au-delà, son père y était entré sans concession, tel que la vie l'avait momifié en ces dernières années, au milieu d'un rêve hypnagogique où il entendait, venu du fond de la steppe mais se rapprochant de jour en jour, le martèlement des hordes de cavaliers debout sur leurs étriers, précédés d'une violente odeur de cuir et de suint. Seul fait troublant dans cette paix indicible : la folie reproductive des mouches qui, pour un observateur ignorant, avait quelque chose d'ignoble. Heureuse-

77

ment, S. était un homme cultivé. Il avait lu Lucien de Samosate qui affirme, en accord avec Platon, que l'âme des mouches est immortelle dans la mesure où elle se nourrit de mortels.

Ces lignes n'éclairent pas la personnalité de l'oncle Dimitri. Quelles sont ces hordes de cavaliers galopant à travers la steppe? Est-ce là seulement une image née d'un accès de lyrisme ou une allusion aux origines cosaques du vieil épicier? Deux fois, j'entendis Stanislas prétendre qu'il avait du sang cosaque dans les veines. Le plus difficile à expliquer est la survivance de cet exilé dans un magasin où ne pénétraient pas plus de dix clients par jour. On peut se demander de quoi il vivait à part les souvenirs ruminés dans son fauteuil. Il faut cependant croire qu'il avait des moyens d'existence et même un magot caché dont Stanislas connaissait le secret. Il m'est impossible, pour le moment, de donner mes sources, mais je crois pouvoir affirmer que grâce à ce magot Stanislas put disparaître quelques jours après l'enterrement, se volatiliser, ne laissant qu'une lettre à André :

Je prends de l'air. Ne t'inquiète pas. Je reviendrai. Calme Félicité. Je n'aurai plus jamais d'autre secret pour toi dans l'avenir, mais cette fois-ci, il faut.

Dans son cahier intime, André a écrit :

Stanislas a obéi à un ordre. Ou un appel? L'un ou

l'autre déclenché par la mort de l'oncle Dimitri. Il est allé revoir ses montagnes, ses parents s'il en a encore. Il me semble qu'il reviendra, mais je ne le parierais pas à coup sûr. Soyons braves et ne montrons pas, comme Tante Félicité, que nous sommes vulnérables.

À son retour, trois mois plus tard, peu avant les examens, Stanislas avait maigri et bronzé. En fait, pas exactement bronzé, mais son visage d'ordinaire pâle s'était cuivré dans des intempéries dont il ne parla jamais. Quelques jours après, Félicité appela André pour qu'il tâche de savoir l'origine de deux cicatrices au bras de Stanislas. Leur régularité, leur ressemblance indiquaient qu'elles étaient volontaires ou infligées à un homme immobilisé par la force. Il s'agissait de deux croix dessinées sur les faces externes du bras, deux croix à branches égales donc orthodoxes, et peut-être le signe d'une secte, une marque indélébile pour qu'il n'oublie jamais ses origines. André se heurta à un mur. Stanislas ne parlerait jamais. La vie reprit comme avant, à cela près que Félicité, comme je l'ai dit, s'assura d'un lien que seule la mort briserait.

Stanislas et André ne se quittaient guère. J'allais dire qu'ils écrivaient *La Vie secrète d'un orgasme*, ce qui est une amphibologie, pas une ligne n'étant de mon père qui s'était institué le gardien d'une œuvre dont, dans ses cahiers intimes, il parle avec un lyrisme à la naïveté apparente aujourd'hui. Certes, presque toute l'œuvre de Stanislas est en germe dans ce livre, avec des maladresses qui disparaîtront vite. Dans ce genre de roman, un écrivain jette sa gourme aux frais d'une maison d'édition, et c'est le jour où il a en main ce livre achevé d'imprimer, qu'il est en mesure de distinguer ce qu'il aurait dû rejeter sans pitié et ce qui est, pour lui, une vérité d'avenir.

Ce premier essai est bourré d'hésitations, à croire qu'il est écrit, les dents serrées, par un homme obsédé à l'idée de livrer le secret de sa vie et qui, pour mieux se cacher, ajoute masque sur masque dans le vain espoir de tromper son lecteur. L'aurait-on remarqué dans la presse si Stanislas n'avait pas été le mari de Félicité? Question à laquelle il est difficile de répondre tant les critiques qui parlèrent de lui étaient indépendants et beaucoup moins soucieux qu'aujourd'hui de ranger de force un jeune écrivain sous une bannière. Félicité aurait d'ailleurs été incapable de solliciter qui que ce fût, mais enfin l'écho de ses dîners, le prestige des artistes qui l'entouraient, avaient tout de même attiré l'attention sur Stanislas. Plus tard, quand, après la guerre, elle fut lasse de recevoir et que la maladie réduisit lentement son activité, c'est Stanislas qui devint le centre d'intérêt à Paris lors de leurs passages, à Venise, et deux ou trois mois par an à Londres dans la jolie maison de Chelsea où il a quitté la vie.

*La Vie secrète d'un orgasme* est le fruit d'une bataille intérieure qui dura deux ans, bataille avec les mots, avec l'afflux des idées, des images et de visions grandioses que leur matérialisation ternissait sans pitié. Stanislas y apprit combien il est pénible, outrageant, indécent et naïf d'écrire un roman. Il y eut, naturellement, des journaux bienpensants pour stigmatiser l'obscénité de ce livre, dénoncer le scandale pour le scandale et même suggérer la saisie. Si ces dévots hypersoucieux de la morale s'étaient donné la peine d'ouvrir le roman et de le lire avec attention, ils auraient en vain cherché une scène osée. Il n'y en a pas. Le titre est un attrape-nigaud provocant, inventé par André qui entendait célébrer la réouverture des éditions Saeta par un coup d'éclat. Il aurait pu confondre les moralistes, mais s'en garda bien. L'aura de scandale servit le livre auprès d'un petit public et ne le desservit nullement auprès de la future grande audience qui attendait Stanislas à son second roman, *Le Compte à rebours*. Le seul passage qu'aurait pu rejeter une censure sévère, préoccupée d'asexuer le monde, est, dans le premier paragraphe, l'allusion des plus décentes à l'accouplement fortuit d'un déserteur et d'une forte paysanne aux chevilles lourdes, qui se lave nue dans une rivière. Le déserteur s'agenouille sur la berge, boit l'eau et voit soudain se mêler à son image celle, blanche et laiteuse, de la paysanne. Il lui saisit la main, l'attire dans l'herbe où il la prend sans qu'elle dise un mot. Quand il se retire d'elle qui semble n'avoir porté qu'un intérêt médiocre à la chose, elle reste étalée dans le pré humide et frais, ne tournant même pas la tête vers l'homme qui s'en va et se dirige vers un bosquet où il pense se cacher jusqu'à la nuit. Les gendarmes à sa poursuite le voient, lui barrent la route et l'abattent. En entendant les coups de fusil, la femme a un spasme de plaisir. L'enfant qui naît de cette rencontre devient soldat à quinze ans, général à vingt, empereur à vingt-cinq et dieu de son peuple à trente. Le jour où il est proclamé dieu, il se suicide pour s'assurer la seule immortalité enviable. Le sceptre est relevé par Anne de Beautremont, une personne autoritaire qui a été la maîtresse du palais. Elle a procuré à ce solitaire les femmes dont il avait besoin, prenant garde, chaque fois qu'elle le voyait prêt à s'attacher, d'exiler ces créatures utilitaires, veillant à ce que le héros conserve pour le seul peuple son énergie. Quand le dieu-empereur meurt, elle prend le pouvoir et, pour calmer l'imagination surexcitée du peuple, démobilise les soldats, les renvoie aux travaux des champs ou dans leurs échoppes d'artisans. Un conseil des ministres terrorisé vote des lois en apparence surprenantes : port obligatoire du caleçon long, tisanes lénifiantes après dîner, allaitement maternel et fiançailles obligatoires de trois ans avant le mariage. Tous ceux qui veulent continuer le grand rêve héroïque sont impitoyablement exécutés ou envoyés dans les mines de sel, et Anne de Beautremont explique à ses ministres à genoux qu'on ne répète pas l'histoire, qu'après la Gloire un peuple n'a de salut que s'il oublie son dieu et chausse ses pantoufles.

Le lecteur avait de quoi être surpris. Entraîné dans une aventure épique, il voyait l'auteur éclater de rire et tourner en dérision cette aventure même. Les dernières pages lui donnaient l'impression qu'on s'était moqué de lui, abusant de sa naïveté. En réalité, ce n'est pas du lecteur que Stanislas Beren s'était moqué, mais de lui-même comme si, soudain conscient d'avoir laissé son imagination s'enflammer, il reposait les pieds sur terre. Cette fin fut mal appréciée des quelques critiques qui aimèrent le livre. Ils s'étaient laissé attraper et on leur riait ensuite au nez, mais Léon Daudet, Emmanuel Berl, André Bellesort défendirent Stanislas. Ils furent les trois seuls à remarquer son écriture, son imagination, sa sensibilité bridée par des sarcasmes : « En somme, écrivit Bellesort, M. Beren a tout pour lui. Il lui reste à devenir un écrivain, ce qu'il sera sans aucun doute avec ses dons, mais il ne faut plus qu'il nous nargue. C'est trop puéril pour un homme de sa qualité. » Jean Cocteau, interviewé sur les jeunes écrivains qu'il avait lus pendant l'hiver : « Je n'en vois qu'un qui s'habille au moment où tous les autres se déshabillent : Stanislas Beren, écrivain pudique au temps de l'impudeur. »

Le mot fit sourire. On y vit un de ces brillants paradoxes par lesquels Cocteau se tirait d'affaire. Mais c'est lui qui avait raison. Stanislas était et resta un écrivain pudique.

Dans *La Vie secrète d'un orgasme*, on ne trouve aucune allusion à la fugue de 1930. L'action se déroule dans un pays imaginaire où une chaîne de montagnes borde une côte déchiquetée par une mer sans marées. Au creux des vallées, les hommes s'activent, mais dès qu'on atteint une certaine altitude, la vie ralentit, parfois même s'arrête : une population de bergers vit dans la contemplation. Certains, même, que l'on considère comme des saints, s'immobilisent dans la contemplation à un tel point qu'ils se dessèchent sur leurs sièges de pierre, agrippés à leur houlette. Le vent les momifie, les oiseaux de proie vident leurs orbites. On les appelle les gardiens de l'Olympe. Bien que je n'aie jamais pu en avoir la confirmation exacte, il semble que ce soit une légende serbe. Stanislas était-il retourné dans ses montagnes lors de sa fugue ? J'incline à le croire. Si oui, ce n'était pas par nostalgie, mais pour un adieu définitif. La vie l'appelait ailleurs et il faut dire que cet ailleurs était plus plaisant, surtout l'été 1932 au Cap-Ferrat. En un sens, la publication du roman justifiait Félicité, même aux yeux de ceux qui ne l'avaient pas lu. Quant à André, il pouvait être satisfait ; le premier livre publié par sa maison d'édition avait été remarqué, ce qu'il fit valoir à son père qui, généreusement, avança de nouveaux capitaux grâce auxquels on put acheter les droits de quelques romans étrangers, payer des traducteurs, s'offrir de la publicité, envisager l'avenir. Les éditions Saeta marchaient avec un personnel réduit : Georges Dupuy qui lisait et « arrangeait » les manuscrits, une secrétaire, Emeline Aureo, vieille fille charmante, torturée par une cystite, en adoration devant Stanislas. Les deux amis arrivaient avant tout le monde, balayaient les bureaux, préparaient les colis de livres et descendaient à tour de rôle téléphoner au café du coin, les éditions Saeta n'ayant pu obtenir une ligne qu'au bout de six mois. Le succès relatif de *La Vie secrète d'un orgasme* permit de mettre la clé sous la porte pendant deux mois. Les projets mûriraient au bord de l'eau ou pendant les promenades en bateau.

Ici, se place un événement qui a peut-être plus d'importance pour moi que pour la biographie de Stanislas, bien qu'il éclaire aussi son comportement et ce que certains ont appelé son goût des mystifications, mais que je préfère analyser plus profondément. Le romancier devant sa feuille blanche est un créateur tout-puissant. Il distribue les rôles, sépare, réunit, condamne à mort, joue avec le hasard et surtout il fait naître l'amour d'un regard, d'une rencontre, d'une affinité secrète qui délivre ses personnages de leur solitude ou de leur indifférence. Son livre terminé, il est comme un roi détrôné, il retrouve des masques ou des médio-

crités, des impuissances impossibles à corriger, des
événements sur lesquels il n'a pas de prise. C'est,
avant le déclic qui lui fera entamer un nouveau
livre, un moment douloureux, insatisfait. Il est
comme ces mères de famille nombreuse qui, entre
deux enfantements, se plaignent de ne plus procréer et attendent avec impatience le début de
nouvelles souffrances.

Pendant l'été 1931, Stanislas, à qui Georges
Dupuy interdisait d'écrire une ligne durant les
vacances, mesurait sa déchéance : il vivait au
milieu de personnages de roman, sans aucun pouvoir sur eux. Parmi ces personnages, il en était un
qu'il aimait particulièrement, avec lequel il avait
des conversations passionnées le soir, mais qui,
dans la journée, s'isolait sur son petit Star à la
coque bleu ciel, rebaptisé *Saeta*. Stanislas s'agaçait
de la facilité avec laquelle André lui glissait des
mains, disparaissait soudain pour rejoindre son
bateau et croiser au large du cap une grande partie de la journée. Il y décelait une faille dans leur
amitié, presque une tromperie, l'accusait de dérober à leurs deux vies un temps précieux :
n'avaient-ils pas un vaste programme à réaliser ?
Quand, par hasard, le *Saeta* avec sa fine voilure
Marconi restait encalminé au large de la pointe
Saint-Hospice, Stanislas armé de jumelles épiait
André qui était capable de rester des heures dans
la même position : enfoui au fond du cockpit, un
bras nonchalant appuyé sur la barre, un autre sur

86

le pont, la main à portée de l'écoute de foc. Quand Stanislas n'en pouvait plus de cette immobilité, il sautait dans le hors-bord de la villa et accostait son ami :

— Tu ne veux pas que je te remorque?

— Oh non, ça va très bien.

— Mais tu vas rester là huit jours!

— Au coucher du soleil, une petite brise se lève. Je l'attends. Qui vient dîner?

— Le Président de la République, le Saint-Père et Albert Einstein.

— Alors ça n'a pas d'importance. Ils peuvent patienter. Offre-leur un verre.

Stanislas repartait furieux, méditant de troubler la sérénité d'André. Il y parvint de la façon la plus invraisemblable et la plus heureuse en inventant une jeune fille qu'il prétendait croiser sur le chemin de ronde du cap. Il la décrivait se promenant, cheveux au vent, toujours seule. Ses yeux étaient d'un bleu si pâle que, sans la sûreté de son pas, on aurait pu la croire aveugle. À chaque récit, Stanislas brodait sur cette apparition : elle était le début d'un roman, l'apparition de la Grâce sur terre. Pour secouer le rêve marin d'André, il ne fallait pas moins. Puis, un jour, Félicité invita des voisins, les Dumont, qui vinrent avec leur fille.

— C'est elle? demanda André à Stanislas.

— Oui.

— Elle n'a pas les yeux bleus. Elle a les yeux verts.

— J'ai dû me tromper.

— Elle n'a pas les cheveux longs.

— Elle les a coupés hier.

La réalité rejoignait l'invention romanesque de la manière la plus simple, la plus convaincante. À la fin du déjeuner, Stanislas comprit avec stupeur qu'il avait gagné : André ne s'esquiva pas comme d'habitude pour retrouver son bateau. Certes, il ne dit pas un mot à la jeune fille ce jour-là, mais on ne pouvait en douter ; il l'avait *vue* et elle l'avait *vu*. Ils n'allaient pas tout gâcher avec les mots de passe des indifférents. Ils avaient mieux à se confier, et tout de suite, quand cesseraient ces bruits de voix qui ne les intéressaient pas et les séparaient. D'eux, on peut dire : ils s'aimaient et pour chacun c'était vraiment la première fois. Ils se marièrent l'année suivante, et je suis né en 1936, tuant ma mère. Bien sûr, André n'avait pas été dupe longtemps de l'histoire de Stanislas, mais dans son cahier, la veille du mariage, il avoue :

Lui aurais-je prêté la même attention, avec la même soudaineté si Stanislas n'avait pas embelli son image, préparé la fête des yeux que fut son apparition ? Je m'interrogerai longtemps. Je ne le saurai jamais et peu importe. J'épouse Marie-Claire demain. Stanislas nous a inventés l'un à l'autre. Il y a longtemps que j'ai deviné ses sorcelleries[1].

1. Octobre 1932.

Stanislas en eut très vite l'intuition : il ne faut pas jouer avec les pouvoirs secrets de l'imaginaire. Quand je lui eus conté les raisons de ma gêne à l'égard de Georges Kapsalis, il conçut immédiatement cette nouvelle que j'ai citée plus haut, mais se garda de l'écrire avant que notre ami se fût éteint d'une mort naturelle si la mort est naturelle.

— Ce n'est pas qu'il l'aurait lue, me dit-il en 1971. Elle n'a paru que dans le *New Yorker* et il ne parlait pas anglais, mais on ne joue pas la vie de ses proches avec des mots. En 1937, j'ai écrit une histoire au jour le jour comme je la vivais[1] et puis celle qui l'inspirait a eu un soir, avec un homme que je ne connaissais pas, un geste amical, tout à fait innocent — une main posée sur un bras pour souligner un mot qu'elle lui répétait — et bien que je n'en aie ressenti aucune jalousie, ni même un soupçon, je me suis décidé à finir ce livre qui me pesait, en jetant ma maîtresse dans les bras d'un crétin. C'est exactement ce qui est arrivé six mois plus tard et non parce qu'elle avait lu le livre — il est resté un an dans mon tiroir avant que je me décide à le publier — mais parce que je l'avais

---

1. Il s'agit, bien entendu, de *Cryptogramme* (éditions Saeta, 1938) dont je parlerai à propos de « celle qui l'inspira ». Stanislas affectait par courtoisie de croire qu'on n'avait jamais lu ses livres et n'en citait pas les titres, tout juste la date de parution, comme pour les repousser dans l'indifférence du passé. En face de moi, cette courtoisie confinait à la coquetterie.

écrit. Quand le roman est sorti, elle m'a envoyé une petite lettre sarcastique : « Pas beaucoup d'imagination, mon pauvre. » Il aurait fallu lui prouver par huissier que ce n'était pas moi qui l'avais copiée, mais que c'était elle qui copiait mon roman. Elle me devait des droits d'auteur. Il faut se méfier : nous marchons sur des œufs et notre existence est si fragile que le moindre sentiment déplacé en modifie le cours. Si dans le secret de tes nuits, tu t'amuses à écrire un roman et si dans ce roman je figure sous une apparence reconnaissable, je te prie instamment de ne pas me faire mourir de mort violente. J'ai horreur de cette idée.

— Mais je n'écris plus de roman [1]!

— Tut-tut-tut... on dit ça!

Il aurait été honnête de lui confesser que si je n'écrivais pas de roman, en revanche, je préparais un essai sur lui, que je notais chacune de nos entrevues. Mais peut-être le savait-il et si je peux, aujourd'hui, pénétrer plus loin que quiconque dans la vie de Stanislas Beren, c'est qu'il l'a bien voulu, et m'a abandonné dans nos conversations

---

1. Cette promesse a été tenue. Certes, j'avais, à vingt ans, écrit et publié un roman peu et mal accueilli par la critique. Pascal Pia avait eu ce mot bref : « C'est le Beren du pauvre. » Grâce à quoi Béla Zukor réveillé à l'idée de pouvoir nuire à Stanislas avait aussitôt ajouté dans un articulet des *Lettres françaises* : « Pia se trompe. C'est mieux qu'il ne le dit Georges Garrett, c'est le Beren du riche. » Autant laisser tomber le rideau tout de suite après ce brillant départ.

de ces dernières années ce qu'il lui plaisait que l'on sût un jour, tout ce qu'il voulait enfouir dans le passé.

Le soir de 1970, deux ans après la mort de Félicité, où il me parla en termes voilés de *Crypto-gramme* et de « celle qui l'inspira » nous étions à Londres, dans la maison de Chelsea où il aimait de plus en plus vivre, Venise ne le rappelant que parce qu'il espérait y retrouver ce souffle qui l'avait longtemps animé et qui, depuis la mort de Félicité, le désertait. Il commençait un livre à Paris, à Londres, mais ne pouvait le continuer ou l'achever qu'à Venise. L'après-midi nous avions marché le long de la Tamise depuis Westminster jusqu'à la statue de Thomas More :

— Il n'a pas l'air gai, avait dit Stanislas. Pas gai du tout, mais on le comprend. Ce n'est pas gai d'être décapité quand on ne sait pas encore qu'on sera canonisé quatre cents ans plus tard. Cette reconnaissance tardive l'aurait réconcilié avec l'humanité si je n'avais pas à côté de lui, dans cette cabine téléphonique, donné, avec des éclats de voix, les signes d'un certain désordre. J'ai beaucoup appelé d'ici — oui, ce n'était pas commode avec Félicité à la maison, surtout dans les années 60, couchée près de l'unique appareil — j'ai beaucoup appelé d'ici une amie à qui je voulais du bien et qui me voulait encore plus de bien.

Un jour, je te le raconterai si tu promets de ne pas donner son nom et de ne pas révéler ce que je lui dois.

Nous avions marché deux bonnes heures, croisant de nombreux Anglais en survêtement qui couraient sur ce trottoir peu fréquenté.

— Paris est la plus belle capitale du monde, disait-il. Plus belle que Rome qui est pourtant belle, mais il y a des degrés dans la beauté et je crois que ces degrés sont déterminés par les fleuves qui traversent les villes. Ici, tu vois rarement la Tamise. On croirait que les Londoniens la cachent. Le Manzanares, à Madrid, est juste un accident. À Lisbonne, le Tage est déjà la mer, d'ailleurs on l'appelle la mer de paille. L'Hudson, à New York, est une commodité. Le Tibre n'apparaît dans sa grandeur tragique qu'au château Saint-Ange, tandis que la Seine est partie intégrante de Paris. De Bercy à Saint-Cloud, elle est un spectacle ininterrompu. Rien ne la cache. Tout la montre. Cela dit, je préfère Londres pour des raisons presque indicibles, peut-être parce que je peux m'y promener des heures durant sans rencontrer un visage familier, sans me sentir écrasé par les maisons et les monuments. Les monuments, tu peux leur rire au nez. Ils sont presque tous du siècle dernier. Pourquoi à Londres puis-je marcher des heures durant sans rencontrer un visage familier et pourquoi à Paris ne puis-je pas tourner un coin de rue sans me cogner dans quelqu'un que j'ai déjà vu? Et pourtant je connais autant de gens à Londres qu'à Paris. J'aime être seul. De plus en plus. Je crois que je finirai stylite dans le désert, comme Siméon, je veux dire le premier, celui d'Antioche, car je refuse d'avoir affaire avec le second qui n'a aucun intérêt et moins encore avec le troisième qui périt foudroyé en Cilicie, un mauvais exemple. Il faut choisir ses saints. Rentrons, s'il te plaît, je suis fatigué.

Nous avions bu du thé face à la fenêtre du bow-window qui donne sur le jardin où Félicité avait planté des rosiers sans épines, un plant miraculeux rapporté d'Assise. Un an après, les rosiers avaient donné des fleurs, mais avec des épines. « Nous ne sommes pas des saints, disait Félicité. Il faut s'y résigner. »

Je n'ai jamais su si Stanislas aimait ou détestait parler de lui-même. Probablement, aimait-il les deux à la fois, feignant de ne se souvenir de sa propre vie qu'aux instants où elle avait nourri ses livres. Pour le reste, silence. Silence sur son enfance. Silence sur sa fugue de 1930. Silence sur des aventures sans lendemain qu'il rangeait sous la rubrique : hygiène du corps. Mais il aimait parler de mon père dont il n'avait jamais introduit la silhouette dans un livre.

— André a été mon seul ami. Bien qu'il ait été plus jeune que moi à une époque où cela comptait, je peux te dire que je l'ai respecté. Il possédait cette droiture, cette réserve que l'intuition dicte aux jeunes hommes appelés à mourir tôt. Nous n'avons été légèrement séparés que de 1932 à 1936. Marie-Claire ne nous écartait pas l'un de l'autre mais elle existait, elle ne laissait plus André aussi disponible. On pardonne difficilement à ses amis de se marier. En épousant Félicité, je m'étais rapproché de ton père. En épousant Marie-Claire, il m'avait semblé trahir le clan. Une impression tout à fait fausse : Marie-Claire nous rejoignit. J'avais quand même du mal à l'accepter, à la traiter comme une petite sœur bien que son angélisme m'ait ravi. Sur cet angélisme, j'ai une confidence à te faire. On me l'a caché au début, mais il a bien fallu que je m'en aperçoive : fin 1935, Marie-Claire était enceinte. La rage au cœur j'ai dû admettre ce qu'ils ne montraient guère, étant tous deux d'une extrême pudeur : non seulement ils s'aimaient, mais aussi ils faisaient l'amour. Ne va pas imaginer des choses : je n'ai jamais eu ces goûts-là, même si j'ai eu l'amitié sourcilleuse, tyrannique et foncièrement égoïste. Je ne me faisais pas à l'idée qu'André pût être comme moi, qu'il eût besoin de l'amour pour vivre. Plusieurs aventures m'auraient enthousiasmé. Nous nous serions confiés l'un à l'autre. Un mariage a besoin de secret. J'étais exclu de ce secret. Tu es né, Marie-Claire est morte pour une bêtise, une seconde d'inattention d'une infirmière, et j'ai connu un arrachement horrible : le sort frappait André, donc il me frappait aussi,

94

condamnant à une tristesse irrémédiable le premier être qui m'avait tendu la main à l'époque où
je n'étais qu'un «paysan du Danube» selon
l'expression de ta chère grand-mère, dernière en
géographie et première en bonté. Le plus curieux
est que la mort d'André ne m'a pas touché à ce
point. Après l'armistice, nous n'avions eu aucune
nouvelle de lui et, pour je ne sais quelle raison,
personne ne s'en alarmait vraiment. Nous étions
tous persuadés que, prisonnier, il donnerait des
nouvelles par l'intermédiaire de la Croix-Rouge.
Félicité a voulu partir pour les États-Unis. Notre
voyage a été absurde, atroce. J'en garde encore un
sentiment de honte comme en gardent les
fuyards. À New York, en octobre, nous avons
appris la mort d'André. Je te le jure : nous n'avons
pas pleuré. C'était au-delà des larmes. Félicité a
même souri en disant : «Maintenant, je le sais :
c'était écrit dans sa manière d'être et de vivre.»
Ce matin-là j'ai marché de notre appartement de
la Cinquième Avenue jusqu'à la Batterie, une
longue promenade comme tu l'imagines entre des
hauts murs percés d'alvéoles géométriques. J'avais
l'impression d'avancer dans un tunnel, assourdi
par les cris de Wall Street, étouffé par la fumée des
docks de l'Hudson. Quand j'ai émergé du tunnel,
j'ai vu enfin la Batterie où débarquèrent les premiers Hollandais : un espace nu et pelé, une sorte
de main tendue à l'Europe. L'horizon était
dégagé. On voyait bien la statue de la Liberté qui,

à force de laideur, a fini par devenir belle, et je me répétais qu'en me haussant sur la pointe des pieds, mes yeux distingueraient, au lieu de l'horizon plat et circulaire, les désordres de l'Europe, ses chaînes de montagnes, ses côtes déchiquetées, ses tombes. André dormait là-bas dans son uniforme et je ne le reverrais plus. Il incombait à moi seul désormais de tenir les promesses que nous nous étions faites, de remplir cet ambitieux programme échafaudé dans l'adolescence et qui n'était pas, au fond, aussi puéril qu'il en a l'air. Et puis, j'ai pensé à tes quatre ans : sans père, sans mère, sans grand-père. Une vraie hécatombe autour de toi. Comment t'en tirerais-tu en mon absence ? Ta grand-mère s'occuperait merveilleusement de ta santé. Mais de ta curiosité ? Je crois que ça ne s'est pas trop mal passé et que j'avais tort de m'inquiéter.

La nuit tombée, le jardin de Chelsea avait disparu et Stanislas se leva pour tirer les rideaux. Il servait lui-même le thé avec ces gestes cérémonieux qu'il respectait pour les bonnes choses de la vie : les vins, le découpage d'un rôti, la préparation d'un cocktail, l'ouverture d'un livre précieux ou, même, les premiers mots qu'il adressait à une jolie femme à qui on le présentait et qu'il ravissait en quelques instants sans donner suite s'il décelait en elle la moindre vanité. La veille, nous étions allés chez Fortnum and Mason choisir un nouveau mélange de thé de Chine, et j'avais été amusé de ses suspicions, de ses doutes, de sa méfiance. Il y avait une part de comédie dans son attitude et, en même temps, depuis la disparition de Félicité, un désir éperdu de plaire. Nous buvions ce thé qu'après quelques gorgées il estima trop fumé. Demain, il irait voir son vendeur et demanderait un arôme plus suave.

— C'est le drame des modes. On lance la mode du « fumé » et on se met à tout fumer sans mesure : jambons, viandes, poissons, thé. Il faut résister. Je m'effare du peu de discernement des gens qui prétendent savoir manger et boire. Ils ingurgitent n'importe quoi. Remarque que c'est la même chose avec la littérature : une école et tout le monde se rue sur la mauvaise copie des élèves. Je ne dis pas : tout le monde lit, mais tout le monde achète. Au retour des États-Unis en 1946, je n'étais pas si vieux que ça, à trente-huit ans, mais enfin j'avais eu du succès avant la guerre, avec trois livres, on avait parlé de moi et j'avais deux manuscrits dans mes bagages. Le problème de l'éditeur ne se posait pas puisque M. Dupuy, revenu de son oflag en Silésie, avait rouvert Saeta et, par un de ces coups de chance qu'il ne s'expliquait pas lui-même, découvrait qu'un Américain obscur dont nous avions, ton père et moi, publié le premier roman policier en 1939, était devenu la coqueluche des intellectuels et la passion du grand public. Jean-Paul Sartre le lisait ouvertement au Flore ou à la Coupole, ce qui équivalait à

97

d'immenses placards de publicité dans la grande presse, et Simone de Beauvoir confessait aux magazines féminins qu'elle le dévorait le matin aux cabinets et que, grâce à ces longues stations émerveillées sur le siège, elle ne connaissait plus ni l'ennui, ni la constipation. Bref, notre auteur se vendait par centaines de mille et de chaque livre on tirait un film. Les éditions Saeta se portaient bien, et, de toute façon, Félicité était décidée à les aider pour qu'à ta majorité tu trouves une maison florissante, une tradition à continuer. M. Dupuy a publié le premier de mes manuscrits d'Amérique[1] qui était passé parfaitement inaperçu quand Doubleday l'avait édité dans une traduction d'ailleurs exécrable et que, si j'avais eu un peu plus de respect de moi, j'aurais dû refuser. L'édition originale en français venait donc après, ce qui eut le don d'irriter nos critiques toujours sourcilleux et nationalistes. On me punit : pas une ligne dans la presse. Je n'étais pas ignoré, j'étais rayé de la carte littéraire. La mode était à l'existentialisme et les Sartres du pauvre, les Beauvoirs de la misère drainaient l'attention. Ils représentaient la mode, celle qui renvoie au grenier le passé, celle qui a enfin découvert la vérité à laquelle il faudra désormais se conformer. Pour toujours. Béla Zukor avait déjà publié son article empoisonné dans *Les Lettres fran-*

---

1. Une fois de plus, Stanislas dédaignait de préciser le titre de son roman. Il s'agit de *Trust me* (Doubleday, 1943), publié en France sous le titre *Crois-moi* (Saeta, 1947).

*çaises.* Mon vœu cynique était qu'il récidivât à propos de ce livre, ce qui aurait pu, à la rigueur, déclencher une polémique ou susciter une vague attention. Mais la vache s'est tue. Je crois que les éditions Saeta ont vendu trois cents exemplaires de mon roman, et encore ces trois cents exemplaires ont-ils été probablement volés à la devanture des libraires qui furent, ensuite, bien forcés de les payer à l'éditeur. Un seul signe me réconforta : on avait tiré trente exemplaires sur un assez piètre alfa comme il s'en trouvait avec difficulté dans ces années d'après-guerre. Un matin, un libraire vint acheter ces trente originales dont personne ne voulait. Je demandai à le voir. Nous sommes devenus de grands amis. Il m'a appris à aimer les beaux livres, ce que je ne savais pas, il m'a appris à conserver des éditions qu'autrefois j'abandonnais après les avoir lues, ignorant de quelle émotion fébrile elles se chargeaient quand on les retrouve dix ans plus tard. Tu vois... je dois beaucoup à tout le monde.

Mais qui ne doit à personne ? Il m'est souvent arrivé de déplorer chez Stanislas une humilité, une modestie dont je ne suis pas certain qu'elles aient été absolument sincères, bien qu'à force d'affecter ces sentiments, on finisse non par en être dupe, mais par y croire vraiment. La seule certitude, c'est que, jusqu'au dernier écrit, il a douté de lui-même avec une espèce de masochisme mal dissimulé. L'indifférence avec laquelle fut accueilli *Crois-moi* ne l'aurait pas blessé si ne s'y était ajouté un incident qu'il prit mal. À New York, pendant la guerre, il avait assez souvent vu André Breton. Je ne prétendrai pas qu'ils étaient faits pour s'entendre, mais, enfin, l'éloignement de France, la petite société d'émigrés où ils se rencontraient, l'admiration sincère que Stanislas portait à certains écrits de Breton, surtout à *Nadja*, facilitait leurs rapports et une sorte d'amitié était née, autant que l'amitié ait eu une signification pour Breton qui n'a jamais demandé que la servilité à son entourage et, à la fin de sa vie, s'est retrouvé avec pour seul compagnon Benjamin Péret qui opinait niaisement à tout ce qu'il décrétait. Or, dans *Crois-moi*, il y a, page 124, une citation de Rimbaud :

Je finis par trouver sacré le désordre de mon esprit. J'étais oisif, en proie à une lourde fièvre ; j'enviais la félicité des bêtes — les chenilles qui représentent l'innocence des limbes, le sommeil de la virginité.

Un mot a sauté. Il faudrait lire : « ... l'innocence des limbes, les taupes, le sommeil de la virginité. » Pour ces taupes oubliées peut-être par Stanislas, peut-être par le linotypiste et le correcteur, Breton prit feu et flammes, non dans la presse où il écrivait peu, mais dans une lettre de quatre pages d'injures méprisantes, priant Stanislas de ne plus lui adresser la parole, d'éviter même son regard sans quoi il le corrigerait en public. À son habitude, Breton le traitait accessoirement de pédéraste et de suppôt du Vatican. Certes, l'omission était coupable, mais des erreurs de cette sorte apparaissent dans les livres, échappant à toutes les relectures, et ne sautent aux yeux qu'une fois l'ouvrage publié, mis en vente, dispersé chez les libraires. On voyait mal, en effet, des « chenilles qui représentent le sommeil de la virginité », mais les foudres de Breton étaient une manifestation de paranoïaque frisant le grotesque et disproportionnées à l'outrage commis à l'égard de Rimbaud. D'abord Stanislas n'avait jamais été au nombre des « disciples » de Breton et l'excommunier du groupe surréaliste équivalait à excommunier un homme qui n'a pas la foi. Ensuite, entre écrivains, une lettre amicale eût suffi pour signaler la coquille facile à rattraper dans les éditions suivantes. Mais, en écorchant Rimbaud, Stanislas avait écorché Breton en personne. Breton, bon prosateur classique et pauvre poète sans inspiration, condamné à l'écriture automatique, s'identifiait à ses dieux et supportait mal qu'on y touchât. Rimbaud lui appartenait.

— J'ai gardé la lettre, me dit Stanislas, ce soir de 1970 à Londres. Elle est ici avec d'autres papiers qu'un jour tu pourras lire si l'envie t'en prend. Et si l'envie t'en manque, tu es autorisé à les déchirer. Ils sont là, dans un coffre de cette pièce... oui, ce n'est pas visible, mais je prends des précautions : ces maisons où j'habite somme toute assez épisodiquement, sont des proies faciles pour les cambrioleurs. Remarque que je n'ai pas peur d'être volé. Ça m'est arrivé et ce que j'ai le plus détesté, ce n'est pas la perte d'un objet de valeur, mais le désordre, la casse inutile, la destruction pour le plaisir de détruire. J'essaie de tenter le moins possible les imbéciles qui cambriolent sans élégance. Imagine qu'ils arrivent ici, bien renseignés : des ouvriers ont scellé un coffre dans le mur. Un peu de métier et ils sauront que le coffre est derrière un tableau. Il ne leur faudra pas cinq minutes pour décrocher ce beau dessin de Hockney et le trouver. La serrure est chiffrée. Rappelle-toi : huit lettres, Félicité. Le jour où je disparaîtrai, un notaire aura l'ordre de te laisser seul cinq minutes dans cette pièce, juste assez pour que tu emportes les papiers que je te destine : des pages inachevées, la missive de Breton, quelques lettres que je conserve en souvenir d'amours passées, une liste de noms à prévenir, ceux de quelques femmes qui ont beaucoup de lettres de moi que tu pourras utiliser avec leur accord...

En 1977, quand Stanislas est mort, le notaire m'a convoqué, et tout s'est déroulé selon le vœu émis sept ans plus tôt, mais la lettre de Breton ne se trouvait pas dans le coffre. À la place, je ne découvris qu'un bout de papier : « Finalement, j'ai préféré déchirer cette bordée d'injures : elle stigmatisait une inattention coupable de ma part et surtout elle ridiculisait **Breton**. Paix à ses cendres de brigadier de gendarmerie rimbaldien. »

Les autres papiers importaient assez pour que je remisse à plus tard d'en parler, sauf de ceux qui ont trait au don singulier de Stanislas : écrire l'avenir. Comme il avait prévu dans *Cryptogramme* la fin d'une liaison qui s'est, par un jeu singulier, conformée à son invention romanesque, Stanislas s'était amusé — mais peut-on dire « amusé » malgré la légèreté du ton, l'ironie qui repousse dans le ridicule toute mélancolie — à écrire en quelque pages la biographie d'un personnage qui lui ressemble tant que le doute n'est pas possible. La naissance est escamotée — au nom d'un « quel intérêt? » décourageant les curieux — mais la vie présente des points de repère non négligeables avec la sienne, et la mort, est, proportionnellement, la partie la plus considérable de ce synopsis d'une autobiographie, comme si Stanislas, de plus en plus persuadé de son extra-lucidité, avait voulu régler à l'avance les détails de la sienne pour que rien ne fût laissé au hasard. Le héros qui n'a pas de nom, que l'on appelle S., au soir d'une vie consacrée à l'architecture, décide de construire la maquette d'une cité idéale en plein désert. La cité doit se suffire à elle-même. Dès qu'on en sort, on s'enlise dans les sables, mais, derrière les hauts murs qui protègent les habitants, une végétation luxuriante pousse grâce à un geyser qui alimente la ville en eau. S. a tout conçu : les habitants — et jusqu'à leur physique —, leurs maisons, la circulation, les terrains de sport et ces retraites où les hommes fuient les promiscuités du mariage : bistros, restaurants, clubs, salles de jeux ou bordels. Sa cité idéale achevée, S. constate avec tristesse qu'il ne peut s'y intégrer lui-même, que la maquette est trop petite et qu'au fond il aurait dû la construire directement grandeur nature et s'y réfugier pour échapper à ses propres regrets. Il a installé une sorte de tribune, un poste de pilotage dans le hangar où se dressent ses constructions de carton-pâte et là, grâce à des boutons de commande, il dirige la vie de ses automates. La partie le passionne au début, puis commence à le lasser et enfin à l'ennuyer tout à fait, si bien qu'il s'endort un soir et que sa tête en tombant sur le clavier jette la panique dans la cité. S. n'en a cure. Il rêve. Il rêve même qu'il fait l'amour avec une de ses créations, une femme aux yeux gris d'acier, et son plaisir est tel qu'une embolie le terrasse sans qu'il ait une seconde conscience de sa mort. Sous le poids de son buste, le tableau de commande se brise et les automates s'immobilisent. Peu à peu ils tomberont en poussière comme le corps de S.

En dessous du mot « fin », Stanislas avait écrit : « Un peu lâche, n'est-ce pas, comme *happy end*? Mourir sans souffrance, sans le savoir! Très hédoniste. Pourtant qui se refuserait cette agréable porte de sortie s'il lui était donné de choisir entre la mort violente, la mort dans les affres et la mort sans phrase ? Soyons sincères. »

Je n'insisterai pas sur le symbolisme de cette ébauche retrouvée après sa mort. Il est presque trop voyant. Le romancier est un artiste et, dans l'échelle des arts, il est probablement le plus grand des créateurs, le plus proche de Dieu, et, en même temps, le chirurgien de son propre cerveau, mais les sables de l'oubli cernent et menacent son œuvre et ses personnages. S'il meurt, les mouvements illusoires qui signalaient sa vie, sont frappés d'immobilité. Sa création est figée pour l'éternité. Tout cela est simple, mais l'important est ailleurs. Stanislas se souhaitait une mort miséricordieuse. Il l'a presque eue dans des circonstances que je raconterai plus tard. Son pouvoir d'écrire l'avenir s'arrêtait à lui-même, comme lorsqu'il devinait par une intuition inexplicable les chevaux gagnants et ne pouvait donner les noms ou les numéros qu'à Georges Kapsalis. En tirer un profit personnel n'était même pas concevable.

Le soir de cette longue conversation qui bousculait la chronologie de sa vie, mais touchait à tout ce qu'il aimait évoquer en clair ou par énigmes, nous sortîmes pour dîner au Wheeler de Chelsea qui est à cinq minutes à pied. On lui réservait toujours la table du sous-sol où il aimait s'asseoir, le dos à la boiserie, face à la révolution de l'escalier en colimaçon, prétendant qu'il lui était venu vingt idées de roman en voyant descendre ces jambes qui trahissaient l'indécision, la crainte ou l'assurance des couples. Rien qu'à la façon dont on posait le pied, il décelait les adultères, les nouveaux mariés ou les instances en divorce. Dans *Audrey*[1] on trouve une brillante dissertation du même genre sur les couples au concert, et le héros Maximilien von Arelle découvre que la femme qu'il aime est retombée amoureuse de son mari rien qu'à la façon dont elle écoute Markevitch diriger *L'Oiseau de feu* de Stravinski.

Nous dînâmes de soles de Douvres meunière qu'il dégusta avec cette gourmandise légère et raffinée que les maîtresses de maison guettaient chez lui avec un rien d'angoisse tant il était prompt à manifester autant son plaisir que son déplaisir. Dans un de ces moments bienheureux, on pouvait lui poser des questions qu'il n'éludait pas toujours. J'osai lui demander :

— Qui était la dame à laquelle vous téléphoniez si souvent de la cabine téléphonique à côté de Thomas More ?

Il releva la tête, retira ses lunettes et sourit :

— Oh, tu es bien curieux ! Comment trouves-tu ce chablis ?

— Honnête.

— Tu as raison : honnête sans plus. La dame à laquelle je téléphonais si souvent a son nom dans mon coffre sur une grande enveloppe qui contient

1. *Audrey*, éditions Saeta, 1960.

les trois seules lettres qu'elle a su m'écrire. Tu pourras les lire le jour venu. Elles ne présentent strictement aucun intérêt et tu auras la bonté de les lui rendre en échange des cent lettres que j'ai pu lui envoyer. Je crois lui avoir dit quelques petites choses assez flatteuses sur son physique et le désir qu'elle m'inspirait. Qu'en reste-t-il? Rien qui se puisse comparer au plaisir que me donne cette sole...

Quatre ans séparent la publication de *La Vie secrète d'un orgasme* de celle du *Compte à rebours*. C'est beaucoup si l'on imagine l'impatience d'un jeune écrivain qui a vu son premier livre somme toute bien accueilli malgré quelques petites pointes, et que brûle certainement l'envie de recommencer une escarmouche avec la critique alors beaucoup plus puissante qu'elle ne l'est aujourd'hui. Stanislas le sait déjà à cette époque, le deuxième livre est une épreuve redoutable. On accorde le sursis à un inculpé dont c'est la première faute, on frappe durement en cas de récidive. Ce n'est cependant pas cette crainte qui le retint, mais plutôt Félicité. Il est plus que probable qu'elle lui conseilla de renoncer à un roman écrit dans la hâte et le plaisir de l'hiver 1932-1933. J'ai, à cet égard, un indice et une preuve. L'indice est une interview des *Nouvelles littéraires*[1] lors de la parution du *Compte à rebours* :

1. *Nouvelles littéraires* : 16 mai 1936.

*Question* : Vous paraissez bien calme. C'est drôle, je vous aurais imaginé plus anxieux de nature.

*Réponse* : Les habitudes se prennent vite. Au troisième livre...

*Question* : Vous voulez dire le deuxième. À moins que quelque chose ne m'ait échappé.

*Réponse* : J'exècre le chiffre 2. Vous me permettrez de le sauter.

*Question* : Alors vous sauterez aussi le 22$^e$.

*Réponse* : Non, je m'arrêterai au 21$^e$. On écrit toujours trop...

L'amusant est que si l'on prend une bibliographie des œuvres de Stanislas Beren, elle s'arrête au chiffre 21, mais il est évident qu'il s'était coupé. Dans les carnets d'André Garrett, je trouve à la date du 15 juin 1933, cette note sans équivoque :

Arrivé ce matin au bureau, je vois Stanislas accroupi devant la cheminée en train de brûler du papier, tout un manuscrit dont les feuillets se tordent dans les flammes.

*Moi* : Qu'est-ce qui te prend ?

*Lui* : Je me fais justice.

*Moi* : Tu n'es pas bon juge.

*Lui* : Félicité est bon juge.

*Moi* : Tu as de la peine ?

*Lui* : Non, je ressens même une certaine allégresse, un plaisir inattendu...

Ainsi finit un roman pour lequel nous avions trouvé un joli titre : *Un déjeuner de soleil.*

C'est vrai que le titre était joli. Stanislas le conserva et pensa l'utiliser dans les circonstances que je raconterai.

Félicité lisait par-dessus son épaule. Jusqu'à sa mort, sauf un roman *Le Compte à rebours*, il ne publia rien qu'elle n'eût lu bien qu'il soit exagéré de penser qu'elle ait tout approuvé. L'autre question, non moins importante, est de savoir comment elle endura certaines pages transparentes de Stanislas. Si, soit par peur de trahir la vérité de la femme qui partageait sa vie, soit à la suite d'un pacte tacite entre eux, il se garda de l'évoquer dans un roman, il ne se priva pas de s'inspirer d'abord de leur entourage, puis des quelques femmes — je devrais dire des « nombreuses » — qui entrèrent et sortirent de sa vie. *Salut et mort du héros*, paru un an après la mort de Félicité, est le seul livre où l'on rencontre une allusion à elle notamment dans ce passage mentionné plus haut où Timothée rappelle le concert Debussy qui les unit pour toujours. On dira qu'en la trompant autant qu'il se le permit, il ne la respecta guère, mais c'est là une vue bien superficielle de leurs rapports, car s'il ne respecta qu'une personne dans sa vie, ce fut elle. Dans une des lettres que j'ai pu sauver de la succession de Georges Kapsalis, Stanislas écrivait à son ami, en 1967 :

Félicité est affreusement fatiguée par sa lutte contre la douleur. La seule traversée de sa chambre, accrochée à mon bras, est une séance de torture. Elle marche pliée en deux, et hier je me suis surpris à marcher plié en deux comme elle, dans une crise de mimétisme qui était simplement un cri de tendresse et de compassion pour lui dérober un peu de sa souffrance et la soulager. Inutile de te dire que je n'y suis pas parvenu, qu'elle a éclaté de rire et m'a embrassé, me plaignant sincèrement. De l'être unique que nous avons composé avec nos deux corps et nos deux pensées, elle a été le squelette sans lequel ma chair flasque aurait fondu comme ces montres molles de Dali qui m'ont toujours fasciné. Imagine l'effet physique que me produit son effondrement[1].

Le roman brûlé dans la cheminée des éditions Saeta ne pouvait parler que de Félicité, s'inspirer d'elle, de sa vie, de ses amis. Quand elle le lut, elle n'eut qu'un désir : le déchirer, l'effacer. Du moins, on peut l'imaginer. Avec ses grands airs à la mode, sa fortune insensée, elle restait la personne la plus pudique du monde. En cela elle ressemblait à sa sœur, ma grand-mère, qui trouvait incroyablement mal élevé l'échange du moindre commérage. À table, dans la journée, Félicité écrasait d'un mot méprisant quiconque dévoilait une intimité cachée, et elle souffrait comme d'une insulte personnelle qu'on révélât l'homosexualité

1. Lettre datée du 20 novembre 1967, c'est-à-dire un peu moins d'un an avant la mort de Félicité à Venise.

ou la débauche d'un ami. Avec Béla Zukor, elle avait failli tolérer ces « parisienneries » et se le pardonnait mal. On pouvait affirmer devant elle que Stravinski n'avait aucun talent bien qu'elle eût une profonde admiration pour lui, mais elle entrait dans une colère épouvantable si quelqu'un racontait que ledit Stravinski, au sortir d'un bal chez Madame X... avait vomi dans son haut-de-forme, au grand dégoût de José-Maria et Misia Sert qui le ramenaient dans leur voiture. Au contraire, Stanislas, intéressé par ces légèretés et ces méchancetés, découvrait la vie sous cet amoncellement de ragots murmurés en l'absence de Félicité. On dénudait devant lui des personnages dont il n'avait vu que l'ennui ou le caractère conventionnel.

C'était, avoua-t-il, passionnément amusant et plus révélateur qu'on ne pensait. La vie n'était pas cette surface sur laquelle j'avais glissé jusque-là sans parvenir à m'agripper. Je découvrais l'immense hypocrisie de ceux qui papotaient et de ceux sur qui on papotait. À bien des égards, cela peut paraître bas, mais l'éducation d'un jeune homme se paie un certain prix[1].

Le verdict de Félicité condamnant à l'autodafé ce deuxième livre dont nous ne saurons rien lui ouvrit les yeux. Bien plus que de l'empêcher de

1. *Revue de La Table Ronde*, octobre 1951. « De la bonne éducation chez un homme de lettres. »

publier un roman imparfait, Félicité lui enseignait une exigence dont il ne se départirait plus. La réalité dépasse tout ce que l'imagination peut créer, aussi faut-il imaginer l'imaginaire, surenchérir sur le fantastique pour éviter à l'émotion un enlisement fatal, une platitude irrémédiable. Il l'avait deviné d'instinct dans son premier roman, mais son relatif succès, la fréquentation d'un monde spirituel et acide, l'avaient égaré. Il n'y reviendrait plus.

Dans les premières années de sa vie avec Félicité, il parla peu, préférant de loin écouter. Cette réserve lui valut quelques surnoms dont l'écho — lorsqu'il lui parvenait — l'amusait énormément. Plusieurs lettres à André Garrett sont signées « L'Iroquois », « Le Moldave », « Le Poldève », « Le Persan ». Béla Zukor qui le poursuivait de sa haine, brossa de lui, dans *Bonsoir*, un portrait pastiché de Boileau où, en souvenir de Valentin Conrart, il l'appelait « Con fréquent au silence prudent ». Stanislas avait conservé l'article et me le montra ce soir de 1970 à Londres où nous cherchions dans ses papiers ce que pouvait utiliser un étudiant anglais préparant une thèse sur l'intuition dans son œuvre[1]. La nuit venue, nous nous

1. « Intuition in the works of Stanislas Beren » by Conrad Vet, University Press, Oxford, 1972.

étions assis sur le tapis devant la cheminée où flambait un feu de bois, et il jetait dans l'âtre ce qui lui paraissait sans intérêt, ou enfournait dans une grande enveloppe ce qui devait être conservé. Dans le fouillis de notes désordonnées, d'articles découpés grossièrement, une pochette de photos s'ouvrit :

— Oh! dit-il. Je croyais les avoir perdues.

Les photos n'étaient pas d'une grande qualité, mais elles avaient résisté au temps, ni jaunies, ni déchirées, protégées par du papier transparent. La première représentait une voiture prise de trois quarts, mais pas n'importe quelle voiture comme Stanislas me le fit observer :

— Une Duesenberg modèle S de 1933. Vladimir avait roulé à 200 sur l'autodrome de Mont-lhéry.

Vladimir? J'aurais pu jouer les ignorants, mais Georges Kapsalis m'en avait parlé : Vladimir et Nathalie, le frère et la sœur, des voisins du Cap-Ferrat dont Félicité avait dit un de ses rares jours de confidence :

— Eux, eux seuls ont failli me prendre Stanislas.

La seconde photo montrait, appuyé au capot de la Duesenberg, un jeune homme souriant, en pantalon blanc et chemisette sombre. À sa main pendait un serre-tête de cuir et une paire de grosses lunettes fumées. Sur la troisième photo il était au volant, pare-brise baissé. Assise à côté de lui, une jeune fille ou femme levait le bras en signe d'au revoir comme si la voiture allait partir. On distinguait bien ses traits : un visage rond encadré de cheveux courts coiffés en « coup de vent », à la mode de cette année-là. Dans l'énorme voiture aux roues à rayons, aux quatre pipes d'échappement chromées sortant du capot pour se rejoindre sous le châssis, Vladimir et Nathalie avaient l'air d'enfants à qui on a donné un jouet trop grand. La photo suivante avait été prise sur la Moyenne Corniche, sans doute à la hauteur d'Eze-Village, avant le brusque virage qui s'engouffre sous un tunnel. L'appareil n'avait pas dû être bien réglé et l'image floue donnait une impression de grande vitesse. Nathalie conduisait, nu-tête, affublée des grosses lunettes de son frère. Ses yeux dépassaient à peine le volant et elle ne devait voir la route que loin devant elle.

— Nous appelions cet endroit le tunnel de la mort, dit Stanislas. On y arrivait ébloui par le soleil et aveuglé d'un coup par l'obscurité : cinq à six secondes dans le noir absolu. Ils adoraient se faire peur.

La quatrième photo montrait Nathalie assise sur un mur de pierre surplombant la mer, en maillot de bain. Ses bras tendus appuyés sur le rebord lui haussaient les épaules diminuant le joli cou gracile. Elle avait l'air gêné de rire, gêné de l'expression malicieuse de ses propres yeux, expression que l'on ne retrouvait plus dans les trois derniers

115

clichés : une première fois entre Stanislas et Vladimir, accrochée à leurs deux bras, puis seule avec Stanislas à une table de jardin, un teckel sur les genoux et, probablement le même jour, l'instant suivant, à cette table encore levant la tête vers Vladimir qui se tenait debout derrière sa chaise.

Stanislas posa la pochette de photos et se pencha pour ouvrir le dernier tiroir d'une commode, rempli d'albums. Sans se tromper, il choisit celui qui contenait deux portraits de Vladimir et de Nathalie. Vladimir, le cheveu gominé, l'œil trop clair pour cette épreuve de sépia — presque un regard d'aveugle —, le visage affadi par le retoucheur ; Nathalie, les épaules nues, une écharpe de gaze voilant sa poitrine, l'œil aussi trop clair pour la photo, la bouche accentuée par l'artiste de service, le cheveu court mais vaporeux.

— *The young, the beautiful, the rich !* dit Stanislas. C'est vrai qu'ils ressemblaient aux héros rêvés de Fitzgerald, à ces demi-dieux asexués qui virent le jour dans les années 20. On les imaginait avec des casquettes blanches ou le front ceint de bandeaux, habillés de chandails trop larges, tenant à la main raquettes ou clubs de golf. Ces portraits — œuvres d'une célèbre photographe, Mme Albin-Guyot — les figeaient dans ce qu'ils avaient de plus heureux et de plus superficiel, une attitude qu'ils ne méprisaient pas d'affecter à l'égard du commun. Leurs expressions si semblables — un rien de plus mélancolique cependant chez Natha-

116

lie — avaient quelque chose de puéril, une ombre de forfanterie, et la portraitiste — par ces éclairages qui faisaient sa réputation — n'avait pas manqué d'accentuer cet aspect de leur caractère sans savoir que, par là même, elle rendait aussi justice à la solitude dans laquelle ils retombaient, grièvement blessés quand il n'y avait plus de spectateurs. Transparents et légers, ils attiraient encore l'amour, comme si ces photos avaient, une fois pour toutes, immortalisé la jeunesse qu'ils ne quitteraient qu'en affrontant la mort et en succombant à son irrésistible attrait.

Stanislas reprit le dossier que nous examinions et en tira une page entière d'un journal, *L'Excelsior*, daté du 20 septembre 1933. Cette page était toujours composée de photos d'actualité, et ce 20 septembre, l'actualité entière était consacrée à l'accident qui avait coûté la vie à Vladimir et à Nathalie. On y voyait la splendide Duesenberg le nez dans un arbre, son capot tordu et soulevé, ses pneus avant éclatés, sa portière ouverte. La légende précisait qu'il s'agissait bien du modèle S de 1933, semblable à celui avec lequel le prince Nicolas de Roumanie venait de disputer les 24 Heures du Mans. Les autres photos de dimensions moins importantes montraient dans l'herbe du fossé deux corps étendus côte à côte, cachés par une couverture. Toutefois le reporter avait profité d'un moment d'inattention des gendarmes pour dégager le visage de Nathalie. Les cheveux poissés de sang et de terre collaient au front, mais les traits avaient gardé leur pureté enfantine et les lèvres s'entrouvraient pour un dernier sourire.

— Je crois qu'elle n'a même pas dû avoir peur, dit Stanislas. Elle n'y a pas pensé.

La légende précisait que le visage de Vladimir n'était plus photographiable et que ceux qui l'avaient connu préféreraient le revoir tel qu'il était lors du dernier bal du comte de Beaumont à Paris, en compagnie de sa sœur, lui en Gilles de Watteau, elle en Jeanne d'Aragon de Raphaël.

— La reproduction du journal est très mauvaise. J'ai eu l'originale, mais Serge, leur frère, m'a supplié de la lui laisser. C'étaient deux petits princes se tenant la main.

*L'Excelsior* donnait encore deux photos : Nathalie avec son mari, le milliardaire suédois, Dagmar Olsen, Vladimir avec son épouse américaine, Eva Blessington, héritière des magasins du même nom. Nathalie était restée mariée huit jours et Vladimir un mois. Quelques lignes rappelaient que les « malheureuses victimes d'une imprudence étaient les enfants d'un prince caucasien et qu'ils avaient rencontré une mort digne de leur existence fabuleuse ».

Stanislas rangea la coupure de journal, les photos.

— Un jour, tu pourras t'en servir. Dix ans après

118

leur mort, je les ai évoqués dans un roman, le seul qui ait eu du succès aux États-Unis[1] mais... je ne sais pas, peut-être à cause de Félicité qui ne les aimait pas... j'ai mal exprimé ce que je ressentais pour eux, une douloureuse tendresse, une admiration pour leur conduite royale... On les croyait riches parce qu'ils ne payaient rien. En fait, je crois qu'ils n'étaient pas pauvres, ce qui n'est déjà pas si mal. Quand, après l'accident, Serge, leur frère aîné qui, par chance, était en France et allait repartir pour le Brésil, quand Serge est venu, je me suis occupé avec lui de mettre un peu d'ordre dans ce qu'ils laissaient. Leur mort avait rendu la vie aux créanciers paralysés. Ne crois cependant pas que nous avons vu arriver une horde de rats. Malgré leur inquiétude, le respect les retenait comme si Vladimir et Nathalie avaient seulement mimé la mort pour nous jouer un dernier tour. Les deux enfants prodigues avaient fait une fugue. Ils allaient réapparaître plus beaux, plus séduisants que jamais, dépenser d'une façon démente, donner des fêtes, racheter une Duesenberg ou une Rolls. Serge avait quarante ans, peut-être dix de plus que Vladimir, quinze que Nathalie. J'ignore ce qu'il faisait au Brésil : marié, ayant monnayé son titre, son charme. La vie folle ne l'amusait plus. Il parlait de sa femme, Rosalinha,

---

1. *Singtime!* Doubleday (1944) paru en France aux éditions Saeta en 1948 sous le litre : *Les Temps heureux.*

de ses enfants, de la fazenda où il vivait dans le ser-
tão, et je sentais combien il lui était pénible de
revenir en Europe, de retrouver le parfum d'une
vie qu'il avait menée peut-être aussi absurdement
que son frère et sa sœur, mais qu'il voulait oublier,
repousser dans un passé éteint. J'ai même eu
l'impression qu'il laissait pousser sa barbe, taillée à
la Nicolas II, pour se vieillir, mais sous les poils
bouclés, on retrouvait les traits familiaux : bouche
sensuelle, menton rond marqué d'une fossette. Et
les yeux! C'étaient ceux de Vladimir et de Nathalie. Même avec cette barbe et un début de ventre,
les cheveux moins drus, il restait leur frère, affectant de tout considérer avec désinvolture et indifférence jusqu'à ce que, l'instant d'après, je le
découvre, sanglotant, effondré sur le lit de sa sœur
et m'apercevant, furieux, il m'insultait pour me
prier aussitôt de l'excuser. Errant dans cette maison vide où les domestiques se cachaient comme
s'ils nous craignaient, nous nous heurtions partout
à la présence de Vladimir et de Nathalie. Ils
étaient partis en laissant des signes pour nous rassurer : ils revenaient dans un instant; ils essayaient
les nouveaux carburateurs de la Duesenberg; nous
n'avions qu'à boire un cocktail en les attendant,
ces fameux Manhattan dont Vladimir donnait la
recette à ses amis. Que l'on sonne, et le valet de
chambre apporterait la glace et le shaker et, dans
un instant, Nathalie apparaîtrait sur le seuil, le dos
au soleil couchant qui dessinait en ombre chinoise

son mince corps heureux tandis que Vladimir rentrait la voiture au garage. Partout, dans les tiroirs, sur un grand plat d'argent de l'entrée, dans une vieille sacoche au cuir usé à mort peut-être parce qu'elle avait traversé la Russie au moment de la grande fuite, dans les poches d'un veston abandonné sur un fauteuil, nous retrouvions des enveloppes que Vladimir n'ouvrait jamais : note fabuleuse de champagne, de whisky et de gin chez un épicier de Nice, note de tailleur, de couturière, de bottier, d'un garagiste de Beaulieu qui les fournissait en essence depuis plus d'un an. Le total effarait. Serge se prenait la tête à deux mains : « Comment, comment faisaient-ils ? » Il injuriait les inconscients qui avaient facilité une pareille existence. Nous n'en finissions pas de fouiller, d'essayer de trouver un signe raisonnable. Les tailleurs de Chanel, les robes extravagantes de Schiaparelli encombraient les armoires de Nathalie qu'à part les quelques soirées de l'été, je ne me souvenais pas d'avoir vue s'habiller autrement qu'avec des jupes droites et les chandails de son frère. Vladimir avait deux cents cravates. Il n'en portait aucune, sauf une noire avec son smoking. Dans le tiroir de la table de nuit, nous trouvâmes un carnet de chèques à peine entamé, sans aucun relevé dans les talons. Au téléphone, la banque nous rassura : le compte n'était pas débiteur, il était à zéro. Pliés avec indifférence dans la poche du carnet, deux chèques l'un en dollars signé Eva

Blessington, l'autre en francs suisses signé Dagmar
Olsen attendaient depuis six mois d'être versés à la
banque. Serge respira : ces deux chèques paie-
raient largement la montagne de factures mais,
moi, je ne pensais guère à ce vulgaire détail qui ne
me concernait pas et, au fond, j'aurais trouvé assez
magique qu'ils aient ainsi disparu dans une trappe
au moment où les créanciers se réveillaient. Que
l'ex-mari de Nathalie et l'ex-épouse de Vladimir
aient continué de les entretenir gâchait la totale
beauté de la chose. Il est vrai que ces elfes en restaient inconscients, que les chèques dormaient
dans la table de nuit, inutilisés, ridicules même.
Mais depuis l'arrivée de Serge, depuis que nous
fouillions la maison désertée, une pensée
m'angoissait et me rendait malade parce que dans
la mort des aimés, c'est d'abord nous-même que
nous voyons, que nous plaignons. Oui, je te
l'avoue, je cherchais un signe de Nathalie,
n'importe quoi qui effacerait un peu de ma
détresse... un peu... Je croyais que ce serait un peu,
mais ce fut beaucoup de détresse qui s'envola
quand je reçus, comme un coup au cœur, un message qui revenait de la mort. Tu t'en doutes...
j'avais écrit à Nathalie. C'est mon péché mignon.
Qu'une femme m'émeuve, je ne le lui dis pas, je le
lui écris. Oui, j'avais écrit à Nathalie. Trois fois. Un
besoin irrépressible que d'ailleurs, par rapport à
Félicité, j'ai ressenti, cette première fois et toutes
les autres fois, bien plus comme une trahison que

le fait de désirer le corps de quelqu'un d'autre. Ces lettres, je les avais griffonnées au petit matin, après une de ces folles sorties dont nous rentrions épuisés, bêtement heureux bien que ce fût, pour moi, un supplice de les laisser repartir et, le portail fermé, d'entendre la Duesenberg redémarrer. Ils me laissaient, ils m'abandonnaient alors que j'aurais voulu ne jamais les quitter, mais comment s'en seraient-ils douté? Ils continuaient la fête à deux sans retomber dans une solitude intolérable, ils riaient encore, buvaient encore peut-être un dernier verre d'alcool avant de tomber comme des masses dans un lit, sans toujours prendre la peine de se déshabiller. Oh, ne va pas imaginer des choses! Je n'ai jamais cru à un inceste, et si c'était arrivé, c'était par hasard, deux ou trois fois, sans préméditation, sans y penser, et il est probable que le lendemain ils ne s'en souvenaient même plus. Non, comprends-moi, ces deux êtres avaient un secret de vie absolument terrifiant : ils s'amusaient. Je pouvais me mêler à leurs plaisirs, mais, au fond, je crois qu'ils n'avaient aucun besoin de moi, bien qu'ils m'aient aimé à leur façon, comme un de ces jouets qui provoquent un premier enthousiasme, sans que nous pressentions qu'en vérité nous nous en lasserons vite au profit d'un autre jouet. Nous vivions encore cet enthousiasme et l'idée d'un désenchantement ne venait ni à eux, ni à moi. J'aurais disparu du jour au lendemain que leur existence aurait continué au même train fou. Naturellement, j'aimais Nathalie sans réfléchir une seconde que j'avais peu de chance d'en être aimé et, pire, qu'en m'immisçant entre eux je risquais de voir le bonheur se volatiliser le jour où Nathalie et moi, enfermés dans une chambre, nous ferions l'amour, excluant Vladimir de notre plaisir... Tu te demandes si j'ai trouvé les trois lettres! Eh bien, oui... Et je n'avais pas mis la main dessus tout de suite parce qu'elles étaient cachées. Note bien la différence entre le dédain de Nathalie pour ces notes, ces invitations qu'elle ouvrait à peine et abandonnait partout dans la villa et ces trois lettres que ma main, par une intuition inexplicable, rencontra dans une pile de linge que j'eus envie de frôler parce que Nathalie avait un jour porté ces combinaisons et ces culottes de soie blanche, ces bas dans lesquels je me donnais le plaisir trouble d'imaginer son jeune corps si gai et maintenant froid. La révélation me foudroyait : Nathalie gardait un secret pour son frère. Vladimir avait ignoré ces trois lettres. Une faille dans l'amour de ce couple fou, bien mince faille il est vrai mais si le destin n'était pas intervenu, peut-être aurais-je emporté Nathalie, peut-être l'aurais-je détachée de son frère. Reste à savoir s'ils auraient pu vivre l'un sans l'autre et si l'éloignement forcé de Vladimir n'aurait pas été pour elle comme pour moi intolérable... Je reviens à ces lettres, car en les saisissant avec la crainte que l'on éprouve en face d'une profanation, je crus d'abord qu'elles étaient

124

restées cachetées. Nathalie les avait ouvertes avec la fine lame d'un canif, sans une bavure. Je la voyais, se mordant la lèvre inférieure, attentive, soudain sérieuse, elle toujours au bord du rire, lisant ces lignes que je relus à mon tour, assis sur son lit, comme elle avait dû le faire elle-même, son parfum imprégnant la pièce, la fenêtre ouverte sur le jardin et la mer d'où soufflait une brise tiède qui soulevait les rideaux de tulle blanc. Je me suis relu parce que cette sorte de lettres qu'on a coutume de comparer à des bouées jetées à la mer, échappent aussitôt à celui qui les écrit. Je ne me souvenais pas de lui avoir dit cela et je dois te confesser, piétinant toute modestie, que j'avais oublié, bien qu'elles fussent très récentes, le contenu de ces lettres et qu'il était beau.

— Vous les avez?

— Non, je les ai déchirées avec le sentiment impérieux qu'il fallait oublier cette aventure folle et, pour moi, sans issue maintenant que Nathalie était morte. Mais il y avait une réponse... Enfin, plus exactement, elle avait songé à une réponse et seuls les moyens de s'exprimer avec un rien de gravité lui avaient manqué. Sur une feuille de papier Canson bleu, je déchiffrai, crayonné en rouge, quelques mots glissés dans l'enveloppe de la troisième lettre : un projet, des signes éparpillés et cela seul qui m'importait : « Je t'aime. » Un sentiment abominable m'a envahi : une reconnaissance éperdue pour le destin qui avait voulu qu'elle mourût avec Vladimir que j'aimais autant qu'elle et que, grâce au ciel, je n'avais pas eu le temps de trahir...

Ce long monologue n'est pas réinventé. Depuis quelques semaines, quand nous parlions, je prenais des notes. Stanislas l'oubliait. Il racontait autant pour lui-même que pour moi. Jamais il ne m'a demandé de revoir ce que le lendemain je dactylographiais. L'instant n'appartient qu'à l'instant, et, déjà, seule sa propre vérité lui importait. Celle des autres paraissait dérisoire, sans signification. Si proches que nous fussions par le souvenir de mon père et l'amitié qu'il me témoignait depuis que j'étais en âge de le comprendre, ce que je pouvais penser ne l'intéressait pas. Ainsi, lors de ce long monologue sur Vladimir et Nathalie, j'eus l'impression qu'il se parlait dans la tête. J'aurais presque pu m'absenter sans qu'il s'en aperçût et il ne fit pas une fois allusion au roman que ses deux amis lui inspirèrent dix ans plus tard et qui fut, je l'ai déjà dit, un honorable succès aux États-Unis et, en France, un four l'année de sa parution (1948) avant que, grâce au magique bouche à oreille, *Singtime* devenu *Les Temps heureux* ne rencontre un large public et ne soit, pour certains, un « mot de passe[1] » et, pour beaucoup, un film à succès en 1972.

Les écrivains gardant le droit irrécusable d'embellir (ou de noircir) la vie dans leur œuvre, on admettra que, face à un interlocuteur docile, la tentation est grande de confondre la réalité nue avec une réalité corrigée par l'imagination et il pourra paraître vain de comparer le récit de la mort de Vladimir et Nathalie tel qu'il vient d'être esquissé par Stanislas Beren, un soir à Londres, avec le livre qui romança cette histoire.

*Les Temps heureux* reprend les personnages à peu de détails physiques près, sauf que Nathalie — si j'en juge d'après les photos — fut moins belle dans la vie que Stanislas ne s'est plu à le faire croire en la décrivant dans un roman. Son vrai visage, rond et joyeux, ne pouvait être prêté sans risque d'incrédulité à une femme dont la beauté distille un parfum fatal dès son entrée en scène. Nathalie avait un corps plein et ferme, brûlant de vie. Dans le roman, elle grandit et perd sa jolie poitrine. Vladimir, en revanche, est parfaitement reconnaissable, tel que sur les photos avec son sourire gouailleur et sa carrure d'athlète. Quant au

1. L'expression est de Roger Nimier dans un article de *Liberté de l'esprit* de juin 1952 où il cite également avec *Les Temps heureux,* le roman (paru en 1951, à la N.R.F.) d'Alexandre Vialatte : *Les Fruits du Congo.* Nimier qui savait tout n'ignorait pas les trois numéros de la revue épisodique qui, sous ce titre, avait rapidement sombré en 1932. C'était donc un double clin d'œil de sa part.

récitant, s'il paraît s'effacer par un excès de pudeur, il n'en joue pas moins un rôle capital puisqu'il est la cause du suicide de Nathalie et Vladimir. C'est là que le roman diverge d'avec l'histoire vraie. Dans *Les Temps heureux*, Vladimir découvre que Nathalie aime Charles (Stanislas s'est peint sous ce nom). Vladimir a vécu jusque-là une enfance privilégiée et prolongée malgré son court mariage avec Barbara E. (en réalité Eva Blessington). Des œillères lui ont caché la vie. Il n'a jamais compté ce qu'il dépensait, ni les femmes qu'il séduisait. Avec une affreuse brutalité, il découvre qu'il lui est absolument insupportable de penser au plaisir donné par Nathalie à cet intrus, à ce Charles. Elle l'a trahi au sens le plus bas, le plus vulgaire du mot. Les voilà ramenés sur terre. L'insouciance n'est plus qu'un masque, une pauvre lune de papier crevé. Au fond de l'abîme, Vladimir dont pas un geste n'a trahi le désespoir, envisage l'existence sans Nathalie. Impossible! Il n'imagine pas non plus que Nathalie puisse vivre sans lui, et pour accorder à sa sœur une paix qu'il est incapable de trouver en lui-même, il décide de la « suicider ». L'accident est préparé avec minutie, à l'endroit même où, sur la Moyenne Corniche, Isadora Duncan est morte, quelques années auparavant, étranglée par son foulard que les roues à rayons de sa Bugatti ont happé. Au Cap-Ferrat, des amis ont été à dessein invités à déjeuner. L'attente de ce déjeuner, dans le grand salon qui ouvre ses baies sur le jardin et la mer, est le morceau de bravoure du livre. Il y a là un assez joli échantillonnage de ce que la Côte d'Azur comptait alors de parasites, d'insouciants, de cyniques, de désœuvrés et même d'artistes qui se connaissant à peine et ne comprenant pourquoi ils se trouvent réunis, se livrent à des assauts dérisoires sinon pour se scandaliser — car ils sont bien incapables de la moindre révolte — du moins pour s'épater, se jeter de la poudre aux yeux, affirmer leur droit d'être invités ce jour-là par ce couple dont on ne sait presque rien, mais dont la légende s'est emparée avant même une mort mise en scène avec une certaine grandeur. Vaguement inquiets au début de ne pas voir Vladimir et Nathalie, soupçonnant une plaisanterie de mauvais goût, ils commencent à perdre leur sang-froid et se rassurent lorsque l'un d'eux ouvre la porte de la salle à manger et voit le couvert dressé pour treize personnes. Alors, une autre panique les saisit. Il faut que l'un d'eux s'en aille ou bien que Nathalie et Vladimir prient un quatorzième invité. Le valet de chambre renouvelle les cocktails et à deux heures de l'après-midi, affamés et saouls, ils s'attablent et déjeunent dans le plus grand désordre, chacun monologuant sans écouter son vis-à-vis. Le déjeuner finirait par une bataille digne des Marx Brothers si Charles — l'amant — n'apparaissait pour annoncer que Vladimir et Nathalie sont morts. Les invités se taisent, atterrés. Deux

129

d'entre eux ont assez de présence d'esprit pour se remplir les poches de petits fours, un autre finit le champagne et tombe raide, une femme a une crise de nerfs et méchamment on lui glisse des cubes de glace dans son corsage pour découvrir qu'elle a de faux seins.

Kléber Haedens, lorsqu'il rendit compte des *Temps heureux*[1] fit très justement remarquer que cette scène était aussi un sujet de pièce, sinon trois actes du moins un lever de rideau, et il encouragea l'auteur à écrire pour le théâtre. Des années après, retrouvant cet article, j'écrivis à Stanislas que c'était en effet une bonne idée et qu'il avait eu bien tort de ne pas essayer. Sa réponse[2] :

Je n'ai jamais écrit pour le théâtre. Voilà la vérité officielle. Mais si tu veux savoir l'autre vérité, la voici : j'ai deux pièces, quelque part, dans un tiroir, et sincèrement je ne sais même plus dans quel tiroir. Peut-être suis-je trop orgueilleux pour envisager le porte-à-porte, rencontrer des directeurs qui ne lisent pas les manuscrits qu'on leur soumet et ne cherchent chez les auteurs que la pièce qu'ils n'ont pas su écrire eux-mêmes. Enfin, autre empêchement dirimant : je ne suis pas un bon acteur. Shakespeare, Molière, Guitry étaient de bons acteurs. Aujourd'hui, Roussin, Billetdoux, Dubillard sont d'excellents acteurs. Je ne saurais même pas lire ma pièce à des comédiens comme le font si bien Ionesco, Anouilh ou Marceau. C'est un don que je ne

1. *Samedi-soir*, numéro du 12 avril 1948.
2. Lettre datée de Londres, le 15 décembre 1970.

possède pas. Pour avoir une pièce au Français, il faut savoir lire sa pièce aux comédiens. Je les respecte trop, je les aime trop pour leur imposer deux heures de bafouillage monocorde.

Après le burlesque déjeuner manqué, le roman continue avec l'arrivée du frère, Basile, autrement dit celui dont nous avons vu qu'il s'appelait Serge. Basile a la quarantaine. Il a élevé Nathalie et Vladimir puis s'est marié à une riche Sud-Américaine qui vient de lui donner un sixième enfant. Affolé de découvrir comment son frère et sa sœur vivaient, il cherche partout dans cette maison qui les évoque si bien, quelle mystérieuse fièvre les a possédés. Tout semble l'accuser. Au nom de la sécurité, d'une certaine fatigue de la vie, il a abandonné deux enfants qui lui étaient pourtant plus proches que les siens. Ce qu'il entend raconter d'eux, les fêtes qu'ils donnaient, celles auxquelles ils participaient, le gaspillage royal des plaisirs lui font mesurer l'ampleur de sa désertion. L'idée de retourner au Brésil devient vite insupportable, et pour les rejoindre en esprit, il donne à son tour une grande soirée dans la villa, huit jours à peine après l'enterrement. La soirée est sinistre. Il n'y a que des curieux et des voyeurs. Le dernier invité parti, Basile s'attache une pierre autour du cou et se noie dans la piscine. Charles qui n'a pas pu supporter l'idée d'assister à la fête arrive à l'aube quand la musique s'est tue. Il fumera une cigarette au bord de la piscine et s'en ira avant l'arrivée des domestiques et de la police.

Le roman s'arrête là sans que nous sachions où va Charles. Stanislas admettait volontiers que c'est trop facilement mettre un terme à une histoire que de la clore par un suicide. Il voyait là une faiblesse de romancier qui veut à tout prix « héroïser » la vie. Dans la réalité, la double mort de Nathalie et de Vladimir avait empoisonné leur frère aîné, cassé le bonheur qu'il s'était forgé. Le cœur n'y était plus et, quand il regagna le Brésil, ce fut pour y mourir deux ans après, éventré par un taureau.

Après le choc que fut pour Stanislas la mort du couple qui avait traversé sa vie à si grande allure, Félicité comprit que si elle ne reprenait pas la situation en main, elle perdrait son mari. Elle ferma la maison du Cap-Ferrat et partit avec lui pour Paris. Très vite, elle sut que Stanislas oublierait seulement s'ils fuyaient, très loin, sur un paquebot, à destination de l'Extrême-Orient. Georges Kapsalis les accompagnait, factotum, ami, fou du roi, indispensable et agaçant parce que, chaque fois qu'on avait besoin de lui, il était vissé à une table de jeu. Ils manquèrent repartir sans lui de Macao et de Hong Kong, et à Félicité il dut jurer sur l'honneur de ne plus toucher une carte jusqu'au retour en Europe. Georges était de ces êtres qui meurent d'envie qu'on leur interdise quelque chose. Cela lui était peu arrivé. Il tourna d'ailleurs la difficulté en ne jouant plus qu'au jacquet et à la roulette, avec la permission résignée de Félicité. De lui, je tiens que, durant la première partie du voyage d'aller — trente jours jusqu'à Colombo —, Stanislas sembla si indifférent aux escales, à la vie à bord, qu'il aurait aussi bien pu rester chez lui. Le jour, dans une chaise longue à côté de Félicité, il lisait. Époque où il découvrit Conrad, mort dix ans plus tôt, et que toute sa vie il ne cessa de placer parmi les très grands. André Garrett qui en était fou, lui avait procuré les œuvres complètes, mais à la différence de son ami qui aimait dans Conrad la mer, Stanislas que la voile ennuyait, qui trouvait la mer trop grande, ne puisait pas dans ces livres le goût de l'aventure et des tempêtes. En revanche, l'obséda l'ombre dans laquelle se meuvent les caractères du grand Polonais, et cette écriture serrée, si pure qui plonge « au cœur des ténèbres » et en rapporte, disait-il, des « lambeaux de rêves inachevés comme le destin de l'homme ». Il est certain qu'il dut à Conrad, bien que dans un registre très différent, ce goût pour les héros que la vie écartèle, dont l'âme est insidieusement séparée du corps. *Lord Jim* qu'il me confessa avoir relu peut-être dix fois, lui paraissait un des plus grands romans de tous les temps :

La faute initiale qui détruit une existence, est peut-être l'explication de tout. Je ne crois guère à cette histoire d'Ève, de la pomme et du serpent, mais il doit y avoir quelque part dans l'histoire de l'Homme, un péché originel moins simple et plus atroce qui nous empoisonne encore et que nous ne nous pardonnerons jamais. Dans un sens, c'est plutôt rassurant : nous avons une conscience. Il y a des jours où nous en doutons. Et même où nous en perdons le souvenir. Mais la conscience est là, à coup sûr, qui fait de l'homme un être tout à fait différent de l'animal. Un pas de plus — un pas osé — et je dirais que c'est peut-être la moins mauvaise preuve de l'existence de Dieu[1].

Le paquebot fit escale au Pirée, à Port-Saïd et Aden. Stanislas ne descendit même pas. Il envoyait des télégrammes à André : « Superbe. Stop. Enthousiasme. Stop. Tu me manques. Stop. La terre est ronde. Stop. J'en ai la preuve. Stop. » Puisqu'il fallait être quelque part, il était aussi bien sur le pont de ce bateau qu'ailleurs. Peut-être même y était-il mieux à l'abri des signes que Nathalie et Vladimir avaient dispersés sur leur route, et ce n'était pas Georges et Félicité qui prononceraient leurs noms. Félicité, avec plus de sagesse qu'elle n'en avait montré jusque-là, comptait sur l'oubli. Son rôle a pu paraître frivole, capricieux, elle a pu devenir la maîtresse de cet homme de treize ans plus jeune qu'elle sans en mesurer les conséquences, mais elle ne l'a pas épousé sans avoir réfléchi. Et maintenant, elle l'aime. Il est là dans sa vie pour toujours, et elle a compris que son rôle, à elle, sera de le protéger de lui-même, des autres. Elle n'y faillira pas et, déjà

1. Dans *Ce que j'ai lu...* recueil posthume d'articles, éditions Saeta, 1978.

sur le pont du bateau, allongé dans son transatlantique à côté d'elle, Stanislas sait que Félicité est là pour le guérir, même s'il chérit encore cet arrachement de son être, ces deux amis dont on l'a amputé, qu'il retient encore par bribes, et dont la présence devient suffocante, presque réelle, quand dans une insomnie, il les évoque et les arrête au moment où ils vont s'écraser contre un arbre. Une nuit, il a dû bouger, gémir de peur ou d'angoisse, et, très bas, dans la couchette voisine, Félicité a murmuré :

— Je suis là.

Le reste n'était qu'un film documentaire muet sur le Proche et le Moyen-Orient. Il regardait passer les images : les gros caïques rouges à l'entrée du Pirée, les petits pêcheurs de sous à Port-Saïd, les felouques d'Alexandrie, les sacolèves de la mer Rouge. Aux heures où l'écran se vidait, Stanislas lisait Conrad, déjeunait et dînait en compagnie de Georges et de Félicité, le plus souvent à la table du commandant. Heureusement, sa cabine était loin du salon où, chaque soir, un orchestre en smoking gris et nœud papillon rose, jouait les rengaines de l'année pour des couples extasiés... Ces rengaines — presque toutes des airs anglais : *Red Sails in the Sunset; Smoke gets in your Eyes; A Little White Gardenia; Capri* — ces rengaines, Nathalie fondait en les entendant, les fredonnait le jour, et, dans les boîtes, le soir les réclamait aux musiciens. Évidemment, avec de tels airs, on ne voguait pas dans le sublime, et il eût mieux valu, pour la gloire, que l'image de la jeune femme fût irrésistiblement évoquée par une sonate de Schubert, un concerto de Mozart, mais, enfin, il s'agissait de Nathalie, et, si haut que l'avait portée la mort, elle n'était pas une créature éthérée. Elle n'avait même pas été une créature romantique. Elle avait été la joie. Stanislas conservait dans sa poche le morceau de papier Canson bleu où s'inscrivaient au gros crayon rouge les mots mortels : « Je t'aime. » Mortels parce qu'ils s'étaient arrêtés là. Il n'y avait eu ni « beaucoup », ni « un peu », ni « pas du tout ». Juste « Je t'aime » figé dans son envol et qui ne se déliterait pas.

Comme je lui demandai, le soir de ces confidences à Londres en 1970, s'il avait pensé se suicider, Stanislas chercha dans sa bibliothèque un exemplaire d'*Audrey* et l'ouvrit sans hésiter à la page où Maximilien von Arelle dit nonchalamment à une femme qui lui annonce qu'elle le quitte et demande s'il va se tuer :

— J'admets le suicide, dit Maximilien, je ne l'admire pas. La tentation ne m'a jamais effleuré. Soyons balourds : tout s'arrange. Du moment où l'on en est convaincu, le suicide n'a plus qu'une valeur positive : perturber dangereusement l'être qui vous a manqué et n'a jamais envisagé que vous en seriez capable. Une manière de punir le partenaire défaillant. Avouons que c'est plutôt mesquin. On s'enfonce dans le coton de la mort, et les vivants chancellent sous nos accusations

136

sans plus pouvoir nous confondre. L'idée est assez
drôle, même si on la paie cher.

— Vous me faites froid dans le dos.

— Ne vous enrhumez pas. Courez vers votre mari. Il
vous réchauffera[1].

Après Aden, le paquebot s'enfonça dans l'océan
Indien et la croisière devint une tout autre chose.
Jusque-là les passagers s'étaient amusés de ce
qu'on apercevait du bord : le Pirée, les îles du
Dodécanèse, les rives de l'Égypte, le lent glisse-
ment du canal de Suez, les côtes ocrées de la mer
Rouge. Brusquement, on les rappela à l'austérité,
à un voyage sans décors jusqu'à Colombo : deux
mille deux cents milles marins, treize jours de ciels
et de bleus indiens. Une tempête, au sortir
d'Aden, marqua la transition, puis ce fut le calme
plat avec une chaleur visqueuse qui provoqua sur
le pont des premières un défilé de shorts et de
chemisettes dévoilant les faiblesses de ces messieurs, et, chez les dames, une moins grande jeunesse que celle affichée le soir, en robe longue,
avec des maquillages qui résistaient aux projec-
teurs de la salle de bal. Stanislas et André correspondaient par télégrammes. Stanislas confiait au
télégraphiste un quatrain de Levet :

*L'Armand Behic (des Messageries maritimes)*
*File quatorze nœuds sur l'océan Indien...*

1. Dans *Audrey* (déjà cité), p. 120, édition de 1960.

*Le soleil se couche en des confitures de crimes,*
*Dans cette mer plate comme avec la main*

André répondait par un poème de Larbaud sur la gare de Cahors :

*Voyageuse ! Ô cosmopolite ! à présent*
*Désaffectée, rongée, retirée des affaires,*
*Un peu en retrait de la voie,*
*Vieille et rose au milieu des miracles du matin,*
*Avec ta marquise inutile,*
*Tu étends au soleil des collines ton quai vide...*

Stanislas envoyait aussitôt trois vers des *Débarca-dères* de Supervielle :

*Derrière ce ciel éteint et cette mer grise*
*où l'étrave du navire creuse un modeste sillon,*
*par-delà cet horizon fermé...*

André retournait un télégramme d'injures :

*Bougre d'ignorant ! Pourquoi ne cites-tu pas la suite :*
*« Il y a là le Brésil avec toutes ses palmes. » Sauras-tu*
*jamais la géographie ? Tu navigues en direction de Cey-*
*lan et pas du tout du Brésil.*

Dans la cabine des radios où l'on était plus habitué à envoyer des messages genre : « Angèle et les chiots vont bien » ou des ordres de Bourse, on s'amusait franchement. Quels étaient ces deux fous qui dépensaient des fortunes à s'envoyer des vers à la tête ? Délivré de la terre, Stanislas se portait déjà mieux. À un petit carnet, il confia des portraits de passagers aperçus sur le pont ou dans la salle à manger :

M. Van Badaboum en est à son troisième voyage aux Tropiques. Il a un casque colonial blanc pour la promenade du matin, au cas où le commandant l'inviterait sur la dunette. Ce n'est pas encore arrivé. M. Van Badaboum est déçu. Il fait des complexes. Y aurait-il à bord des ennemis de la Belgique flamande ? Ou quelque indiscret se serait-il aperçu qu'il porte un suspensoir ?

Mme Ozovaire a du mal à son nom. Elle a bu, jusqu'à la lie, sa coupe, et sa coupe est rose. Comment faire pour supporter sa ménopause et des joues de bouchère ? Mme Ozovaire affronte de grands problèmes. Elle arpenterait bien le pont (le supérieur) à grands pas si un cor au petit doigt de pied gauche ne la faisait tant souffrir. On n'a pas le physique que l'on mérite.

Mlle Cunégonde n'a pas d'ombre. Aux Tropiques, c'est normal, mais dans la vie courante, c'est ennuyeux. Explication : Mlle Cunégonde est elle-même une ombre, l'ombre de ses parents qui la protègent du soleil et des satyres. Encadrée, elle affronte, les yeux baissés, la convoitise des mâles vautrés dans leurs chaises longues. Qui, le premier, la percera, cette haridelle ? Un jeune enseigne a dansé avec elle un *paso-doble* (un paso endiablé devrait-on écrire) et assure qu'elle est chaude mais ne lave pas son minou. Médisance ou vérité ? Va savoir.

Le major Littlebit a rempilé. Il s'ennuyait avec les peaux blanches, les robes d'organdi et les chapeaux de paille du dimanche dans son village du Yorkshire. Que diable! À soixante ans la vie n'est pas finie! Et il reste en Inde de belles personnes que même des jambes arquées n'intimident pas, bien au contraire. Il retourne soigner la Maharani de Ilmelafoutra qui s'ennuie tant avec son rubis sur l'ongle. Dans sa valise, le major a des piqûres de vitamines qui guérissent le spleen des princesses.

M. Gaston est l'inévitable caissier qui a levé le pied et s'offre une croisière-suicide. Du coin de l'œil, il surveille ses voisins de table pour savoir comment on mange les asperges, les escargots, les huîtres. Il s'y perd un peu dans tous ces couverts, mais il est heureux bien qu'ennuyé de n'avoir pas pris son temps et acheté des costumes neufs avant son départ. Heureusement, nous avons à bord l'Honorable Mr Wickpick qui a un million de £ de rentes et des trous au coude, du linge usé, des chaussures qui bâillent. M. Gaston ne lui trouve pas bon genre et le soupçonne vaguement d'être un caissier en rupture de banque. Ils pourraient s'entendre. Hélas l'Honorable Mr Wickpick parle uniquement anglais et cet anglais est incompréhensible. M. Gaston en est réduit à répondre : « Yess » ou « Sanke you »[1].

Ce n'était pas encore le travail retrouvé après le choc du roman brûlé, des mois d'été passés en fêtes, de la peur du vide qui avait suivi la mort de

1. Publiés dans *L'Ingénu* (revue trimestrielle des Lettres et des Arts n° 2, 2ᵉ trimestre 1979) ces portraits doivent être repris dans les Œuvres complètes de Stanislas Beren que la Pléiade annonce pour 2005.

ses amis, mais Stanislas découvrait que les mots sont une fameuse médecine. Il eut de nouveau envie de jouer avec eux, de les assembler comme un enfant s'absorbe à assembler ses cubes et à former des figures inattendues. Entre Aden et Colombo naquirent cinquante petits poèmes drolatiques bourrés de calembours et de contrepèteries. Il les posta à Colombo, mais l'enveloppe ne parvint jamais à André. Seuls quelques brouillons notés avant la mise au propre furent sauvés dans le carnet où il notait ses portraits. Il est probable que dans sa mise au net il les corrigea et les améliora, mais tels quels ils témoignent de son amusement à jouer avec les assonances :

LA DOUBLE MÉPRISE

— *Quelle vie !*
*s'écrie la pie.*
*Le corbeau qui*
*pisse sur un puits*
*se méprend sur le mot*
*et se croit monté comme un barbot.*
*La pie pieuse*
*se voile les yeuses*
*et clairement épelle : v, i, e,*
*— Pas si vieux !*
*dit le corbeau encore beau*
*mais faible en ortho.*

## INSCRIPTION SUR UN MUR D'UR

*— Je ne sais pas où elle habite,*
*dit la jolie Hittite.*
*Au mot bite le Moabite*
*sourit finement et vite*
*souleva sa lévite.*
*— Oh, vous vous méprites,*
*dit la jolie Hittite,*
*je parlais d'une amie petite!*
*— De petite, dit le Moabite,*
*point ne débite...*
*Et, désolé, la remit au gîte.*


## HISTOIRE SENTIE

*La maîtresse du vizir*
*à l'épileur exprime son désir :*
*— Ma Vénus est un vrai hallier,*
*je voudrais que vous la débroussailliez.*
*— Façon tirelire ?*
*risque l'homme de l'art. Et de rire.*
*— Oui, pour des billets, pas de pièces,*
*précise-t-elle en liesse.*
*Il s'y met sans attendre*

*et lui épile le tendre*
*mais, bientôt suffoqué, après avoir éternué,*
*renonce à continuer.*
*La dame, vexée, dit :*
*— Pourtant vous aviez consenti.*


LE POÈTE ET LA MUSE

## Le poète

*Une aimable lapine*
*en promenade alpine*
*médite une rapine.*
*Longtemps, seule, elle tapine*
*et enfin trouve une copine*
*qui, avec elle, opine*
*et clopine*
*sans souci des épines...*


## La muse

*— Amusante votre rime*
*mais un peu de la frime!*
*Avec braquemard*
*c'eût été plus dard.*

*Un défroqué s'était toqué*
*d'une pécheresse bien loquée.*
*Il n'eut de cesse qu'elle tapinât*
*et l'enrichît, cette nana.*
*Bientôt, une ne suffit plus,*
*il en engagea une seconde qui plut,*
*encore deux paires de trois.*
*Ces frileuses dames exigeant un toit,*
*il acheta un hôtel de passe;*
*on chercha un nom sensass'.*
*Elles en proposaient de poétiques :*
*« Au P'tit Chat », « La Boutique »,*
*« Le gland », « Ma Pomme ».*
*— Notre home pour homme,*
*trancha l'ancien servant de messe,*
*s'appellera : « A confesse. »*

Lorsqu'il me confia le petit carnet contenant les portraits et, qu'à la fin, je découvris les brouillons des poèmes perdus, je lui en envoyai une photocopie. De Venise, il m'écrivit :

Dieux du ciel! J'avais oublié. Pas génial! Je m'amusais. Et puis... sait-on jamais? Tout ce que j'ai écrit d'autre sera aussi démodé que du Paul Bourget et relégué aux oubliettes, quand, dans les écoles primaires, les institutrices délurées de la nouvelle vague, délaissant la dictée

144

de Mérimée ou *La cigale et la fourmi,* feront réciter aux petits écoliers *Inscription sur un mur d'Ur.* Tout est possible. Dommage que l'enveloppe destinée à ton père se soit perdue. Maintenant, je me souviens : à côté des gauloiseries qui ont seules survécu, il y avait quelques jolis jeux avec les mots, évidemment sans la grâce d'un Tristan Derême que j'admirais beaucoup à cette époque — as-tu lu *L'Onagre orangé,* non bien sûr, tu es un âne bâté — et sans l'immaculée candeur d'un Jean Tardieu dix ans plus tard. Cela dit, cette avalanche nouvelle de calembours — nouvelle pour moi dans mon goût de la langue française — cette avalanche était un bon présage : je me portais mieux que je n'en avais l'air, et ce qui m'empêchait de le montrer à Georges et à Félicité, c'est que je ne voulais pas guérir trop vite. Mon personnage de héros au cœur meurtri m'avait, au début du moins, assez satisfait, pour que je répugne à en changer, même si cela délivrait Félicité de son souci. Au fond, j'aurais aimé être dorloté dans mon vague à l'âme, j'aimais être le souci de quelqu'un. Rappelle-toi : j'avais vingt-cinq ans, mais je n'étais né *réellement* qu'en 1925, le jour de mon entrée à Janson-de-Sailly. Je ne compte pour rien ce qui s'est passé *avant.* En huit années, j'avais émergé des limbes pour entrer dans l'âge d'homme. Aujourd'hui, je crois qu'on appelle cela une « formation accélérée ». Ce qui se pratique pour les plombiers, les électriciens, les chaudronniers, doit aussi pouvoir se pratiquer pour les hommes sensibles. À l'escale de Colombo, j'étais guéri, ou presque, mais il ne fallait pas le montrer. Je ne suis donc pas descendu à terre avec Georges et Félicité qui ont loué une voiture et sont revenus trois heures plus tard, déçus et de mauvaise humeur. Georges était furieux de n'avoir pas aperçu de femmes aux seins nus. Il confondait Ceylan et Bali. En les attendant, j'étais resté sur le pont au-dessus de la coupée par laquelle embarquaient de nouveaux passagers. Nous allions, jusqu'à Singapour, jouer une nouvelle pièce, avec de nouveaux acteurs et le même décor : le pont-promenade, le bar, la salle à manger, la salle de bal. À l'échelle de coupée, m'a frappé une tête dont le blond cendré rappelait celui de Nathalie. Je n'avais vu, accoudé à ma rambarde, qu'une boule de cheveux, deux épaules dans une robe de surah bleu. Le soir, j'ai retrouvé au bar les cheveux blond cendré. Ils appartenaient à une Anglaise. Je ne sais pas si tu es comme moi, mais le nombre de déceptions que j'ai eues dans ma vie en suivant une chevelure blonde qui appartenait à un vilain visage, est impressionnant. Eh bien, pour une fois, cette couleur et cette coupe de cheveux appartenaient à une femme d'une digne beauté. Je dois avoir sa photographie quelque part, je ne sais plus où, je te la retrouverai si tu y tiens, et bien que cela ait peu d'importance puisqu'il ne s'est rien passé entre elle et moi. Enfin ce « rien » est plutôt cynique comme si une émotion — pour ne pas dire des sentiments — ne se concrétise qu'après l'épreuve du lit. Cette épreuve n'a pas eu lieu. Elle rejoignait son mari à Singapour et tenait aux principes. Sa tête était bourrée d'idées reçues parmi lesquelles son idée des Français était plutôt méprisante. J'avais sept jours pour la persuader non de coucher avec moi — sous les yeux de Félicité, c'eût été de mauvais goût — mais que nous étions faits l'un pour l'autre, bref qu'entre nous naissait l'amour fou. Il me semble que j'y suis arrivé, qu'à Singapour elle a débarqué la mort dans l'âme, convaincue d'avoir héroïquement laissé passer le Destin à côté d'elle sans lui faire un signe. Ne crois pas que ce soit un jeu cruel de ma part. Cette dame a tiré de l'aventure une si haute idée d'elle-même que sa vie en a été transformée alors que je l'avais oubliée la minute même où elle a disparu dans la foule. Longtemps, elle m'a écrit. Des lettres brûlantes sur un ton d'une niaiserie insupportable. Je ne lui en demandais pas tant. Elle m'avait aidé à prendre une revanche, à sortir de moi-même, à remporter une compétition serrée. J'avais très bien manœuvré, fourbi des armes neuves dont plus tard, pas beaucoup plus tard, je me suis servi quand la vanité me désignait une femme à conquérir ou quand l'amour risquait de me paralyser. Cette dame sans importance s'appelait Maureen[1].

À Singapour, ils embarquèrent presque aussitôt pour Macao et Hong Kong où Georges Kapsalis, malgré ses promesses, disparut englouti par des boîtes de jeu clandestines. Après trois jours de recherches, Félicité réussit à mettre la main sur lui. Il n'avait, bien entendu, plus un liard, ni même sa chevalière avec la devise des Kapsalis : *Doxa to theo*. Déconfit, amer avec lui-même d'avoir manqué à la parole donnée, il se laissa entraîner sur un autre paquebot qui les conduisit en Nouvelle-Zélande, puis d'Auckland dans les îles de la Société, à Tahiti, où il espérait retrouver un de ses amis, ancien ambassadeur et grand partenaire de poker. On a déjà compris que son inattention lui valut un nouveau mécompte et que, pas plus qu'à Ceylan il n'avait vu les seins nus des Balinaises, à Tahiti il ne rencontra son ancien ami retiré en Haïti. Stanislas, conscient depuis le début du voyage de la méprise, l'avait diaboliquement

1. Lettre datée de Venise, le 12 novembre 1970.

entretenue, et ce n'est que deux ou trois jours après leur installation à Papeete qu'il le détrompa. Dans *Audrey*[1] Maximilien von Arelle a un frère Wilhelm qui l'admire au point de vouloir tout faire comme lui et même de recueillir les unes après les autres ses maîtresses. Wilhelm convainc la dernière victime de Maximilien, la belle Aïda, de passer quelques jours à Tripoli, Hôtel du Levant; mais, quand il arrive à Tripoli, au Liban, il n'y a pas d'Hôtel du Levant, et on lui conseille d'aller en Libye où il devient à demi fou en apprenant qu'il n'y a pas non plus d'hôtel du Levant et qu'il devrait tenter sa chance à Tripoli du Péloponnèse où, bien sûr, quand il arrive, on lui remet, dans un bouge crasseux empestant la peau de chèvre et le suint, une lettre : Aïda lui reproche d'avoir abusé de sa crédulité et fixé un rendez-vous auquel il n'est jamais venu, la précipitant ainsi dans les plus sombres pensées que seul un suicide effacera. Wilhelm qui n'est pas si naïf, jure qu'on ne l'y prendra plus à désirer les maîtresses délaissées de son frère. « Il y a intérêt à connaître sa géographie, celle des cœurs et celle du génie des lieux », écrit Stanislas en exergue du chapitre. À qui pouvait-il penser sinon à Georges Kapsalis et à son périple égaré dans le Pacifique?

Avec son col amidonné, sa cravate à pois, ses guêtres et sa canne à pommeau d'ivoire, Georges

1. Op. déjà cité : Saeta, 1960.

n'était pas tout à fait l'homme de la Polynésie. Pas plus d'ailleurs que Félicité ne semblait destinée à ces îles. Elle avait pris le parti de s'y installer quelques semaines, à la rigueur deux ou trois mois si Stanislas y prenait du plaisir, s'il oubliait ce qu'il avait laissé derrière lui en Europe. On devine l'importance du sacrifice qu'elle consentait à son mari : se retrouver à vingt mille kilomètres de la France, en plein Pacifique, dans une île au confort des plus rudimentaires, avec une caisse de livres mais sans personne d'autre que Georges Kapsalis à qui parler, c'était une rude épreuve. Elle loua deux grands farés à Paea et n'eut pas beaucoup d'autres ressources que de se baigner et de lire. Son voisin et ami du Cap-Ferrat, Somerset Maugham, avait vécu tout à côté en 1916 et retrouvé, dans les décombres de l'ancien faré de Gauguin, une porte vitrée peinte représentant une grande vahiné nue jusqu'à la ceinture, tenant dans la main un pamplemousse. La porte avait été rapportée en France où Félicité l'avait souvent admirée. On n'avait plus aucune chance de faire de pareilles découvertes, et d'ailleurs Tahiti traversait la période la plus ingrate de son histoire mouvementée. Le développement anarchique de Papeete, le poids d'une administration qui prenait ses ordres en Métropole, un puritanisme clérical plus strict que jamais semblaient avoir tué la joie de vivre si souvent célébrée par les premiers visiteurs. Félicité ne comprenait rien aux domestiques qui la servaient. On la soignait mais on la volait impudemment. Peu physionomiste, elle ne se rendait pas compte que vahinés et tannés qui l'entouraient de soins, changeaient et ne restaient guère plus d'une semaine après qu'un larcin en général modeste leur permit de vivre de nouveau sans rien faire. Stanislas conscient que Félicité ne supporterait pas longtemps une situation dont il s'accommodait, lui, très bien, eut la chance de rencontrer, au cours d'une pêche au poisson volant, James Norman Hall et Charles Nordhoff, fixés dans l'île et mariés à deux beautés tahitiennes. Ils venaient de publier leur trilogie sur la mutinerie du *Bounty* et préparaient *Hurricane*, leur plus grand succès. Félicité se lia avec eux et se rendit presque chaque jour dans leur maison d'Arue. Ils avaient en Angleterre et en France, brillamment combattu pendant la Grande Guerre et vivaient maintenant de leur plume en exploitant le fonds inépuisable du folklore polynésien. Quand Stanislas vit Félicité suffisamment intéressée par ces deux amis il embarqua sur une goélette qui desservait l'archipel des Tuamotou et rapportait le coprah. Il en revint deux mois après, la veille du jour où, excédée soudain, ayant épuisé les charmes de la vie exotique, lasse des moustiques et des nourritures farineuses, Félicité bouclait ses malles et s'embarquait sur un bateau qui regagnait la France par Panama. Georges Kapsalis s'était attendu à un orage. Il n'y en eut pas. Félicité fut-elle sensible à ce nouvel air qu'avait pris Stanislas? Il revenait cuivré par l'eau et le soleil, apparemment heureux, et, comme d'habitude, discret sur son absence. Tout porte à croire cependant qu'il n'avait pas vécu en ermite complet et qu'il avait même passé quelques jours heureux à Bora Bora en compagnie d'une assez jolie vahiné qui apparaît incidemment vingt-sept ans plus tard dans *Audrey* sous le nom de Moetia, celui d'une des filles de la cheffesse Arii Taimai Salmon. Si elle le sut — ou le devina — Félicité ne put en être que satisfaite. Sa sœur, grand-mère Garrett, que les dictons de la sagesse des nations n'effrayaient pas, avait coutume de dire qu'en amour « un clou chasse un autre ». Les seules rencontres mentionnées par Stanislas sont d'abord Alain Gerbault qui venait d'arriver en Polynésie pour la seconde fois sur son nouveau cotre l'*Alain-Gerbault* et mouillait dans le lagon de l'atoll d'Ahé. Avaient-ils sympathisé? A priori, on pouvait en douter. Leurs caractères différaient trop. Gerbault avait quitté l'Europe qu'il ne supportait plus et ne reverrait jamais. Il allait vivre en ascète et se consacrer à l'étude de l'histoire et des mœurs polynésiennes. Stanislas n'était là que par accident et pour un motif en vérité bien futile : oublier une dame. Malgré la méfiance naturelle de Gerbault, Stanislas dut passer l'examen avec succès. Ils se lièrent, vécurent ensemble dix jours sur l'atoll et c'est à bord de l'*Alain-Gerbault* que Stanislas gagna Rangiroa, autre atoll plus au sud. Là, ils se quittèrent et se perdirent pour toujours, mais dans le souvenir de Stanislas Gerbault resta comme une tentation : si l'on est hérissé de sensibilité, pourquoi ne pas fuir ? À Rangiroa, dans le lagon mouillait le *See Teufel*, une belle goélette noire dont Gerbault connaissait, depuis une escale à Papeete, le propriétaire, un ancien officier de marine allemand, le comte von Lückner qui, à bord du *See Adler*, avait, pendant la Grande Guerre, piraté dans le Pacifique et même attaqué Papeete où il se serait ravitaillé en charbon si les autorités portuaires n'avaient pas coulé la *Zélée* dans la passe de la barrière de corail. Le personnage avait beaucoup d'allure et de superbe, une beauté froide au premier contact et même de la morgue mais qui s'effaçait dès que le *See Teufel* ayant pris la mer, von Lückner retournait le portrait d'Hitler affiché dans le carré et ouvrait la première bouteille de champagne de la traversée. Derrière le personnage, il y avait un homme, un remarquable marin. Gerbault affectait de n'apprécier que le marin, d'oublier l'attitude. Il était aussi sans illusion : sous le masque d'un caprice de millionnaire, von Lückner repérait en Polynésie la possibilité d'une nouvelle équipée d'un croiseur-pirate allemand en vue de la prochaine guerre. Stanislas s'entendit bien avec lui et l'accompagna jusqu'à Hiva-Oa dans les Marquises, d'où il revint, comme je l'ai dit, juste à temps pour repartir vers l'Europe. À l'Allemand, il emprunta son physique, le cynisme de sa conversation, le charme d'une érudition qui savait être légère, pour composer dans *Audrey*, le mémorable père de Maximilien et Wilhelm von Arelle.

De ce vagabondage de trois mois dans les îles de la Société, les Marquises et l'archipel des Tuamotou, Stanislas ne tira jamais un livre. Toutefois, on en retrouve des traces par-ci par-là, et notamment dans la première phrase du *Compte à rebours*. « C'est l'heure où dans la passe de Tiputa, à Rangiroa, les plongeurs Matoï et Toï donnent à manger des murènes aux requins. » La suite n'a rien à voir avec cette attaque et Stanislas aurait aussi bien pu, une fois le roman terminé, supprimer cette étrange façon de fixer le temps d'une action qui se passe en Europe. Quand je lui demandai la raison de cette phrase si éloignée de l'esprit du récit qui suit, il m'affirma qu'elle lui avait été suggérée un jour par Chardonne devant Cocteau qui l'a raconté dans *Portraits-souvenirs* : « Commencez un roman par n'importe quoi, du style "Par une belle nuit d'été...", et le reste suivra. » De même le souvenir de l'extraordinaire faune du Pacifique lui a souvent inspiré des réminiscences inexplicables si on ne sait pas que, pendant cette fugue de trois mois, il avait plongé et pêché avec les Tahitiens, les Marquisiens et les hommes des Tuamotou.

Ainsi dans *L'Abeille*[1], Roger Sanpeur invité au bal costumé offert par les Sansovino à Rome, arrive-t-il déguisé en « Baliste à grande tache blanche » et quand Albina lui demande ce que signifient son nez orange et ses taches il répond : « Je suis le Baliste niger pour les ichtyologistes et le Baliste lépreux pour les gens du commun. » Dans *Vivre à trois*[2] Abraham Siniaski, le financier qui est tombé amoureux de Margot Dupuy, s'installe dans son salon sur un canapé de tapisserie baroque et criarde, dont il prend en quelques minutes les couleurs comme une « synancée verruqueuse, véritable poisson pierre dont le venin est mortel si on a la maladresse de présenter une veine à sa piqûre. Heureusement pour sa vie, Margot avait de la chance et pas de veine, et Abraham Siniaski ne put jamais la paralyser de son venin ».

La flore ne l'avait pas moins impressionné et il aima jusqu'à la fin de sa vie l'odeur des tiarés, ce parfum si suave des peaux et des cheveux tahitiens. Dans *Audrey*, Maximilien mord cruellement l'épaule de Moetia qui a le goût sucré, enivrant du tiaré. Les essais pour en faire pousser dans le jardin du Cap-Ferrat furent infructueux. Seul un plant de frangipanier survécut quelques années, mais mourut le premier hiver de la guerre. Quand à partir de 1947, les avions long-courriers relièrent

1. *L'Abeille*, roman, éditions Saeta, 1963.
2. *Vivre à trois*, roman, éditions Saeta, 1967.

Tahiti à l'Europe, Stanislas se fit souvent apporter une poignée des fleurs blanches du tiaré, enveloppées dans une feuille de bananier humide. Disposées en couronne avec un fond d'eau dans une assiette creuse, elles s'ouvraient, embaumant la pièce où il travaillait. Jean Dubouchez, père de « celle qui inspira » *Cryptogramme*, un de ces personnages épisodiques dont il aimait semer ses récits comme ces graveurs qui dessinent autour de leur motif des « remarques » marginales, Jean Dubouchez, aux approches de la soixantaine, découvre avec un émerveillement enfantin qu'il a du goût pour les matelots de la Royale. On le voit errer sans succès place de la Concorde devant le ministère, faisant de l'œil aux sentinelles, lorsqu'il entend un jour dire qu'au jardin des Plantes on voit autant de pompons de marins qu'on en désire. Il s'y précipite et, n'apercevant que des mères en train de promener leurs enfants dans les allées, interroge un gardien qui, avec le mépris des primaires pour les illettrés, lui désigne, dans une serre, des arbustes à fleurs orangées : « Vos "pompons de marin", comme on dit vulgairement, sont des Calliandra surinamensis. » Cette fleur délicate, Harrison Willard Smith en avait offert un bouquet à Félicité lorsqu'ils avaient visité son jardin botanique de Papeari.

Un œil prévenu relèverait aisément dans les quelque vingt livres qui suivirent le voyage de l'hiver 1933-1934 en Polynésie, des notations rappelant l'attention de Stanislas à ce qui l'avait ébloui et que, malgré la tentation, il se refusa toujours à revoir sans doute par crainte que la deuxième rencontre avec ces ciels et cet océan, le déçût et détruisît l'image qu'il en gardait. Il avait de ces prudences-là. Et puis les conséquences de la guerre de 1939 le persuadèrent que l'Europe suffisait à son ambition. Après New York, en 1946, il n'en dépassa pas les limites. Il lui suffisait de retourner parfois au Maroc. Mais la Polynésie continua de vivre dans son imagination. À Londres, dans la maison de Chelsea, des récits de voyage, des albums de photos et des études consacrées à la flore, la faune et la population du Pacifique, occupaient plusieurs rayons de sa bibliothèque, et la photo de lui-même qu'avec un rien d'autosatisfaction, il préférait qu'on publiât, le représente au cours de cet hiver dans le Pacifique, sortant de l'eau, ceint d'un paréo, brandissant au bout d'un harpon une carangue bleue (*caranx melanpygus*, a-t-il écrit au dos du tirage que je possède).

Bien des années après, puisque c'est en 1967 lorsque Stanislas publia *Vivre à trois*, Pierre Dumayet[1] prenant pour exemple deux de ces

1. 17 novembre 1967, émission *Lectures pour tous* de Pierre Dumayet et Pierre Desgraupes.

phrases qui, disséminées dans le roman, surprenaient le lecteur, lui demanda s'il n'avait pas parfois lutté en lui-même contre une certaine préciosité pédantesque. J'ai noté au vol la réponse :

— La création romanesque est une manière d'alchimie. On ne sait jamais ce qu'on trouvera dans la dernière cornue : de l'or ou de la merde. C'est que les matériaux utilisés ont été recueillis il y a parfois très longtemps et qu'il leur arrive de se corrompre dans l'attente. Beaucoup, cependant, ne sont pas biodégradables et ils resurgissent de la mémoire, jeunes, neufs et si précis que la tentation est forte de les utiliser dans leur intégrité. Or, quelle meilleure intégrité peut-on souhaiter que celle, théorique, créée par les botanistes et les ichtyologistes ?

Le retour par Panama fut sans histoire. À Paris, au début du printemps, André les attendait impatiemment. Il n'en pouvait plus de porter à lui seul la responsabilité des éditions Saeta qui battaient de l'aile. Depuis *La Vie secrète d'un orgasme*, on n'avait rien publié qui eût rencontré un succès susceptible d'affirmer la maison. Il fallait trouver des auteurs, des idées de collection. Dans son carnet de notes, André a noté à cette époque (avril 1934) :

Stanislas a tout de suite compris le problème. Faute d'auteurs, inventons-en, dit-il... Je veux bien. Mais comment ?

Deux jours plus tard, il écrit :

Stanislas revient avec la solution. Nous partons demain pour Deauville. Le Normandy entier nous attend. Papa a téléphoné. Nous avons dix jours à l'œil pour mener à bien notre projet.

Ces quelques indications sibyllines sont les seules à dévoiler un mystère que les deux amis épaissirent de leur mieux pour dérouter la critique, mais tout permet de penser qu'enfermés dans une chambre du Normandy, ils écrivirent à deux, en se relayant, le premier volume d'une collection de romans policiers qui, par sa nouveauté, son style dit américain, deviendrait un immense succès. Ce premier volume a pour titre : *La Mort du petit cheval dans les bras de sa mère*[1], suivi d'un deuxième, composé celui-ci au Cap-Ferrat, deux mois plus tard : *À voile et à vapeur*[2]. Qui écrivait, qui dictait, qui corrigeait ? Personne ne le saura vraiment, bien que l'on puisse supposer qu'André, grand amateur de romans noirs américains, ait imposé le style tandis que Stanislas inventait des situations. En octobre, ils s'isolèrent encore une fois au Trianon, à Versaille, et en revinrent avec *Le Poivré*[3]. Tous étaient signés Fred Ginger et il n'est pas difficile d'imaginer qu'André, passionné de

1. Éditions Saeta. Collection « Le crime paie », 1935.
2. *Ibid.*, 1935.
3. *Ibid.*, 1936.

comédies musicales au cinéma, ait tout simplement accolé les prénoms de ses vedettes préférées : Fred Astaire et Ginger Rogers. Dans la masse des romans populaires américains, André n'eut pas de difficultés à trouver une demi-douzaine d'auteurs qui avaient le style désiré. La collection rencontra vite son public, débordant les deux auteurs. Fred Ginger publia encore trois volumes. Les prières d'insérer affirmaient qu'il vivait à Chicago, qu'il était mulâtre, marié à une Suédoise blond paille et avait passé cinq ans de sa vie à Sing-Sing pour vol à main armée. Les autorités américaines lui refusaient un visa de sortie et il ne vint jamais à Paris répondre aux interviews des journalistes et de la radio. En 1938, les éditions Saeta annoncèrent la mort de Fred Ginger abattu d'une balle dans la nuque par une bande rivale. La collection lancée n'avait plus besoin de lui et on ne pouvait rêver de meilleur moyen de s'en débarrasser qu'en le liquidant avec aussi peu de scrupules qu'il en avait montré dans la vie.

Bien entendu, il n'est pas question d'attribuer réellement à Stanislas les livres signés Fred Ginger. On n'y retrouve rien de lui, rien de sa manière. Il avait joué le jeu et quand je l'interrogeai à ce sujet, des années plus tard, il répondit :

— Aucun intérêt, mais nous nous sommes bien amusés, ton père et moi. Comme un exercice de style. J'ai un bon souvenir des dix jours à Deauville. Le matin nous parcourions la plage déserte trois ou quatre fois au pas gymnastique. Un chien-loup nous avait adoptés. Il venait à notre rencontre et aboyait jusqu'à ce que nous lui jetions un bâton dans les vagues. Bondissant dans l'écume il le repêchait, le cassait en petits morceaux avant de revenir japper autour de nous. Ton père ramassait ces coquillages qu'on appelle des couteaux, dans une intention si vague qu'il en abandonna dix kilos dans la chambre quand nous partîmes. Nous déjeunions de crêpes et de cidre dans un petit bistrot près de la gare et dînions de crevettes chaudes à la Régence de Trouville. Drôles de souvenirs n'est-ce pas? Pourquoi ce chien m'est-il resté en mémoire? Pourquoi le ramassage des couteaux dans le sable, pourquoi les crêpes de sarrasin, les crevettes chaudes? Enfin, en cherchant bien, je peux trouver d'autres choses : un plat de fruits de mer dont nous avons eu le plus grand mal à venir à bout, et ton père s'habillant dans un magasin spécialisé d'un ciré bleu et d'une casquette de pêcheur qu'il portait, visière cassée, tirée sur la nuque, à la honfleuroise. Nous étions seuls, avec tout Deauville pour nous. L'air était si vif, si frais, si bon que nous revenions les joues écarlates dans la chambre, pour nous enfumer et travailler. Le pseudo Fred Ginger est mort quatre ans après... À temps : nous n'avions plus d'idées et trop de scrupules pour nous répéter. Et puis je préparais *Le Compte à rebours*. Deauville est un bon souvenir et je ne me demande pas pourquoi. Je le sais exactement : nous nous retrouvions, ton père et moi, comme au lycée préparant un examen, copiant l'un sur l'autre et nous corrigeant mutuellement. Les femmes étaient à Paris. Nous étions libres, LIBRES... Évidemment, tout cela est assez puéril et nous n'aurions pas joui de cette liberté avec autant de gourmandise et de plaisir si nous n'avions pas su qu'une fois le roman achevé nous retrouverions les chaînes très agréables et très rassurantes de Marie-Claire et de Félicité.

Le souvenir de cette fabrication de romans policiers à l'américaine apparaît dans *L'Abeille*. Roger Sanpeur, celui qui se déguise en « Baliste niger » au bal donné par Mario et Albina Sansovino à Rome, passe pour un riche oisif. En réalité, il doit ses moyens d'existence à un travail anonyme de forçat : un mois sur deux il disparaît. Il écrit pour une sorte de négrier des lettres un roman policier où le whisky coule à flots, les femmes sont blondes, incendiaires, moulées dans des robes de satin et chaussées de mules à pompons roses. Dans ces histoires, on tue, on torture, on vole et on abandonne des créatures enivrantes, pâmées après l'amour. L'amusant est que Roger Sanpeur, âme tendre, caractère pusillanime, est incapable de blesser une mouche. Les prémices de l'amour le rendent incroyablement maladroit avec les femmes. Quand Albina qui dévore des romans policiers sous le séchoir du coiffeur ou le soir pour s'endormir, découvre que Roger est son auteur préféré, elle tombe dans ses bras avec une telle soudaineté qu'il en reste impuissant. Elle le chasse de sa vie et il tente de se suicider, mais comme il n'a aucune idée de la manière de se servir d'un pistolet, il se loge une balle dans l'épaule au lieu d'une balle dans le cœur. Très habile au maniement des armes, Stanislas aimait se moquer des maladroits.

Félicité pouvait se rassurer. Sa patience, sa compréhension exorcisaient le souvenir de Nathalie et de Vladimir, autant que le long voyage et, au retour, le travail forcené avec André. Stanislas avait appris aussi que l'on oublie les peines les plus lancinantes, et quand il écrivit à New York, en 1942, *Singtime* qui devint en français *Les Temps heureux*, ce fut même avec un plaisir inattendu. Malgré sa fin tragique — la mort des deux héros et le suicide de leur frère — c'est un livre gai dont les personnages mordent bien la vie.

En 1934, Stanislas Beren a vingt-six ans. Il a perdu de sa gaucherie et il a plus l'air d'un champion de tennis que de ce qu'il est convenu d'appeler un intellectuel. Il n'est pas beau au sens propre du mot : le nez trop long, les yeux enfoncés sous les orbites, la bouche gourmande, une certaine brusquerie quand on l'intimide. Ceux qui l'ont connu à cette époque se souviennent d'un jeune homme peu bavard qui semble toujours attendre avec une visible impatience le départ des amis venus pour Félicité. Dans son journal[1] André Garrett note :

S. n'a pas proféré un mot de tout le dîner. À un moment, il a griffonné quelque chose sur une page de carnet qu'il m'a passée sans se cacher : « Tout cela trop long ! Quand vont-ils foutre le camp ? Je veux être seul avec toi et avec F. Que feront-ils si je déboutonne ma braguette, sors ma b... et la trempe dans la mayonnaise ?

1. 12 décembre 1934

Je vois d'ici, après le scandale, Oswald Winterthur murmurer à sa femme songeuse : "Ma chérie, maintenant vous savez ce qu'est un gagne-pain." Je jure que je le fais si tu lèves le petit doigt... » Je n'ai pas levé le petit doigt, il n'a pas sorti sa b... et nous avons raté une belle occasion de débarrasser Tante Félicité de ces raseurs mondains pour lesquels, malgré son intelligence, son humour et son goût, elle a d'inexplicables faiblesses.

Il a commencé *Le Compte à rebours* avec la crainte paralysante que Félicité lui conseille à nouveau de tout brûler, aussi n'écrit-il que sur un coin de table aux éditions Saeta où il passe ses matinées avec André. En condamnant au feu le manuscrit d'*Un déjeuner de soleil* Félicité avait couru un risque. Disons que c'était un risque calculé, et que l'inaction apparente de Stanislas ne l'inquiétait pas. Il est encore probable qu'André ne tarda pas à trahir son ami et à dire à Félicité que Stanislas écrivait, en cachette d'elle, ce qu'entre eux ils appelaient un « machin ».

*Le Compte à rebours* est un roman tout à fait à part dans l'œuvre de Stanislas Beren. Nous avons vu que le héros, Jezero Skadarsko, tire son nom d'un lac serbe auprès duquel Stanislas passa très probablement les dix-sept premières années de sa vie. Jezero que l'auteur présente comme « un homme d'une taille au-dessous de la moyenne, aux cheveux noirs en brosse parce qu'aucun peigne n'a réussi à les discipliner[1] » est un paisible intellectuel d'un quelconque pays balkanique. Réfugié en France, il enseigne dans une université fantôme où les étudiants se présentent aux cours et aux examens s'il ne fait pas trop beau dans les jardins du Luxembourg. Jezero se trouve souvent en face d'un amphithéâtre vide où, parfois, la chatte rousse du concierge de l'université vient s'asseoir en face de lui sur un banc et le regarde de ses yeux gris dont la pupille se contracte quand le soleil pénètre dans la salle par la grande rosace qui surplombe la chaire. Peu après, la chatte rousse s'endort et son ronronnement résonne dans l'amphithéâtre. Si Jezero, en signe de réprobation, s'arrête au milieu d'une phrase, la chatte rousse se réveille et le regarde fixement de ses yeux gris jusqu'à ce qu'il reprenne son cours. Au printemps, les journées ont été si belles et si chaudes que les étudiants sont tous au jardin, et Jezero prend l'habitude d'être seul devant les deux cents places vides. La chatte rousse lui reste fidèle et, parfois en retard, parfois en avance, s'installe sur son banc, prenant un air entendu bien que Jezero dans un acte délibéré d'insoumission au programme imposé, ait

1. Dans son carnet, André Garrett note qu'avec Stanislas ils ont cherché, dans la littérature française, un auteur qui ne se « grandissait » pas dans la personne de son héros; on est assuré, si l'auteur mesure 1,60 m, dit André, que le personnage dans lequel il s'incarne mesurera 1,80 m. Stanislas prit la peine d'inventer un Jezero plus petit que lui-même de vingt centimètres.

choisi de parler désormais des relations intimes du temps et de la mort. L'intérêt de la chatte rousse ne faiblit pas pour autant. Aux mots « temps » et « mort » qui reviennent souvent pendant les cours, elle rouvre les yeux et même éternue sans bouger de place. Un jour, Jezero s'interrompt parce qu'il a soudain vu la chatte rousse faire le gros dos : une main invisible la caresse. La chatte rousse s'étire, tend la queue, tourne sur elle-même comme si elle s'enroulait autour d'une jambe. Jezero acquiert la certitude qu'un être transparent est là, assiste à son cours et caresse la fourrure de l'animal quand il s'ennuie. Force est de reconnaître que dans ce cours improvisé sur un sujet abstrait, le professeur ex-cathedra cherche sa propre pensée et ne la trouve pas. Il lui arrive d'assener à son amphi-théâtre vide des banalités qui ne sont que des pauses, des arrêts respiratoires. Captiver l'intérêt de la chatte rousse devient si essentiel que Jezero, rentré chez lui, travaille son cours avec une rigueur qu'il ne se savait pas. Un jour, il a parlé avec tant de conviction qu'il éprouve le besoin de fermer les yeux longtemps comme s'il lisait en lui-même. Quand il les rouvre, un homme assez âgé — la soixante-dizaine peut-être — est assis au pre-mier rang, la chatte rousse sur les genoux. Cet homme, Jezero est certain de l'avoir déjà ren-contré : il a sa taille, c'est-à-dire qu'il est plutôt petit. Il est venu à l'université en pantalon de cou-til bleu et chandail de grosse laine blanche, ce que même les plus relâchés des étudiants n'oseraient faire, et il lui arrive d'allumer des cigarettes dont il tire à peine quelques bouffées avant de les écraser sous son talon. La désinvolture du personnage à l'égard du professeur est si évidente que Jezero, un moment, se décide à lui faire une remarque.

— Continuez! répond simplement l'homme qui d'une main distraite caresse la chatte rousse.

La voix n'est pas inconnue. Sa sonorité, son assurance en même temps que son caractère ironique et méprisant, évoquent quelque chose que Jezero connaît bien : c'est ainsi que dans la chambre de bonne où il prépare ses leçons magistrales du lendemain, il essaie de placer sa voix sans toujours y parvenir. Au début, il refuse de croire à ce qui pourtant devient peu à peu aveuglant. De toute sa volonté, il repousse la vérité, mais le personnage d'abord réservé, finit par intervenir pendant un cours où Jezero, mal inspiré, patauge dans une comparaison amorcée en dépit du bon sens.

— Vous voulez dire en somme que le temps c'est de la mort provisoire et que la mort c'est le temps pur, infini, absolu. Alors, je vous en prie, énoncez-le clairement, sans périphrases. La chatte rousse du concierge et moi nous ne sommes pas des enfants. Nous pouvons tout entendre. Cette idée — qui n'est pas neuve — n'a jamais été exprimée avec assez de simplicité. Votre mérite — si vous y arrivez — sera d'avoir été le premier à exprimer une vérité... première, sans recours à la logomachie habituelle. Un peu de courage, Monsieur le professeur, quelques années nous séparent — quarante-cinq si je ne me trompe — et vous verrez que nous serons tout à fait d'accord. Συμφωνία dit-on en grec, n'est-ce pas?

Désarçonné, Jezero quitte sa chaire et en descend les marches pour s'approcher de l'inconnu qu'il voit soudain se raidir et, devenu cireux comme un cadavre, n'être plus en quelques secondes qu'un squelette dont les os tombent aussitôt en poussière. La chatte rousse saute sur l'épaule du professeur et ronronne tranquillement. Jezero, la gorge serrée, ne peut continuer son cours. C'est le moment que choisissent le recteur et le ministre des universités pour entrer solennellement. Jezero reçoit un blâme motivé : « Joue avec une chatte — même pas un animal de race, une rousse chatte de concierge et de gouttière — au lieu d'enseigner à ses étudiants les règles élémentaires de la Logique. » Jezero n'est pas renvoyé, mais il se renvoie lui-même. Personne ne croit à son histoire d'auditeur septuagénaire et le voilà qui erre dans les jardins du Luxembourg jusqu'à la tombée de la nuit, sur le boulevard Saint-Michel jusqu'au petit matin, enfin aux Halles où, tout d'un coup, il aperçoit au *Pied de cochon* l'inconnu qui, attablé avec une jeune femme rousse, souffle sur sa cuillère trempée dans une filandreuse soupe à l'oignon. L'homme l'a vu mais ne lui fait pas signe de s'approcher. C'est la jeune femme rousse qui se lève et vient en souriant vers lui.

— Vous ne me reconnaissez pas ? demande-t-elle.

— Si... il me semble.

— Vous mentez ! Là, je vous y prends. Vous ne m'avez jamais rencontrée. Allons... ne vous fâchez pas et joignez-vous à nous. Le professeur sera ravi de vous voir.

— Quel professeur ?

— Jezero Skadarsko.

— Jezero Skadarsko, c'est moi.

— Nous verrons cela.

Bien qu'il n'ait pas un goût particulier pour les rousses, Jezero ne peut s'empêcher de trouver séduisante cette jeune femme à l'opulente chevelure, à la robe noire si échancrée qu'on voit ses seins généreux. Avant même qu'il ait esquissé un geste — ce geste aurait été naturellement de plonger sa main dans le corsage et de s'assurer que ses seins sont libres, c'est-à-dire qu'ils appartiennent au premier qui les désire — avant même ce geste, la jeune femme lève l'index, le menaçant gentiment :

— Non, non pas ici ! et pas tout de suite ! Jezero a des choses à vous dire.

Il s'assied à la table en face du professeur qui prétend s'appeler *aussi* Jezero Skadarsko et qui, pour l'instant, se préoccupe uniquement de finir sa soupe à l'oignon bien qu'elle soit brûlante. Quand il a porté à ses lèvres la dernière cuillerée, il appelle le garçon et le prie, avec civilité, de transmettre au chef ses compliments. Le garçon l'écoute avec déférence et part aussitôt pour les cuisines. Alors le septuagénaire se tourne vers Jezero et le regarde dans les yeux avec une telle intensité que le jeune professeur en éprouve un malaise aigu qu'il décrit comme « un dessèchement soudain de la peau et du squelette, une faiblesse dans les jambes et les bras, et un trou de mémoire qui lui cache le nom de son interlocuteur ». Quand il le redemande, en priant l'homme de l'excuser, il entend : Jezero Skadarsko mais ne s'en étonne plus car il a oublié son propre nom. Quant à la jeune femme rousse, elle prétend s'appeler Redja Matchka, ce qui n'a rien d'extraordinaire[1]. Autour d'eux c'est l'activité des Halles telle qu'elle a existé jusqu'au transfert à Rungis : marchands de primeurs en sabots et tabliers bleus, bouchers en blanc maculés de rouge, poissonniers en cirés jaunes, noctambules enfin délivrés de la nuit avec leurs joues bleues d'une barbe naissante, leurs femmes en peau frissonnantes. Jezero le Jeune est abasourdi. Il ne connaît pas ce monde et voudrait s'en aller, mais Redja Matchka le retient par le bras : Jezero l'Ancien parle. Les premiers mots ont été étouffés par le bruit du restaurant et Jezero le Jeune saisit seulement la fin d'une phrase qui semble n'avoir aucun rapport avec ce qui suit :

— ... transcendant au sens où l'employait Montaigne quand il s'effrayait des « humeurs transcendantes » qui

1. En serbo-croate, *Redja Matchka* signifie « chatte rousse ».

se désassocient du corps. Vous êtes moi et je suis vous. Il y a un moment de la vie, juste au milieu, où nous nous rencontrerons de nouveau seul à seul comme aujourd'hui. Pour l'instant vos yeux m'interrogent et les miens se souviennent. N'oubliez pas : le jour où vous me reverrez, vous saurez que vous êtes désormais à mi-chemin. Jusqu'à cet instant, je peux vous conseiller, du moins quand vous aurez l'humilité de me le demander, ensuite vous me regarderez vivre et tirerez leçon de mes erreurs. Nous serons toujours sur le même versant, vous descendant vers la paix des vallées, moi montant vers les hauteurs couronnées de nuages. Votre marche est la bonne, la mienne est contre nature et sur ce point je vous prie de ne pas consulter les moralistes qui n'aiment rien tant que les lieux communs et passent régulièrement à côté des paradoxes de la vie. Maintenant, cher Jezero, j'ai trop parlé. Serrons-nous la main et disons-nous non pas adieu mais au revoir. Je vous laisse en compagnie de Redja Matchka qui a deux ou trois choses essentielles à vous apprendre.

Jezero l'Ancien se lève et se dirige vers l'extrémité du comptoir où la caissière énorme le regarde avec un émerveillement qui ne peut être que délicieux au cœur de tout homme, même venant d'une femme-tronc dont les mamelles emplissent à craquer le corsage de satin noir. Elle tend à Jezero l'Ancien une addition qu'il signe rapidement sans même l'examiner et il sort pour s'engouffrer dans la foule pressée autour des marchands de primeurs. Redja Matchka prend doucement la main de Jezero le Jeune qui est désormais Jezero tout court et qui se rend compte que, sans cette inconnue au parfum assez fort pour lutter contre l'odeur de graillon régnant dans la salle du *Pied de cochon* il ne supporterait pas la solitude, le vacarme, le départ de son homonyme, la misère du petit matin si angoissante pour ceux qui n'ont pas dormi, et même la perspective d'être bientôt pour la première fois dans un lit avec une inconnue qui devra tout lui apprendre car c'est à peine si ce philosophe sait comment naissent les enfants.

Ils sortent en passant devant la caissière qui a repris son air revêche et ne les gratifie même pas d'un sourire. Un être séduisant a traversé sa vie mammifère l'instant auparavant, c'est Jezero l'Ancien, et elle rumine un vieux rêve, ce qu'aurait pu être sa vie avec cet homme « d'élite » si elle ne s'était pas sacrifiée à ses enfants. Conscients de leur inintérêt, Redja Matchka et Jezero le Jeune passent, honteux. Redja Matchka a revêtu une cape légère qui flotte autour d'elle et cache à peine sa gorge laissant à découvert la naissance de ses seins de... de... Jezero est incapable, malgré des efforts démesurés, de trouver le mot juste qui qualifierait les seins de la jeune femme. Bien sûr, il aimerait dire « de marbre » mais ce serait précipité car il n'en a pas encore vérifié la fermeté, et l'épithète « laiteux » rappellerait trop la poitrine de la caissière, alors qu'il s'agit ici à n'en pas douter et dès la première vue, de jolis seins qui n'ont jamais nourri un enfant, et que leurs pointes — d'un rose corail — avivent assez pour qu'on ne songe plus à leur pâleur. Mais qu'importent les mots quand un grand événement se prépare, et déjà Jezero mesure la maladresse de sa conduite. Il se sent si gauche, si incapable de parler d'autre chose que de son prochain cours (« La morale est-elle morale ? ») qu'il s'apprête à renoncer quand Redja Matchka le retient par l'épaule, le fait pivoter vers elle, passe un bras autour de son cou et lui baise les lèvres. Il découvre alors sur le trottoir, dans la cohue de la foule qui les dépasse et, par un respect inattendu et charmant, ne les bouscule ni ne les insulte, il découvre alors que l'amour physique, si longtemps redouté, va être un plaisir.

Mais où ? Il se doute que cette jeune femme délicatement maquillée et coiffée, avec pour bijoux un bracelet et un clip en or, supportera mal la soupente où il vit, le sommier grinçant, les draps douteux, la couverture trouée, l'évier où traîne encore la tasse salie par le café du matin. Et comment procédera-t-elle à ses ablutions alors qu'il faut remplir un broc au robinet de l'étage et en verser le contenu dans une cuvette à l'émail fêlé ? Il faut croire que Redja Matchka a des pouvoirs surnaturels et qu'elle a déjà deviné.

« Chez moi ! » dit-elle, et une voiture de maître s'arrête à leur hauteur. Un chauffeur en uniforme gris, culotte bouffante et leggins noirs, descend, soulève sa casquette et leur ouvre la porte. L'intérieur est si incroyablement luxueux que Jezero ose à peine s'asseoir. La jeune femme lui prend la main et la voiture les emporte à travers Paris pour gagner une belle forêt, et, dans la forêt, une allée de chênes conduisant à une gentilhommière Louis XIII dont les fenêtres renvoient avec un éclat presque insoutenable les rayons d'or rouge du soleil. La porte d'entrée s'ouvre sans qu'apparaisse personne, et Redja Matchka, ayant laissé glisser sa cape par terre, monte l'escalier de pierre qui conduit au premier. Jezero la suit comme un chien une chienne, parce qu'elle a soulevé sa jupe longue découvrant ses chevilles. Sous le bas, une chaînette d'or apparaît à l'une des chevilles, et Jezero en est profondément troublé. Quelques lectures et, chez un confrère, des gravures japonaises lui ont appris un érotisme radical dont sont exclues les approches poétiques de la sensualité. Cette cheville cerclée d'or le bouleverse et a sur lui un effet si immédiat, si puissant, qu'il se demande si, là, dans l'escalier, il ne ressentira pas les atteintes du plaisir avant même d'avoir effleuré Redja. Le pire est qu'en l'entraînant dans une chambre somptueuse où les attendent un lit à baldaquin, des murs damassés rouge et argent, des miroirs de Venise et un lutrin de bois sculpté portant un livre ouvert sur un dessin invraisemblablement suggestif, le pire est que l'envie délirante de Jezero disparaît aussitôt et que, quand la jeune femme se colle à lui, elle constate qu'il n'a plus aucun désir.

« Je vois ce que c'est ! » dit Redja Matchka qui l'entraîne aussitôt dans l'escalier, puis dans le sous-sol de la maison où se trouve une vaste cuisine dont la table centrale est encore encombrée d'assiettes et de plats contenant des restes de nourriture. Après avoir, d'un revers de bras, balayé la vaisselle sale qui se fracasse sur le sol carrelé, Redja s'allonge sur la table débarrassée. Jezero est repris d'un désir fou qu'elle guide lentement en elle. Ils baiseront encore dans la buanderie où règne une légère odeur de linge brûlé par le fer à repasser, dans une chambre de domestique où Redja revêt par jeu le tablier, le bonnet de dentelle et les bas noirs d'une femme de chambre, et enfin dans le luxueux reposoir damassé où grâce aux expériences précédentes les inhibitions de Jezero se dissipent. Épuisé, il s'endort, une main posée sur le sein de sa maîtresse. Des heures après, il se réveille, seul dans le lit. Sans le baldaquin, les meubles, les bibelots et le lutrin, il pourrait croire à un rêve. Levé d'un bond, il se plante devant le miroir en pied et se voit, nu, les cheveux gris sur les tempes, le poil gris sur la poitrine, les jambes grêles, le visage ridé. Affolé à l'idée d'avoir dormi tant d'années, il soulève son sexe dont le miroir lui offre une pauvre image et s'aperçoit qu'il n'est pas du tout ainsi, au contraire bien en forme et prêt à servir de nouveau. Alors, il vérifie tout : pas de cheveux ni de poils grisonnants et encore un visage de jeune homme. Le miroir ne réfléchit pas son image, mais celle de Jezero l'Ancien qui sourit de sa stupeur et, très lentement, articulant chaque mot, dit :

— Je t'ai prévenu que nous nous rencontrerions souvent. Redja Matchka t'a appris beaucoup de choses. À toi d'en faire ton profit. Maintenant rhabille-toi et retourne à ton université.

Jezero l'Ancien disparaît et Jezero le Jeune se voit avec soulagement dans le miroir. Sa nudité est plutôt ridicule et il se rhabille, retrouvant ses vêtements épars dans les différentes pièces où il a fait l'amour avec Redja Matchka. La maison est déserte et il se demande comment il retrouvera son chemin dans la forêt. Quand il ouvre la porte, il s'étonne de tomber dans une rue où passent un autobus et des taxis. La nuit approche et les réverbères s'allument. Devant une charcuterie, des gens font la queue. Des enfants, cartable sous le bras, sortent d'une école primaire sur le fronton de laquelle on lit : « L'avenir est à tous », signé Édouard Herriot. Jezero ne reconnaît pas le quartier et décide de remonter le courant des passants qui doivent, logiquement, gagner la périphérie, où ils logent, après leur journée de travail. En quelques minutes il arrive à la Concorde et n'a plus qu'à suivre la Seine pour rejoindre le quartier Latin où il a choisi de vivre, étudiant prolongé qui craint de s'aventurer ailleurs dans la grande ville. Un sentiment nouveau l'envahit : il va secouer sa jeunesse confite, devenir un homme. Déjà il ne regarde plus les femmes de la même façon. Il semble qu'à son cours, le lendemain, les étudiants, venus nombreux, ont été prévenus de son avatar. Ils l'écoutent passionnément. Le recteur qui se cachait dans la salle vient le féliciter et le prie d'excuser son mouvement d'humeur de l'avant-veille. Jezero le Jeune voit s'ouvrir, grandes devant lui, les portes de la gloire. Il a confiance : Jezero l'Ancien veille sur lui et le conseillera. Redja Matchka, loin de disparaître, s'amuse à se disperser dans les femmes qu'il rencontre : l'une a ses fesses, l'autre sa voix, la troisième ses yeux gris, la dernière est une érotomane. Les étudiantes, fascinées par le verbe de Jezero, suffisent à combler ses désirs. Sa réputation grandit surtout grâce aux femmes — si bien que son pays le rappelle et qu'il y retourne triomphalement. Là, le chef, Kralj, veut en faire son premier ministre, mais Jezero, sur le conseil de son ancien, refuse ce poste trop en vue où l'on risque l'assassinat autant que les douze balles dans la peau. Il sera le père Joseph du Tremblay de Kralj, son Éminence grise, profitant des avantages que cela comporte : le pouvoir réel et l'incognito. Le pouvoir pour mesurer ce qu'on peut faire contre et pour la bêtise des hommes, l'incognito pour mener une joyeuse vie de débauche. À mi-chemin, il rencontre son double. Leur ressemblance à cet instant est parfaite. Nul ne peut les distinguer et il faut leur donner un numéro : Jezero I et Jezero II. Leur expérience de la vie est telle que le monde pourrait appartenir à Jezero I s'il ne dédaignait pas la puissance. Les deux hommes se quittent : ils n'ont plus rien à s'apprendre et souffrent d'une infirmité somme toute assez supportable : ils sont sans illusions. On les voit encore s'adresser des signes amicaux à une distance de plus en plus grande, jusqu'au moment où Jezero I découvre la vallée des morts tandis que Jezero II accède au mystère des limbes.

Nul doute que la fin est bâclée. À un moment, Stanislas pensait écrire un deuxième volume qui raconterait en détail la vie de Jezero Skadarsko auprès du souverain Kralj. Il y renonça et condensa en quelques pages les derniers épisodes. André a noté dans son carnet[1] :

Paresse de Stanislas? Ou bien le fantastique l'a-t-il lassé? Nous envisagions une grande série romanesque, un pendant — mais échevelé, délirant — aux *Hommes de bonne volonté.* Jules Romains peut dormir tranquille. Stanislas a dans l'idée un autre roman très différent. Il en a même le titre : *Cryptogramme.*

La même aventure est arrivée à plusieurs des livres de Stanislas. Les cinquante dernières pages l'accablaient d'ennui. Il rêvait déjà d'un autre roman même s'il savait qu'il ne commencerait pas de l'écrire avant un an ou deux. Il était à Venise en 1969 quand je lui envoyai un questionnaire auquel il répondit par bribes en plusieurs mois. Je l'interrogeais notamment sur ce qui l'avait amené à renon-

1. Mai 1935.

cer au récit de la vie politique de Jezero Skadarsko. Je cite sa réponse intégralement[1] :

La politique, au contraire de toi, ne m'a jamais intéressé. Tout de même je me suis rendu compte qu'on en parlait beaucoup dans la vie courante, et quand j'ai commencé à écrire *Le Compte à rebours* mon intention était bien de démonter le mécanisme comique du pouvoir et de la puissance. Hélas, à partir du moment où il a fallu me colleter avec ce méchant problème, je me suis aperçu que pas plus que mon héros, je n'y croyais. Réfléchis bien : Jezero est un philosophe ou plutôt un moraliste. Il a médité, en intellectuel, sur le pouvoir. Du jour où il a la possibilité de l'exercer, il constate que l'action politique implique un renoncement à cette grande affaire de la Connaissance. Il ne peut pas. Sinon sa vie de jeune homme aura été un non-sens. Alors il se résigne au rôle effacé d'Éminence grise : il continue sa quête de la Connaissance pure et laisse à Kralj, dont il inspire la politique, le soin de se salir les mains et d'assumer les responsabilités. Un censeur nous dira que ce moraliste de Jezero ferait bien de mener une autre vie, que les femmes et l'alcool dont il abuse s'harmonisent mal avec ses préceptes, mais un recueil de pensées juives de Georges Levitte offre une réponse : « Dans l'orgie même, et dans l'imbécillité, il est une certaine sagesse. »

Je n'allais pas, dans un deuxième volume, développer le thème du conflit entre la Connaissance et le Pouvoir. Ce n'était pas dans mes cordes. J'avais vingt-six ans et n'aimais que les poètes. Du jour où Jezero se libérait de ses inhibitions, de sa timidité, de ses scrupules, il ne

1. Lettre datée de Venise, le 10 novembre 1969.

m'intéressait plus. Il importe de savoir s'arrêter. En route, je m'étais bien amusé à écrire ce roman. Ta lettre m'a incité à en relire des passages et j'avoue, sans modestie, que j'ai pris du plaisir aux soixante pages qui racontent les exploits de Jezero avec la jolie rousse aux yeux gris. Quel scandale à l'époque! On m'a traité de pornographe, de pourrisseur de la société. Il y avait un précédent avec *La Vie secrète d'un orgasme* que ceux qui ne l'avaient pas lu prenaient pour un livre érotique. C'est ainsi que s'établit une réputation somme toute flatteuse. Le plus drôle est que je m'y connaissais fort peu en matière d'érotisme, que tout était imaginaire. Après... eh oui, j'ai pas mal copié mon héros, et une vraie Redja Matchka est arrivée pour me suggérer *Cryptogramme*. Voilà encore une de ces rencontres de l'imaginaire avec le réel sur lesquelles je ne cesserai pas de m'interroger.

Cela dit, pour rire un peu, tu devrais essayer de retrouver l'article pondu par Béla Zukor quelques jours après la sortie du livre. Assez drôle. Un pastiche de moi, signé « Pour Copie Conforme, B. Z. » J'y répétais, à chaque paragraphe : « j'ai zéro, j'ai zéro... » Mon ennemi intime avait de l'esprit en ce temps-là[1]. Pas comique et plus profond a été l'article de Roger Caillois qui m'a ouvert les yeux. Il andrébretonnisait mais avec une intelligence, une subtilité telles qu'on devinait proche sa dissidence, visible déjà dans son premier livre, *Le Mythe et l'Homme*[2], qui parut deux ans après le mien. Caillois estimait que j'avais, non sans danger, très originalement mêlé le féerique et le fantastique. J'ai un

1. J'ai eu beau chercher je n'ai pas retrouvé cet article dans les quelques journaux où écrivait Béla Zukor. Stanislas l'aurait-il inventé? Ce n'est pas impossible.
2. Gallimard, « Les Essais », 1938.

peu continué par la suite comme doivent s'en apercevoir ceux qui me lisent... Je t'attends la semaine prochaine. Apporte des bottes d'égoutier si tu veux traverser la place Saint-Marc. Je suis puni de Quadri et de Florian depuis deux jours. Toute cette eau évoque le naufrage de ma vie depuis que Félicité n'est plus là.

Le naufrage n'était pas définitif. Une femme traversa sa vie deux ans plus tard, et je crois que, malgré la fin tragique de cette liaison, c'est un des épisodes les plus heureux de la vie de Stanislas. Était-il dupe de lui-même lorsqu'il évoquait le « naufrage de sa vie » ? Je crois que oui. Le sentiment qui unissait Félicité à Stanislas n'a pas de nom. On peut parler d'amitié, de complicité, de tendresse, sans qu'un seul de ces mots contienne *tout* ce qui les liait. J'y ajouterai l'humour, et Félicité citant un aphorisme de son ami Jean Rostand : « L'amour ne saurait constituer une infériorité et c'est l'avilir que d'en user à des fins bassement conjugales. » À quoi, Stanislas avait répondu aussitôt, citant également Jean Rostand : « L'amour ne laisse pas de pâtir des lâchetés qu'il suggère. Sa seule chance de persister dans le mariage est que l'on soit l'un envers l'autre comme si on ne s'aimait pas. » Et Stanislas faisait remarquer aussitôt que Jean Rostand était, dans sa vie privée, le meilleur des époux.

Des orages, pourtant, menacèrent plusieurs fois leur entente secrète. Il est certain — Georges Kapsalis me l'a confirmé — qu'après le voyage en Polynésie, quand Stanislas commença d'écrire *Le Compte à rebours*, ils traversèrent une crise qui manqua les séparer. L'origine n'en fut pas une de ces aventures que Stanislas n'aimait pas se refuser et que d'ailleurs Félicité acceptait, mais bien plutôt l'espèce de défiance qu'il ne cachait plus à l'égard de ce juge impitoyable qui partageait sa vie. Dans une lettre de 1935 à André Garrett, Stanislas l'a dit clairement[1] :

Je n'arrive pas à faire comprendre à Félicité que je suis dans une période de ma vie où j'ai plus besoin de compréhension amoureuse que de lucidité critique. Sa sévérité, je la connais puisque je n'écris pas une ligne sans penser à son jugement, mais je ne veux pas qu'*en plus* elle me dise d'une voix maternelle que mon livre est raté. Alors, j'écris en cachette ce qui est le comble du ridicule. Je voudrais qu'elle me parle et si elle me signale un mot malheureux, une répétition, une épithète commune, je suis furieux contre elle et l'accuse de me réduire à l'impuissance. Quand elle se tait, je me retrouve dans une telle solitude que c'est intolérable et j'imagine que je l'indiffère, le pire de tout. Son calme m'agace. Ma nervosité lui inspire de la pitié. Comme disent les sans-filistes : nous ne sommes plus sur la même longueur d'ondes. Et cela juste au moment où me soulève une vague d'enthousiasme pour ce *Compte à rebours* qui, une fois fini, sera probablement à jeter au panier. Sans toi, mon vieux, je serais un type perdu. Ferme la boutique et accours avec Marie-Claire.

Le livre parut sans que Félicité l'ait lu. André lui en apporta le premier exemplaire et Stanislas,

1. Lettre de Saint-Jean-Cap-Ferrat, datée de mai 1935.

quand il l'apprit, disparut pendant huit jours. À son retour — un peu piteux, je crois qu'il avait pas mal bu, mais où ? Personne ne sait — à son retour elle l'accueillit avec une telle tendresse, une si simple bonté qu'il comprit qu'elle aimait *Le Compte à rebours*. Le nuage était passé. Stanislas confia à André[1] :

Je ne lui aurais pas pardonné de m'aimer encore si mon livre avait été vraiment mauvais. D'ailleurs, elle n'en est pas capable. Tout est étroitement serré dans sa petite tête. As-tu remarqué comme son cerveau est maintenu par un front étroit et des tempes creuses ? On y accède par les yeux qui sont comme deux portes vitrées d'une couleur marron si claire, si légère qu'on la croirait aquarellée. Dans un excès d'humeur cet iris marron lance du feu. Au calme, il présente une légère transparence, juste assez pour que mon regard perçant distingue à travers les portes vitrées une machinerie impeccable — quoique fragile — dont il faut se garder de dérégler le mouvement. Peut-être est-ce la perfection du mécanisme qui — lorsqu'il y est sensible — paralyse l'interlocuteur. Autrement dit, Félicité est quelqu'un qu'on n'épate pas. Dali a bien essayé la première fois, et c'est tombé tellement à plat, il a lu une telle commisération dans la moue de Félicité que c'en est fini pour lui de surréaliser à bon marché devant elle, qui peut se flatter qu'en sa présence le fils du notaire de Figueras cesse de déconner pour devenir ce qu'il est réellement : un homme d'une rare intelligence et d'une assez géniale intuition.

1. Lettre de Londres datée du 10 mai 1936.

183

Donc tout va bien et nous revenons dans huit jours pour l'ÉVÉNEMENT. J'espère que tu t'es préparé, que ton père et ta mère t'ont expliqué comment naissent les enfants et que tu ne seras pas trop surpris. Ils seront là, près de toi, avec des cordials (ou des cordiaux?) pour remonter ton moral. Je te prie de noter tes angoisses, tes plus infimes pensées pour que nous sachions s'il est plus pénible d'avoir un enfant ou de publier un livre. J'ai indiqué mes volontés à Marie-Claire : une fille, et j'espère qu'elle m'a compris. Elle sait que je ne tolérerai pas un garçon. Pour les dix-huit ans de cette fille, j'exige, le soir de son anniversaire, de l'emmener *seul* dîner chez Maxim's.

Ils revinrent le jour de ma naissance. André avait bien besoin d'eux. L'enfant espéré était un garçon, moi, et Marie-Claire se mourait. Je n'ai jamais entendu Stanislas parler de ce retour sans une émotion affreuse. Le sort frappait le seul ami qu'il aurait jamais, et il est possible que la mort d'André l'ait moins déchiré. Du coup, le fait que je fusse un garçon, passait au second plan. J'imagine qu'on m'admit comme un pis-aller dont la grand-mère s'occuperait pendant que Félicité, Stanislas et André partaient pour Venise. À leur retour, deux mois après, ils apprirent que *Le Compte à rebours* atteignait ses premiers trente mille exemplaires, un succès inespéré en des temps aussi troublés (Juin 36). Les grèves des imprimeries et des papeteries freinaient le tirage qui pourtant dépassa les cent mille à la fin de l'année. Le livre rencontrait son public, recueillant des articles grinçants ou favorables, et le bouche à oreille se passait le mot : « Il faut lire les pages 40 à 90. » Avec *Ulysse* — toutes choses étant égales d'ailleurs, ce que je m'empresse de dire car Stanislas pensait que non seulement c'était un livre génial, mais que tout le roman contemporain en sortait — avec *Ulysse*, James Joyce avait été victime de la même méprise : on ne lisait que les pages où Mme Bloom se parle dans la tête pendant qu'on lui fait l'amour. Dans *Le Compte à rebours*, les pages sur les exercices gymnastiques de la belle Redja Matchka et de Jezero Skadarsko connurent une telle faveur qu'on en oublia le reste du roman. En octobre, André eut la bonne idée (commerciale) d'en faire un tirage à part illustré d'eaux-fortes de Hans Bellmer. Les deux cents exemplaires numérotés disparurent en quelques jours. Stanislas découvrit avec étonnement que les lecteurs les plus enthousiastes lisent un autre livre que celui qu'on a écrit. Il en prit vite son parti et, bien des années après, je le vis garder son calme avec un bas-bleu qui lui disait :

— J'ai lu un article de vous dans une revue. Excellent. Très amusant.

— Quel article, madame ? (Avec cette courtoisie qui valait une gifle.)

— Le mois dernier, le mois dernier... Très amusant.

— Dans *La Revue de Paris* ?

— Oui, c'est ça dans *La Revue de Paris*.

— Je ne pensais pas, madame, qu'en écrivant un

article sur la mort, je vous amuserais. Vous m'en voyez ravi !

— Mon Dieu, suis-je bête !

— Mais non, mais non.

Avec *Le Compte à rebours*, il avait dit adieu à la solitude, à la timidité de sa jeunesse et renoncé, d'avance, au Pouvoir et aux Honneurs. Peu s'en aperçurent et la majorité des lecteurs se vautra dans les dessous enivrants de la rousse aux yeux gris que Jezero barattait sur la table de cuisine de la somptueuse gentilhommière perdue dans la forêt. Les éditions Saeta pouvaient être reconnaissantes à ces frustrés auxquels Jezero offrait des plaisirs insoupçonnés. Le nom de Saeta était lancé et la caisse remplie. Si quelqu'un s'enchanta de cette méprise, ce fut M. Dupuy. Elle justifiait ses propos désabusés. Dans une lettre à Stanislas — alors à Venise — il remarquait que rien ne pouvait arriver de plus heureux[1] :

Vous êtes célèbre et méconnu. On vous lit à cause de quelques gaudrioles et on ignore le reste qui est à découvrir plus tard. Vous n'épuisez pas en un livre *tout* l'intérêt du lecteur d'aujourd'hui. Quand on relira dans vingt, trente ou cinquante ans, *Le Compte à rebours* votre érotisme n'étonnera personne et ne rejettera plus dans l'ombre ce que vous avez voulu dire d'essentiel et de si juste que j'en ai ressenti une certaine fierté : c'est quand même moi qui vous ai découvert en classe de

1. M. Dupuy ne datait jamais ses lettres, mais par recoupements on peut situer celle-là du début juin 1936.

seconde. Cher Beren, portez-vous bien, regardez autour de vous et soyez assuré que vous êtes un écrivain. Une seule mise en garde de votre pion : « N'écrivez jamais deux fois le même livre. »

Le « pion » n'avait rien à craindre. Beren n'écrirait jamais le même livre, et quand il reçut cette lettre, il découvrait Venise qui serait la grande révélation de sa vie. Avec André et Félicité, ils logeaient dans un hôtel en face de la Salute. Un an plus tard, il déclara dans une interview à l'hebdomadaire *Marianne*[1] : « Venise me donne faim. Quand je suis dans cette ville, un appétit énorme me saisit. Je ne reste pas en place. Je ne dors pas, j'ai tout le temps envie de me précipiter à la fenêtre pour ne pas manquer une seconde de la vie du Grand Canal et de la lagune. » Le mot faim caractérise bien la façon goulue dont il se jeta sur et dans Venise. André suivait. Son journal de cette époque est muet et resta muet sur lui-même jusqu'à sa mort en mai 1940. Ce qui le concernait n'avait désormais plus aucune importance. Mon nom — le nom de son fils — n'y figure pas une fois. Tout cela ne compte plus au regard du programme des éditions, du travail de Stanislas et, bien sûr, de ses journées en bateau, à Bénodet puisqu'il avait décidé de ne jamais revoir Saint-Jean-Cap-Ferrat où il avait connu Marie-Claire. Oui, à Venise il suivait, mais je doute qu'il prît à cette découverte le même plaisir, presque enfantin, que

1. 12 juin 1937.

son ami. Dans *Audrey*, Maximilien von Arelle se lève la nuit tandis que sa maîtresse dort, et regarde avidement la lagune : de longs fantômes noirs aux ponts illuminés glissent dans le chenal balisé, apportant à Venise des cargaisons de chair fraîche, des amants transfigurés par la ville des Doges, et Maximilien se demande si l'amour survit entre ceux qui n'auront pas le *droit* de rester à Venise, qui sont condamnés par la vie à sortir du cercle magique.

Un jour, peu avant la mort de Félicité, nous nous baignions sur la plage du Lido qui est si belle dès qu'on tourne le dos aux palaces, aux villas cossues, à l'alignement multicolore des tentes dressées sur le sable, Stanislas qui sortait de l'eau après un long bain, me désigna l'Adriatique :

— C'est ma mer ! dit-il. Écris-le comme tu voudras. Ma mer ou ma mère.

Imaginait-il, au-delà de l'horizon, les côtes dalmates déchiquetées, le lac de Scutari (Jezero Skadarsko) et le massif du Komovi si étroitement couronné de sapins géants que les sommets dénudés paraissent inaccessibles au promeneur saisi par cette solitude pour Titans ? C'est probable, bien que, je le répète, il ait joué à ne rien raconter de son passé, mais, sans violer son secret, il est permis de croire que le poursuivait encore le souvenir de son enfance sauvage parmi les maquisards monténégrins. L'Adriatique la lui rappelait et aux signes qu'elle adressait, il répondit plusieurs fois par de courts poèmes qu'il mentionna sans me les montrer et que je n'ai pas retrouvés dans ses papiers. À ses yeux, Venise gardait l'Adriatique et ce n'était pas son moindre mérite. Sur ces eaux, elle avait régné par la force et maintenant elle régnait avec une grâce défaite et pourrissante mais indicible de beauté.

Félicité, par une de ces intuitions qui étaient chez elle si fortes qu'elle passait aussitôt aux actes, comprit que Stanislas ne vivrait plus sans Venise. Faute d'un rôle romanesque auquel ne l'autorisait plus la différence d'âge et peut-être aussi à cause de la facilité avec laquelle Stanislas lui glissait entre les doigts, Félicité décida de lier leur vie à Venise avec le sentiment que la beauté du décor seyait à leur étrange amour murmuré en cette année-là à voix très basse. Elle loua un grand appartement rio del Veste, près des Fondamente de la Fenice. Après la guerre, ils quittèrent cet appartement sombre et humide, dont l'escalier d'accès trop raide la fatiguait, pour le palazzetto rouge du Largo Fortunio. Ainsi, dès 1936, Stanislas se grisa de n'être plus un étranger à Venise. Il avait le temps — toute sa vie — pour connaître cette ville qui l'envahissait depuis leur première rencontre et dans laquelle il prétendait se retrouver non par une vulgaire opération de métempsycose, mais par une analogie organique. Prenant pour exemple Arcimboldo qui recomposait les visages les plus monstrueux avec d'élégants arrangements de légumes et de fruits, Stanislas caressait l'idée que son âme — entendons l'esprit caché, l'imagination à l'état brut avant que la parole

189

ou l'écriture lui confèrent une forme — était à l'image de Venise : baroque et croupissante, sauvée des eaux et bariolée, parcourue d'une infinité de canaux où circulaient une infinité de personnages qui jouaient tantôt la comédie, tantôt la tragédie, toujours sur scène, toujours pressés, apparaissant, très convaincants, en pleine lumière ou disparaissant, tels des fantômes, dans d'étroites ruelles sans laisser d'autres traces que l'écho de leurs pas. L'identification à Venise est si profonde que, comme tout ce qui le touchait *vraiment* — c'est-à-dire avec la certitude que cela durerait jusqu'à la mort — il écrivit peu sur cette ville, se contentant ici ou là dans un roman d'une allusion discrète, d'un rappel de couleurs. Dans *Trois petits tours*, paru en 1957, Jérôme Grant part avec Elvire, la femme de son meilleur ami, arrive de nuit à Venise et, au sortir de la gare, comme il pleut à mort, au lieu de la gondole traditionnelle des amants, monte dans un vaporetto qui les laisse devant leur hôtel, le Danieli. Ils n'ont rien vu du Grand Canal et s'engouffrent dans la porte tournante. Trempés ils montent se changer dans la chambre qui leur est réservée. Impossible de sortir : le quai des Esclavons est inondé. On ne peut le longer ou le traverser qu'en marchant sur des planches supportées par des tréteaux. Forcés de dîner dans la salle à manger du Danieli qui ressemble à n'importe quelle salle à manger d'un palace européen, ils ont le sentiment d'avoir manqué leur arrivée à Venise et boivent trop de chianti

— un Antinori précise l'auteur parce que ce vin est originaire d'une ferme toscane qui appartint à Machiavel et que Jérôme Grant se prend pour un Machiavel de l'amour. Ils montent se coucher et, en faisant l'amour pour la première fois avec Jérôme, Elvire laisse échapper un mot obscène qui choque son amant. Il le lui reproche avec une véhémence aggravée par l'abus de chianti, et la douce Elvire se révèle si susceptible qu'ils en viennent aux coups. Reprenant leur sang-froid, ils décident de quitter Venise par le premier train qui part à six heures. Dans le vaporetto glacial, ils devinent à travers le rideau de pluie, la silhouette tremblante des palais. C'est tout ce qu'ils connaîtront de Venise. L'amour n'a pas résisté à ce voyage, et quand Jérôme Grant y retourne des années plus tard avec une autre femme dont il ne sait presque rien, l'accueil de Venise un beau jour d'automne est si complice qu'il sait que cet amour-là lui est permis. C'est la dernière page du livre

Dans *L. comme Londres* qui n'est pas un roman bien qu'il y ait aussi donné libre cours à son imagination, mais plutôt un à-la-manière de Thackeray visitant Paris ou de Stevenson parcourant les Cévennes, il a peint une série de portraits d'extravagants qui sont légion dans cette ville, fous certainement bien que pas fous à lier comme c'est plus souvent le cas en France où une conduite qui sort du commun vous fait aussitôt enfermer. Non, fous extravagants dans un style proprement anglais[1] et que leur entourage, par respect pour le sacro-saint « no personal remarks », laisse libre de pousser l'onirisme ou la paranoïa jusqu'à son extrême limite. Parmi les extravagants, se détache un certain John Mine (prononcez Maïne), banquier de son état, marié, père de trois enfants, qui depuis trente ans, aussi exact qu'un Phileas Fogg, quitte son domicile le matin à 8 h 30 et gagne la Cité où il a gravi les échelons un par un pour être enfin, à cinquante ans, directeur d'une petite banque privée. Du vendredi soir au lundi matin, il abandonne chapeau melon et parapluie et emmène sa famille à Portsdale, dans le Sussex, où il possède une jolie maison au bord de la mer. Pendant deux jours, John Mine tond le gazon, taille les rosiers, coupe du bois pour la grande cheminée, écoute de la musique et même échange quelques propos peu compromettants avec son épouse et ses enfants. À la retraite, sa vie aurait, dans ce style prudent, atteint la perfection si, un jour Mrs. Mine, dans un accès de romantisme qui sied d'ailleurs mal à son apparence physique, ne glissait dans la conversation le mot « Venise » à l'occasion du vingt-cinquième anniversaire de leur mariage. Mr. Mine en est d'abord si surpris qu'il n'a pas de réponse, mais enfin ce n'est pas un cœur de

1. Stanislas assurait qu'il y avait une intéressante étude à faire sur la nationalité des aliénations. Il la suggéra à un jeune psychiatre qui cherchait un sujet de thèse.

pierre et entre les stations Earls' Court et Bank, le matin, et Bank-Earls' Court en fin d'après-midi, il rumine cette idée de Venise. Une affaire traitée heureusement avec un Italien arrive à point pour le persuader qu'après tout les Vénitiens ne sont pas tous des sauvages et que si Mrs. Mine, qui a été une compagne idéale pendant un quart de siècle, le désire, il y a lieu de la satisfaire ne serait-ce que pour qu'elle apprécie mieux, dans les années qui leur restent à vivre, les charmes de Portsdale et le confort de leur maison qui a une si belle vue sur la plage et les falaises. Au mois de septembre, ils s'envolent pour Venise et commencent leur visite selon le plan et l'horaire très précis préparés par l'agence de voyages. Dès le troisième jour, Mrs. Mine a fort mal aux pieds dans des souliers peu prévus pour des marches épuisantes dans Venise, et c'est avec joie qu'elle accueille l'annonce que la quatrième matinée, de neuf heures à treize heures (1 p.m), est consacrée à la visite du musée de l'Accademia. Son guide à la main, Mr. Mine (prononcez toujours Maïne) commente les tableaux, donnant le nom du peintre, son siècle et le sujet traité. L'application, le respect de ce couple sont exemplaires. Ils ne sont pas gens à mettre en doute les appréciations du petit livre (encore 1 500 lires!) acheté à l'entrée. Mr. Mine admire Véronèse et le Tintoret, Mrs. Mine préfère les jolies vues de Canaletto et de Guardi. Cette légère discordance les ravit et leur donne l'impression d'avoir à la fois des goûts personnels et de l'esprit critique. Tout change cependant lorsqu'ils se trouvent dans une petite salle à part, un peu comme une chambre au trésor, où sont rassemblées des toiles de moindre dimension parmi lesquelles figure *La Tempête* de Giorgione. John Mine sent brusquement son cœur battre à grands coups. Alors que sa femme, après un rapide coup d'œil, passe au Mantegna, au Bellini, au Piero della Francesca, John se fige devant le Giorgione des Giorgiones. Une intuition fulgurante lui dit que, jusqu'à cette minute, sa vie n'a eu aucun sens, qu'en restant rivé à son bureau en semaine, en tondant sa pelouse à Portsdale, il n'a tout simplement *pas vécu*. Il vient de naître et, comme un bébé, il suffoque, son teint se violace, il a envie de crier, de pleurer et, dans un geste désespéré, il fait sauter le bouton de son col de chemise pour respirer. « En somme, écrit à cet endroit Stanislas, John Mine est frappé par ce que dans les romans pour gens de maison, on appelle un *coup de foudre*. » On a deviné que c'est la minute où Mrs. Mine s'approche de son mari et lui dit à voix contrite qu'elle a vraiment trop mal aux pieds et voudrait regagner l'hôtel. Levant les yeux (elle a un mètre soixante et lui un mètre quatre-vingt-dix), elle voit le col défait, le nœud de cravate descendu, le visage hagard de son mari et, persuadée qu'il a une attaque, crie au secours. Un gardien se précipite et, en sa présence, John Mine reprend ses esprits, tourne le dos à *La Tempête* et propose à sa femme de partir. « Vous avez mal aux pieds, il serait tout à fait inhumain de vous infliger plus de ces tableaux qui se ressemblent tous. » Il pense : « Sauf un ! » Émue de sa sollicitude, oubliant vite son inquiétude, Mrs. Mine qui ne pense plus qu'à recoudre le bouton arraché au col de son mari, trottine vers la sortie où ils s'arrêtent devant l'étalage des cartes postales. Elle choisit quelques reproductions auxquelles il ajoute d'une main négligente le tableau de Giorgione, non sans un certain sentiment de culpabilité. En marchant vers le traghetto qui doit les déposer sur l'autre rive du Grand Canal, il analyse ce remords avec la lucidité apportée d'habitude aux affaires d'argent. Mr. Mine découvre en lui-même qu'il vient de tromper Mrs. Mine, qu'une femme est entrée dans sa vie, brisant d'un coup vingt-cinq années de bonheur conjugal solidement établi sur le respect mutuel, c'est-à-dire l'ignorance mutuelle. Désormais, il lui faudra dissimuler, peut-être même mentir. Il en tremble, et son épouse croit qu'il a froid malgré la douceur de ce mois de septembre. Dans les quelques jours qui suivront, avant leur retour à Londres, John Mine devra inventer chaque matin un prétexte pour s'absenter une heure et courir à l'Accademia. Ce n'est pas tant l'ensemble du tableau qui le passionne — il a sur la peinture des idées très générales — que la femme qui donne le sein. Son expérience du corps féminin est des plus réduites. En fait, lorsqu'il s'est marié, à vingt-cinq ans, il était vierge et ne connaissait le spasme que grâce à un camarade de collège — dear

Henry! — avec lequel il avait pris quelques leçons d'anatomie comparée. En se dévoilant le soir de leurs noces, Mrs. Mine lui avait en quelques minutes appris le volume des seins, la géométrie triangulaire du sexe et l'*odor di femina*, une odeur qu'il n'était d'ailleurs pas sûr de préférer à celle du métro. Après trois enfants, Mrs. Mine n'était plus ce qu'il est convenu d'appeler une émotion, et pour être sûrs de ne plus procréer, ils avaient cessé de faire l'amour sans en être privés. La rencontre avec la femme de Giorgione rallumait un feu éteint, ouvrait des horizons nouveaux. Cette belle personne au ventre bombé, qui a l'air de n'avoir qu'un sein et qui tourne la tête vers le voyeur appelé par Giorgione, c'était le rêve soudain formulé et soudain clair, parfait, bien en chair. Si on la contemplait d'un peu loin, elle semblait tourner la tête vers le spectateur, mais avec une loupe on distinguait mieux son regard — hélas! ou tant mieux — absent pour ne pas dire vide à moins qu'il ne fût préoccupé de l'invisible. Mr. Mine trouva les pieds nus d'une grande élégance ainsi que la main posée sur le genou plié. Mrs. Mine ne l'a pas habitué à tant de raffinements et sa coiffure — cheveux d'argent bouclés par une permanente — n'a rien d'aussi attirant que le blond vénitien de la femme de Giorgione avec, de chaque côté du visage, deux nattes finement tressées. L'inspection, renouvelée chaque matin du tableau, s'élargit. Mr. Mine s'agace de cet arbuste qui voile, comme un grillage, un peu du corps de l'aimée, puis songe qu'au fond il est préférable que les visiteurs de l'Accademia ne voient pas l'ombre rousse au bas du ventre de cette personne à l'impudeur ingénue. De même pour le voile couvrant ses épaules. L'attention se concentre sur le mouvement de l'enfant qui entrouvre les lèvres pour saisir le téton. C'est là un appel si direct, une image si précise que John Mine en ressent aussitôt l'effet et referme vivement son imperméable pour qu'on ne voie pas la bosse qui se dessine dans la jambe gauche de son pantalon. Confus, persuadé que la foule pressée dans la petite salle aux chefs-d'œuvre n'a d'yeux que pour cette manifestation inopportune, Mr. Mine tente de se calmer en examinant le reste du tableau. Il est troublé par l'homme debout, à gauche, de profil, donc regardant la femme nue qui, sur son talus, allaite sans lui prêter attention. Est-ce le père ou, si ce n'est pas le père, s'apprête-t-il à la violer dans la solitude où ils se trouvent? Si la femme crie, personne ne l'entendra. Des éclairs zèbrent le ciel, le tonnerre roule dans l'étroite vallée, et les maisons du village ont fermé portes et fenêtres. Mr. Mine aimerait la prévenir du danger, lui enjoindre de regagner sa maison au lieu de rester près d'un arbre qui risque d'attirer la foudre. Ce personnage à gauche du tableau est vraiment inquiétant. D'abord il a un port de tête insolent. Dans le livre du musée, on assure que c'est un soldat bien qu'il n'en ait pas l'air malgré la lance fichée en terre sur laquelle il s'appuie. Est-ce bien une lance? Et si c'est une houlette de berger pourquoi est-elle si longue, pourquoi ne voit-on pas un troupeau derrière son gardien? Enfin, le costume n'est pas d'un soldat. Ni non plus d'un berger. Il est beaucoup trop seyant dans son négligé volontaire. Les hauts-de-chausses sont brodés, la chemise bouffante est impeccable et le boléro rouge n'est pas de ceux qu'on achète dans les foires. Mr. Mine est perplexe. S'il en avait l'audace il découperait au ciseau ce personnage désinvolte pour ne garder de *La Tempête* que l'admirable fond de paysage, cette rivière coulant sous la passerelle de bois, le ciel zébré d'un éclair qui écrase sur les maisons une lumière irréelle. Hélas, il faut regagner Londres, la maison de Kensington et le bureau de la Cité. Mr. Mine sent tout ce qu'a de déchirant l'honneur du devoir, le respect des engagements. Il achète une copie assez maladroite de *La Tempête* et quelques diapositives avec l'intention de se procurer un projecteur et un écran. De retour chez lui, il s'installe une pièce dont il possède seul la clé. Mrs. Mine s'inquiète et il la rassure en lui apprenant qu'il a l'intention d'étudier l'histoire de l'art, un passe-temps qui occupera ses journées vides au moment de la retraite. En fait, Mr. Mine ne s'intéresse qu'à Giorgione dont l'œuvre n'est pas infinie et sur lequel on a écrit plus de conjectures que de certitudes. Le soir, il s'enferme dans son bureau et projette sur l'écran les diapositives de l'ensemble ou des détails du tableau. Son amour grandi démesurément l'envahit si fort qu'il renonce aux week-ends à Portsdale où il n'a pas la possibilité d'installer un cabinet secret pour sa rencontre quotidienne avec la femme nue de *La Tempête*. Un jour enfin, surmontant sa timidité, il commande chez un costumier de Covent Garden, la culotte brodée, les bas, la chemise et le boléro du berger soldat. Il les tient enfermés dans un tiroir et le soir, isolé dans son bureau, il s'habille pour passer une heure agréable devant l'image projetée sur l'écran, envahi par le sentiment ineffable d'être enfin plus proche de l'aimée dont le regard lassé (il pense que c'est une rouerie charmante) l'évite. Il en viendra évidemment à se montrer à Mrs. Mine et à ses enfants dans cet attirail. La surprise est modérée. On s'attendait à quelque chose de ce genre depuis qu'il avait rasé sa moustache et laissé pousser ses cheveux. Un dernier pas est franchi quand un samedi il s'aventure dans la rue, mais le quartier de South Kensington en a vu d'autres et c'est à peine s'il retient l'attention d'un groupe de touristes japonais qui brandissent aussitôt leurs appareils de photo et le mitraillent. Mr. Mine pose complaisamment. Il lui semble que le monde entier reconnaît son amour. L'âge de la retraite venu, il s'installe dans son personnage et vit auprès de sa femme dont il ne cesse, auprès des amis, de louer la complaisance. Jamais ne lui viendra l'idée de retourner en Italie pour voir l'original.

Parmi les portraits d'extravagants qui composent *L. comme Londres*, celui de Mr. Mine est un des plus réussis. On peut en déceler l'origine dans la propre passion de Stanislas non seulement pour *La Tempête* mais pour tous les tableaux de Giorgione. Chaque fois que je me rendais à Venise, Stanislas m'entraînait vers quelque nouvelle découverte et nous finissions souvent par une rapide visite à l'Accademia : d'abord les Carpaccio qui donnent une idée si exacte des fastes vénitiens aux xv$^e$ et xvi$^e$ siècles, puis un petit détour jusqu'à la salle aux trésors où *La Tempête* impose le silence par son mystère et son inexplicable profondeur. Je me souviens de ce qu'il disait presque chaque fois :

— Personne ne saura jamais ce qu'a voulu signifier Giorgione. C'est le privilège de l'art absolu. Il a libéré la peinture italienne des conventions en évoquant un rêve dont la beauté est la seule loi.

J'ai résumé cette histoire pour indiquer comment, dans l'œuvre de Stanislas Beren, la fiction naissait d'une rencontre avec un objet, un paysage ou même simplement un regard. En somme, Mr. Mine c'était lui, fasciné par Venise, fasciné par Giorgione. À cette révélation, son talent donnait une dimension romanesque dont la critique ne comprenait pas toujours l'origine. Il faut remarquer que dans l'histoire de Mr. et Mrs. Mine, il parle peu de Venise même et ne donne que de brèves indications sur leur visite. Toujours cette inquiétude d'être, avec les mots, inférieur au spectacle vénitien.

En 1957, invité à écrire une préface pour un album consacré à Venise, il se récusa :

— Je ne peux pas. Cocteau fera mieux. Il est venu deux fois et il a tout vu.

Cocteau écrivit la préface [1] et Stanislas la trouva si belle qu'il demanda à un copiste de reproduire sur parchemin le poème qui la termine. Encadré, le parchemin est resté en évidence sur un rayon de sa bibliothèque. Nous aimions en réciter quelques vers :

*Où vit-on des danseurs au bout de feuilles mortes,*
*Tant de lions couchés devant le seuil des portes,*
*Tant d'aiguilles de bois, de dentelles de fer,*
*De dentelles de marbre et de chevaux en l'air...*
*Tant de pigeons marchant de long en large*
*Avec habit à queue et les mains dans le dos ?...*
*Où vit-on atteler des hippocampes d'or ?*

Le portrait que De Pisis peignit de Stanislas en 1947 est à peine un portrait. On reconnaît le visage à ses joues creuses, à ses lèvres sensuelles, à la force du front, mais les yeux sont couleur de lagune, les proues de deux gondoles sortent des tempes, et le fond est un sanglant et chaotique palais en délire qui sombre dans les eaux. D'un

1. Éditions Sun, *Venise que j'aime*, Paris, 1957.

coup d'œil, De Pisis avait saisi qu'on peignait Stanislas en révélant la Venise qui était en lui. Il n'en
faut pas moins remarquer la défiance de Stanislas
à l'égard des artistes qui « osaient » — c'est son
mot — peindre Venise. Il excepta François Salvat
qu'il vit, un jour, à la terrasse du Florian, indifférent aux amis qui l'entouraient, sortir un carnet
de croquis de sa poche et réussir une si parfaite
aquarelle qu'il ne put s'empêcher de le lui dire.
Une amitié naquit et Stanislas acheta plusieurs des
toiles vénitiennes de Salvat, et par un de ces
détours qui étaient dans sa nature, ne les garda
pas à Venise, mais les accrocha dans son bureau à
Londres. Est-ce ce même détour que suivit Félicité
quand elle meubla et décora le palazzetto du
Largo Fortunio? Si les meubles furent italiens,
achetés à Venise même ou à Florence, les murs se
couvrirent de peintures modernes aussi éloignées
que possible de l'esprit de Venise. Là, il faut saluer
une des seules influences subies par Félicité : dès
leur installation, elle se lia avec Peggy Guggenheim d'une amitié qui dura jusqu'à la mort. C'est
par Peggy Guggenheim que Balthus, Max Ernst,
Stael, Tanguy, Brauner, Giacometti, Mucha,
Chirico, Chapelain-Midy et André Beaurepaire
dont elle acheta le premier tableau en 46,
conquirent les murs du palazzetto. Ils déliraient
dans cette maison un rien mélancolique où leur
présence, ressentie au premier abord comme une
provocation, peu à peu devenait le signal même

de la vie ranimée. Cela dit, Félicité n'admettait pas n'importe qui sur ses murs. Elle n'acheta jamais un Picasso, prétendant que les plus beaux étaient déjà dans les musées ou les collections particulières, et que, depuis, le Malagueño errait pitoyablement dans les recherches d'arrière-garde où son génie s'épuisait à étonner les badauds. Des Miró? « C'est trop cher, je préfère les fabriquer moi-même au moins j'y mettrai les couleurs qui me plaisent. » Magritte? « Le pompier du surréalisme. Il peint comme un valet de chambre. » Stanislas ne ratifia pas tous les jugements de Félicité, mais par elle, par Peggy Guggenheim, il apprit que l'amour de l'art est aussi un choix, et même parfois un choix cruel, injuste, partial s'il veut être un choix vivant. Après la mort de Félicité — en 1968, je le rappelle —, pas une toile nouvelle n'entra dans le palazzetto ou à Chelsea, comme si, elle partie, il n'était plus sûr de son propre goût.

Au cours de l'année 1969, je passai plusieurs fois des semaines entières avec lui, surtout à Venise où dans un effort désespéré pour donner à sa vie soudain désertée une justification dont il n'avait pas besoin, il s'imposa des promenades et des stations régulières qui encadraient ses heures de travail. Levé tard, il relisait les pages de la veille, répondait au courrier et partait à midi pour la place Saint-Marc où le rituel variait selon les saisons. En hiver, quand le soleil pâlit, il s'installait à la terrasse du Quadri jusqu'à une heure, déjeunait dans une trattoria, revenait place Saint-Marc où le soleil ayant tourné, il s'asseyait à la terrasse du Florian jusqu'à trois heures. L'été, au contraire, il fuyait la lumière aveuglante et inversait le Florian et le Quadri où tant de fois je l'ai retrouvé lisant le journal à bout de bras parce qu'il détestait qu'on le vît avec des lunettes. S'il pleuvait, nous nous installions à l'intérieur du Florian. Les garçons s'arrangeaient toujours pour lui réserver la table « sous le Chinois » qui avait été la table favorite d'Henri de Régnier, d'Émile Henriot, de Jean-Louis Vaudoyer.

— Il est très timide, ce Chinois, me disait-il. Regarde comme il baisse la tête. Gêné? Oui, probablement par le peintre qui lui a demandé de poser avec sa bien-aimée au moment où elle se serre contre lui. Ce qui semblerait prouver d'ailleurs qu'un bel habit rouge et vert, de longues moustaches suffisent à faire un séducteur. Elle? As-tu remarqué? C'est une souris en rose et blanc. Je ne m'y fierais pas! En face, au cher Quadri, les fresques me touchent moins depuis que je suis seul ici, mais je les ai beaucoup aimées parce que ce qu'elles représentent — la fête à Venise — c'est encore ce que j'ai vécu ici au début.

Plusieurs fois aussi, je le retrouvai installé pour quelques jours à Torcello, où il avait sa chambre à la Locanda Cipriani et déjeunait dans le jardin aux grenadiers.

— Pourquoi fait-il toujours si beau quand je me

réfugie ici ? À Torcello la lumière est plus forte qu'ailleurs. Il y a des ocres et des verts impérissables. Le soir, quand le dernier touriste est parti, on n'entend plus que soi-même. Je travaille très bien dans ma chambre sans table, une planche sur les genoux. Par la fenêtre ouverte, entrent les geckos qui dorment le jour dans l'ampélopsis. Ils montent au plafond et restent des heures à m'observer...

Je cite ces points de repère et ces réflexions pour que l'on voie bien quelle place Venise a tenue en cet homme même si elle apparaît peu dans ses livres. Comme je lui en faisais la remarque un matin où nous marchions vers la place Saint-Marc, il feignit de s'en étonner.

— Tiens, oui, c'est vrai ! Je n'y avais pas pensé... il doit y avoir une raison.

Et quelques minutes après, alors que nous étions assis à la terrasse du Florian :

— La raison, je crois, la voilà : trahit-on celui ou celle qui vous a fait son confident ? Non, n'est-ce pas ? Alors je ne répéterai rien de ce que cette ville m'a murmuré. Mais, crois-le bien, malgré la fête, malgré les masques, c'est une ville douloureuse. La plus douloureuse du monde peut-être : une vieille belle tragiquement entourée de miroirs qui lui renvoient son image décatie.

Une surprise attendait Stanislas et André au retour de Venise en 1936 : un homme campait sur le paillasson des bureaux de Saeta. Lové dans l'encoignure de la porte, jambes repliées contre sa poitrine, il dormait la tête sur les genoux. Quand la main d'André se posa sur son épaule, l'homme s'éveilla sans heurts et leva son visage maigre mangé par une barbe de plusieurs jours. Ses yeux cernés brillaient de fièvre. La secrétaire, Emeline Aureo, montait en courant, brandissant son sac à main, pleurant de n'avoir pas été là pour l'arrivée de Stanislas et de son ami.

— C'est un fou ! cria-t-elle de l'étage en dessous. Un fou ! Ne faites pas attention.

Elle était si essoufflée que, sur le palier, elle ne put parler qu'en hoquetant.

— Il y a une semaine qu'il est là !

Sans quitter sa position, l'homme fixa un monocle dans son œil droit et demanda d'une voix caverneuse :

— Vous êtes bien Stanislas Beren?

— Oui. Et vous?

— Moi, je suis Jezero Skadarsko.

Suffoquée d'indignation, Emeline Aureo leva son sac, prête à frapper le profanateur.

— Pas du tout! Pas du tout! C'est un Belge.

Le faux Jezero ou le vrai Belge se releva, courbatu par son inconfortable position. On pouvait s'attendre à un clochard mais, au contraire, se dressait un homme habillé d'un costume anglais de tweed couleur brique qui, bien que froissé par des nuits de veille, maculé de boue au bas du pantalon, souillé de taches de graisse aux revers, suggérait une élégance dont le souvenir n'était pas si lointain.

— Je vous attendais, dit-il. J'en avais assez de cette vie de débauche. J'ai quitté Kralj et les séductions du pouvoir caché, pour retrouver ma chambre de bonne du quartier Latin, mes cours, mes étudiants, la pauvreté enfin — délicieuse et grisante pauvreté! — mais un détail manque dans mon passé : où habitai-je? C'est une des lacunes de votre roman. Vous ne le précisez pas, avec la désinvolture habituelle des écrivains qui racontent une histoire sans donner ni le lieu, ni l'époque où elle se déroule. Je vous prie, monsieur Beren, de me dire dans quelle rue, à quel numéro, à quel étage est ma chère petite chambre d'étudiant attardé, de professeur noyé dans sa logodiarrhée. J'ajoute — pour ne pas vous égarer plus — que, contrairement à ce qu'affirme cette vierge incandescente, je ne suis pas Belge.

— Mais c'est vous qui me l'avez dit! s'écria, indignée, Emeline Aureo.

— Ce n'est pas une raison, mon enfant!

Solennel jusqu'à la bouffonnerie, il avait déjà conquis Stanislas et André qui, à sa demande pressante, l'emmenèrent prendre un petit déjeuner au Rendez-vous des Amis, ce bistro de la rue des Saints-Pères qui a joué, en toute innocence, un certain rôle dans la vie littéraire entre 1933 et 1970, année où son patron, Petrus Saint (une facétie de son père, facétie qui l'accabla de l'école primaire jusqu'à la mort où le curé se permit encore une dernière allusion) se retira, fortune faite, à Romanèche-Thorins pour y cultiver une vigne qui donnait le seul mauvais vin qu'on buvait chez lui. À son comptoir défila un joli lot d'écrivains assoiffés venus vider des fillettes de beaujolais et des pots de mâcon blanc pour soutenir la vigueur de conversations commencées dans les bureaux voisins de Grasset, Stock, Saeta ou Gallimard. Le jour où le successeur de Petrus Saint modernisa son bistro, installant le néon, un comptoir en formica et des chaises prétentieuses autour de tables ridicules, les habitués désertèrent le Rendez-vous des Amis qui fit faillite au bout d'un an et fut vendu à un fripier avide d'exhiber des collants de coutil bleu et d'agressifs blousons de motocyclistes. Il est vrai que l'endroit était crasseux, enfumé, bruyant et les verres mal lavés, que les lieux, à la turque, puaient à s'évanouir, bien que, si l'on en croyait les graffiti, André Gide, Paul Valéry, Mallarmé et Marcel Proust s'y fussent soulagés avec délices. Petrus Saint qui se plaignait que ces garnements barbouillassent ses murs les cherchait parmi ses habitués. Le « C'est pas vous Marcel Proust ? » qu'il lança un jour à Desnos est resté célèbre. Et comme Desnos avait répondu non, Petrus Saint avait ajouté : « Eh bien, tant mieux ! parce que c'est un fameux dégoûtant. Si des enfants lisaient ça ! » Mais il n'y avait pas d'enfants au Rendez-vous des Amis, juste une petite société qui reprenait courage en discutant ou en échangeant des propos aigres. Sous des masques divers, Petrus Saint apparaît dans des romans d'André de Richaud, Albéric Varenne, Marcel Aymé, Antoine Blondin, Kléber Haedens, Roger Nimier, Michel Braspart, Jacques Laurent, France Norrit et Michel Férou entre autres. Il est toujours reconnaissable à la barre épaisse de ses sourcils et à ses mains verruqueuses. La littérature s'est emparée de lui sans qu'il en ait jamais pris conscience, ni eu la curiosité d'ouvrir les livres de ces oisifs qui traînaient là aux heures les plus inattendues. Sa grosse voix, sa connerie monumentale, son avarice (de mémoire d'habitué il n'avait offert un verre), son irritation quand on l'appelait Amphitryon, composaient un personnage sur mesure pour des habitués qui, voués à l'amertume de la dérision comme tant d'écrivains et de poètes, glosaient sur ce troglo-dyte de comptoir et voyaient en lui l'image de la vertu prospérant sur leurs vices car Petrus buvait peu, mangeait bon marché, ne baisait que sa femme (une atroce haridelle occupée de tam-bouilles nauséabondes dans l'arrière-cuisine), et se gardait — de peur de se voir réclamer une aug-mentation — de caresser les fesses des étiques ser-veuses qui lavaient (si mal!) les verres de leurs mains gercées : « À l'eau froide! criait-il. Ça lave mieux et ça coûte rien! » Mais les vins étaient bons, notamment un sauvignon de Saint-Bris et un vézelay rouge introuvables ailleurs que chez lui.

Tout cela pour dire que l'arrivée en ce haut lieu des lettres françaises de Stanislas et d'André enca-drant un jeune homme à monocle, au costume négligé, ne surprit pas Petrus Saint qui servit trois cafés filtre, des croissants et bientôt du jambon d'Auvergne, et de la rosette de Lyon pour faire chanter un clos de la cure venu directement en tonneau de Saint-Amour. Sur le coup de midi, et comme la discussion s'éternisait, les pastis appa-rurent. La parole de l'inconnu s'envolait : il racontait sa vie auprès de Kralj avec un luxe de détails d'autant plus étonnant que, on le sait, cette dernière partie du roman de Stanislas avait été plus ou moins bâclée, laissant les lecteurs sur leur faim. Et voilà que tout d'un coup, *Le Compte à rebours* s'allongeait d'un chapitre inédit, que, à l'ombre du tyranneau Kralj, l'imaginaire Jezero

Skadarsko ourdissait des intrigues internationales, écrasait les ennemis du régime, domptait la synarchie, organisait le bonheur du peuple malgré lui et dosait la démagogie et la fustigation avec une science diabolique. Sur le terrain des débauches secrètes de Jezero, l'inconnu apportait des précisions d'une crudité d'autant plus forte qu'elles étaient proférées d'une voix froide et indifférente.

Un romancier peut s'inspirer d'un personnage réel, mais il est quand même plus rare qu'un personnage réel s'inspire d'un personnage de papier, dise : « C'est moi! », demande son adresse à l'auteur qui a négligé de l'indiquer, et dicte un épilogue. D'autant plus que Stanislas ne s'était inspiré de personne pour créer Jezero Skadarsko, ou que, tout au moins, si à la rigueur on admettait Jezero comme une projection de Stanislas, l'amusante caricature de ce qui l'aurait attendu si les Garrett ne s'étaient occupés de lui un été de 1925 à Deauville, et si Félicité n'avait pas policé un rude jeune homme descendu en espadrilles de ses montagnes. Si (encore) l'on admettait cette dernière possibilité, l'inconnu au monocle était donc Stanislas qui pouvait contempler en lui un double passablement flou. Le véritable nom de cet homme importe peu. Il devait disparaître trois mois après au cours d'une crise d'éthylisme ayant joué un double rôle. Il avait appris à Stanislas que les romans ont deux vies secrètes : au moment de leur création, une vie courte et obéissante dans l'esprit de l'auteur, puis une autre vie rêvée et désobéissante dans l'esprit du lecteur. L'inconnu au monocle joua aussi un rôle important puisque c'est lui qui présenta Stanislas à Élise, sa sœur, celle qui inspira *Cryptogramme*.

La facture de *Cryptogramme* est entièrement différente de celle des deux précédents romans. Celui qui dit « je » et se désigne seulement par une initiale, S., tient un journal. La confusion est suffisamment bien entretenue pour que l'on croie qu'il s'agit d'une histoire vraie, même si le mot roman est inscrit au-dessous du titre, sur la couverture. Des années après, je peux dire que dans ce livre Stanislas a plus inventé qu'on ne croit. Il tint réellement un journal, et quand l'aventure avec Élise rencontra son point final, il ferma son cahier pendant six mois. Sur l'insistance d'André, il le rouvrit et s'aperçut qu'il tenait un roman à condition, bien entendu, de le récrire, de changer les noms et d'altérer certains faits pour ne pas compromettre « celle qui l'inspirait ». C'est ainsi que l'inconnu au monocle est présenté sous le nom d'Oscar Dubouchez, seul nom que nous retiendrons. Dubouchez, on s'en souvient peut-être, est également le nom du quinquagénaire qui se découvre un goût pour les marins de la Royale et court au Jardin des Plantes dans l'espoir de rencontrer des « pompons de marins ». Ce Jean Dubouchez, tardivement venu à l'homosexualité, est le père d'Oscar et d'Élise.

Dans *Cryptogramme*, la rencontre avec Oscar est racontée comme je viens de le faire, à peine embellie, à cela près que les trois hommes sont supposés se quitter le lendemain matin après vingt-quatre heures d'une héroïque tournée des bars de Montparnasse alors qu'en fait Stanislas et André abandonnèrent Oscar au Rendez-vous des Amis, sur le coup d'une heure de l'après-midi, dormant assis, la tête dans ses bras, sur la table où s'accumulaient les verres. Oscar Dubouchez est un poète qui n'écrira jamais de vers et que cette stérilité, dont il a conscience, conduit vite à l'aliénation. Dans le langage d'aujourd'hui, on traiterait ce fils d'industriel de « marginal ». Un marginal qui croyait exploiter la société en laissant des ardoises partout et ne se doutait pas que sa sœur passait les régler après lui. Son impunité financière n'avait pas peu contribué à lui donner une haute idée de soi et c'est probablement cette idée qui l'amenait à se prendre pour Jezero Skadarsko. Le délire éthylique aidant, l'identification était devenue obsession. À l'intérêt que Stanislas et André portèrent à Oscar Dubouchez je ne voudrais pas accoler d'épithète facile. Disons qu'il les amusait comme un objet insolite ramassé sur un paillasson. Il indignait la fidèle secrétaire, Emeline Aureo, qui ne supportait pas qu'un inconnu s'appropriât un personnage de Stanislas. N'avait-elle pas fini par croire en Jezero exactement comme Oscar Dubouchez ? Au cours des vingt ans d'un dévouement fanatique qu'elle passa aux éditions Saeta, elle fut tour à tour aimée, plaquée, reprise, laissée pantelante sur un lit, trompée, reprise, heureuse et désespérée comme les femmes qui apparaissent dans les romans de Stanislas. Ce n'est pas la première fois que nous rencontrerons cette identification du lecteur au personnage du romancier : Mimi Bower qui apparaît plus tard dans la vie de Stanislas se crut Nathalie et la ressemblance fut si parfaite que deux heures après avoir échangé un premier regard avec Stanislas, elle était dans son lit, parachevant un roman que l'auteur avait cru fini. De même, Oscar Dubouchez, en se suicidant à l'alcool, inventa une fin inédite au *Compte à rebours*. Émeline Aureo ne tolérait pas plus qu'après s'être donnée en rêve à Jezero Skadarsko, celui-ci apparût sous les traits mal rasés d'un ivrogne qui passait la nuit sur le paillasson des éditions Saeta. Quand Oscar mourut, elle ne cacha pas son soulagement. On est en droit de se demander si ce n'est pas une déception plus qu'un hommage pour un écrivain : il croit créer et les personnages de son roman lui échappent, le dépassent et, dans un mouvement d'humeur, reviennent l'invectiver.

Élise apparaît vite dans *Cryptogramme* : elle vient chercher son frère (et payer la note) au Rendez-vous des Amis. Comme Petrus Saint l'aide avec un rien de rudesse à embarquer Oscar dans la voiture qui stationne devant le bistro, elle se fâche et lui rappelle qu'on ne moleste ni les poètes ni les enfants. S., qui laissait faire avec une indifférence excusable après vingt-quatre heures de libations, aime bien cette réponse et se présente. Élise est beaucoup trop agitée pour prêter attention au nom de son interlocuteur et, avec cette absence de discrimination qui est la sienne, jugeant S. sur les apparences, lui enjoint de s'asseoir à côté d'Oscar sur la banquette arrière et de le maintenir à peu près droit.

Elle les conduit chez elle, au 145 boulevard Saint-Germain (cette fois l'adresse est précisée pour éviter les reproches d'un nouvel Oscar Dubouchez) et S. et Élise sont obligés de monter l'homme au monocle à peine conscient. Ils le déshabillent et le couchent après l'avoir forcé à avaler des sels de fruits Enos pour parer à sa gueule de bois. À peine allongé, Oscar s'endort. Élise est sèche et désagréable avec S. qui a recouvré ses esprits. Elle lui reproche d'avoir poussé son frère à boire. Sa mauvaise foi est si évidente que S. éclate de rire. Nul n'a besoin de pousser Oscar à boire. La seule difficulté est de lui tenir tête. Comme Élise lui redemande son nom il avoue qu'il est l'auteur du *Compte à rebours*.

— Mais enfin, demande-t-elle, pourquoi n'avoir pas précisé dans votre livre l'adresse de Jezero ? Vraiment je ne comprends pas. Qu'est-ce que ça pouvait vous faire ?

S., pris au jeu, affirme que c'est précisément

pour éviter que des lecteurs inconnus n'aillent frapper à la porte d'un pauvre professeur qui n'a rien à voir avec l'histoire de Jezero. Élise, agacée, l'invite d'abord à se raser, ce qu'il fait aussitôt dans la salle de bains d'Oscar avant de la rejoindre à l'étage au-dessous où elle habite trois pièces dont les fenêtres donnent sur l'église de Saint-Germain-des-Prés. Élise, à première vue, offre un visage des plus communs : yeux gris, cheveux courts d'un blond fade, bouche qu'un rouge à lèvres maladroit amenuise jusqu'à n'être plus qu'un cul-de-poule, mais le corps semble agréable bien que caché par une robe maladroite qui vient pourtant de chez un grand couturier. S. a vite décidé qu'un homme de goût se doit d'apprendre à cette jeune bourgeoise autoritaire comment on se farde, se coiffe, s'habille et baise. Il ne la brusquera pas, il procédera par petites touches, et pour commencer il feint de l'écouter avec une attention dont la courtoisie serait, pour tout autre qu'elle, de l'insolence, mais Élise est encore imperméable à ces subtilités et, face à cet homme qu'avec un apriorisme naïf, elle pense être intelligent parce qu'il est écrivain (on a encore de ces préjugés dans les familles de la bonne bourgeoisie) elle tranche, condamne et décrète pour impressionner et masquer sa panique après l'impair qu'elle vient de commettre en le prenant pour un parasite de son frère. Elle ne profère d'ailleurs pas que des sottises, et S. se dit qu'il y a

216

quelque chose à faire d'elle, qu'en la violant —
moralement s'entend car il est déjà persuadé
qu'elle cédera le reste au moment voulu — il
changera la vie de cette femme débordée par un
frère délirant et — bientôt il l'apprendra — par
un père qu'obsèdent les marins. Il sait aussi
qu'elle n'est pas femme à se laisser bousculer et
que, d'une intelligence des plus moyennes, elle se
rebellera s'il ne procède pas avec prudence.

Un méchant critique dont je ne rappellerai pas
le nom, a reproché aux romans de Stanislas Beren
de n'offrir que des femmes sortant d'un institut de
beauté ou de chez le coiffeur. Il y en a, c'est vrai et
comment en serait-il autrement quand un romancier a montré avec une constance rare, pendant
plus de quarante ans, du goût pour les dames. On
se doute que même si c'est injuste à l'égard des
plus défavorisées par leur physique et quelle que
soit leur valeur morale, un homme qui aime les
femmes, préfère d'abord celles dont le visage et le
corps le séduisent. Il y a certes beaucoup de créatures dans les romans de Stanislas, mais elles n'ont
rien de stéréotypé, et dans les trois premiers livres
elles ne font qu'une apparition anecdotique. La
solide et appétissante paysanne qui attire le désir
du déserteur en se baignant nue dans la rivière de
*La Vie secrète d'un orgasme* n'a rien de raffiné. Quelques poupées passent dans la vie du général-empe-
reur-dieu né de cette union. Anne de Beautremont veille à ce qu'elles ne s'attardent pas. Dans

*Le Compte à rebours* il y a certes la chatte rousse, Redja Matchka, mais elle n'est déjà plus là au réveil et, en vérité, après cette initiation, Jezero préfère les étudiantes grisâtres dont il a plaisir à déchaîner la sexualité, ou, auprès du tout-puissant Kralj, les putains qui le confirment dans l'idée que l'amour physique est la plus nécessaire et la plus vengeresse des activités humaines. Dans *Cryptogramme*, Élise Dubouchez, telle qu'elle est peinte (et telle qu'elle fut réellement) n'attire guère, et c'est par jeu, pour se prouver son pouvoir que S. la métamorphose sans qu'elle en prenne conscience. En somme, l'auteur renversait la situation qui avait été la sienne puisque c'est une femme, Félicité, qui l'avait mûri. On peut parler sans gêne d'Élise Dubouchez, la seule qui survit — l'autre, la vraie, s'étant à ce point métamorphosée qu'elle n'est plus reconnaissable que des initiés.

Leur conversation, l'après-midi de la rencontre, est presque dramatique d'incompréhension et frôle sans cesse le ridicule. Comme S. avance que le meilleur roman de Stendhal aurait été, s'il l'avait achevé, *Le Rose et le Vert*, Élise ricane.

— Vous voulez dire *Le Rouge et le Noir*... Vous n'avez lu que le premier volume... Il y en a deux...

Cette sûreté dans l'ignorance le plonge dans les délices. Quelle chance ! Il faudra tout apprendre à ce prétentieux bas-bleu qui croit savoir et ne sait rien. Imagine-t-on situation plus grisante ? S. est confronté à un problème de géométrie. Deux vies parallèles ne peuvent se rencontrer à moins d'une hypothèse tendancieuse : les parallèles sont aimantées et l'attraction sera si forte qu'à un moment donné elles infléchiront le postulat et se toucheront. Il faut de sa part à elle une seconde de faiblesse et de sa part à lui une longue ruse.

*Cryptogramme* est le roman d'une séduction qui paraît cynique si l'on n'y voit que calcul mais derrière le calcul se dessine la fable d'un homme inquiet qui veut se rassurer sur lui-même. Il faut avouer que S. est médiocrement sympathique. Il est trop anxieux d'éprouver des recettes, fût-ce au prix du cœur et de la sensibilité d'une femme. Élise, se dit-on, est ce qu'elle est. Pourquoi déranger la satisfaction qu'elle éprouve à se voir vivre, pourquoi détruire les illusions qu'elle se fait sur son intelligence? Son physique — du moins le premier, avant les transformations — est terne et n'inspire guère d'envie. Alors? L'expérience de S. est tentée sur le plus difficile des modèles, le moins enthousiasmant.

En réalité, Élise n'était ni bête, ni peu attirante. Félicité me l'a confirmé un jour qu'elle me voyait lire *Cryptogramme.*

— Il ne faut pas prendre ce roman au pied de la lettre, me dit-elle. Stanislas s'est noirci dans le personnage de S. et celle qu'il appelle Élise était beaucoup moins médiocre qu'il ne le prétendit par la suite. Enfin ce n'est pas Stanislas qui lui a appris à se farder, à se coiffer et s'habiller. C'est moi. Mais, tu le sais : les romanciers ont tous les droits, y compris pour l'auteur de *Cryptogramme* de cacher qu'il amenait Élise à déjeuner ou à dîner à la maison quand il craignait de s'ennuyer trop en tête à tête avec elle. J'ai accepté pour elle, pour beaucoup d'autres par la suite, et ne m'en suis pas trouvée plus mal. Au début, Élise a cherché à m'impressionner, mais entre femmes cette période d'hostilité est courte. Je l'ai découragée de continuer sur ce ton. Elle refréna ses petites mesquineries du genre : « Notre différence d'âge ne compte pas. J'ai toujours eu envie d'avoir une grande sœur comme vous et qu'elle soit ma confidente. » Je peux te dire encore qu'Élise était désirable. Seul son mauvais goût cachait, sous des robes ou des tailleurs absurdes, un joli corps qu'elle méconnaissait non par modestie ou pudeur, mais par absence d'esprit. Stanislas ne me fait pas de confidences de ce genre-là. Je te garantis quand même qu'il a eu du plaisir avec elle.

Je n'ai pas oublié cette conversation. Nous étions à Deauville pour les Pâques de 1956, assis au bar du Soleil tandis que Stanislas et Georges Kapsalis se pavanaient aux courses. Félicité marchait de plus en plus mal et, quand elle trouvait un fauteuil assez confortable, elle s'asseyait et feignait de rêvasser le regard perdu vers la mer, répondant d'un signe de main aux amis qui passaient devant elle et qu'elle me nommait parce qu'elle se souciait de m'apprendre le « who's who » du monde dans lequel j'entrais à vingt ans. Je revois son profil au nez cambré, à la bouche mince, au menton pointu : demi-visage très fardé sous le chapeau cloche adopté pour toujours, buvant son thé froid avec une paille dans un grand verre.

— L'entreprise de Stanislas était amusante, me dit-elle : dresser, sans en avoir l'air, un manuel de la séduction, dérouter un être de sa vie. Stanislas croyait manier un pantin, mais le pantin avait du ressort. Un jour, Élise l'a planté là. Il a paru étonné. C'est sa petite période Laclos. Elle n'a pas duré.

— Faut-il rééditer ce livre ? Vous savez que M. Dupuy l'a demandé à Stanislas.

— Cher monsieur Dupuy... Stanislas est son bien. Je devrais le jalouser. Il le connaît mieux que moi. Une réédition ? Oui mais alors avec une préface pour expliquer que ce roman doit être relu dans l'optique de 1937-1938... Aujourd'hui son audace paraîtra bien mince...

Je me replongeai dans *Cryptogramme.* Le héros — ce S. transparent — a tout de suite compris la nécessité de flatter Elise-bas-bleu : au lieu de l'emmener dîner chez Maxim's pour être vu avec elle et qu'elle soit vue avec lui — donc compromise, estime-t-il avec vanité — il lui donne rendez-vous dans une galerie où l'on expose les dernières toiles de Braque. À ses yeux, Braque est un test. Le monde se divise en deux camps : ceux qui aiment Braque et ceux qui ne l'aiment pas ou l'ignorent. Elise s'attendait à une attaque plus classique pour laquelle elle avait préparé des défenses. Prise au dépourvu, elle doit prétendre « savoir ». Elle « sait » le nom de Braque et a vu des reproductions de sa peinture. Cela lui suffit pour croire qu'elle le connaît et peut en juger. À l'invitation de S. elle répond par une moue dubitative  n'a-t-il réellement rien de mieux à lui offrir ? Braque — assure-t-elle — est sur le déclin. On ne parle que de Picasso ! S. dit ce qu'il pense de Picasso comme s'il était évident qu'elle pense de même. Elise, misérable, abonde aussitôt dans ce sens et brûle ses lieux communs sur l'autel de l'intelligentsia. Leur rencontre à la galerie est un des bons chapitres du livre. Il y a là un comique sournois qui réapparaîtra dans les prochaines œuvres, plus feutré, sans ce mépris trop évident qui nuit par moments à *Cryptogramme* et laisserait croire que ce roman est la vengeance d'un homme trompé.

Dans la situation pénible où ses propos absurdes l'ont mise, Elise a déjà perdu pied et, pour comble, elle entend mal une réflexion de S. sur les gris de Braque et le confond avec Juan Gris. S. la corrige en feignant de croire qu'elle compare les deux peintres. Elise abonde aussitôt en ce sens. On a déjà deviné qu'il a barre sur elle. Le lendemain, quand il l'emmène au cinéma des Ursulines voir *Le Cuirassé Potemkine* de Serguei Eisenstein, S. l'humilie définitivement parce qu'elle croit que le metteur en scène soviétique est aussi l'inventeur de la formule : $E = mc^2$. Il ne sourit même pas et quand elle comprend sa sottise, elle traverse un des moments les plus désespérés de sa vie.

Il n'a pas fini de la convaincre qu'elle est une idiote, quand, un soir après le théâtre, il la laisse devant sa porte alors qu'elle l'invite à monter prendre une coupe de champagne. Elise fond. Elle est persuadée d'avoir rencontré en ce respectueux érudit l'amour absolu. Il ne reste plus à S. qu'à la conduire chez une amie plus âgée (en fait Félicité, mais dans le roman S. n'est pas marié) qui apprendra à la jeune fille qu'un maquillage et une coiffure sont un choix. Elle éclaircira ses cheveux ternes, se fardera les yeux et ne s'habillera plus comme une suffragette frigide. Les dernières défenses d'Elise tombent. À la merci de l'homme qui lui a fait mesurer sa prétentieuse ignorance, elle s'apprête à lui céder à l'instant où il disparaît sans un mot pendant deux semaines. La colère d'Elise est telle qu'elle retrouve sa lucidité, comprenant qu'elle a été jouée. S. a espéré exactement cette réaction et quand, au retour de sa fugue, il lui téléphone, il se réjouit d'être accueilli par une voix faussement indifférente. La reconquête commence et S. s'y prend d'une tout autre manière. Il n'humilie plus la malheureuse et, au contraire, la pose sur un piédestal, fait un sort au plus insignifiant de ses propos, se rallie à ses jugements si elle trouve que la tour Eiffel est une insulte à la beauté de Paris ou que Céline écrit un mauvais français. Sachant qu'elle voue à son frère Oscar un amour ombrageux, il exige de le voir plus souvent avec elle, et parvient même à empêcher le jeune homme de boire. Elise ne comprend plus rien. S. n'a pas voulu dire où il était pendant ces quinze jours et elle soupçonne qu'il a des maîtresses partout. Elle erre dans les hypothèses les plus absurdes et va même jusqu'à questionner un ami (en fait André Garrett) : S. n'est-il pas homosexuel? L'ami lui rit au nez : S. est un des hommes les plus fêtés de Paris bien que depuis un mois (Elise calcule aussitôt que cela correspond à la date de leur rencontre) il ne soit plus le même : un air absent, des rendez-vous qu'il cache, une frénésie de travail. Quand S. apprend par son ami qu'Elise mène une enquête sur ses mœurs, il joue l'indignation et disparaît de nouveau pendant huit jours. Ce n'est pas son propre désespoir qui fait le plus de mal à Elise, c'est celui soudain et inattendu d'Oscar. Depuis que S. s'intéresse à lui, Oscar a tenté une impossible cure de désintoxication. Certes, il n'y a pas d'illusion à garder : depuis plusieurs années, Oscar a atteint le point d'où l'on ne revient plus. À jeun il est pitoyable et sa folle du logis s'étiole comme si on la mettait en prison. Un verre d'alcool suffit à la réveiller et Oscar se livre à elle avec bonheur. Il a eu sa période « Jezero Skadarsko » qui a cédé à une période « Nathanaël, jette ce livre… » habilement suggérée par S. un soir où il lui a lu des pages des *Nourritures terrestres*. Du coup, Oscar est entré dans les librairies et, prenant les œuvres de Gide sur les rayonnages, les a balancées dans les bouches d'égout. Elise a dû courir partout rembourser les libraires. Il y en eut tout de même un pour appeler la police, et, sans Jean Dubouchez qui avait des relations — et pas seulement dans la marine — Oscar se serait retrouvé en prison.

Dans *Cryptogramme*, le tableau est tellement noirci — bêtise de la jeune femme, machination cynique de son séducteur — qu'Oscar est le seul personnage vraiment sympathique. En réalité, Stanislas éprouva pour lui une vraie tendresse fraternelle. André Garrett, dans ses cahiers, avoua qu'il n'avait jamais rencontré un fou aussi pathétique[1] :

Dîné ce soir à la Coupole avec Stanislas et ceux qu'il appelle Elise et Oscar. Elise m'ennuie, toujours sur les pointes, encore qu'elle se soit améliorée depuis qu'elle a une vague idée de son insuffisance. Oscar est irrésistible et il a bien tort de se prendre pour le héros des romans qu'il lit, tant il est, à lui seul, un original héros de roman qui n'a besoin de l'imagination d'aucun

1. 15 septembre 1936.

auteur pour exister. Il récite des pages entières de Stanislas, de Gide ou d'Aragon. S'ils le rencontraient, les surréalistes devraient lui dresser un piédestal, mais ils ne s'occupent plus que de politique et rêvent tous d'être conseillers municipaux sous la bannière du Front populaire. Desnos — le plus intelligent et le plus honnête de tous, le seul qui ait le goût de la liberté — a rencontré Oscar au comptoir de Petrus Saint et a eu avec lui une conversation délirante à propos du *Radeau de la Méduse*. Ils prétendaient s'y être connus et avoir mangé, flambées à l'armagnac, les parties sexuelles du noyé que Géricault a peint au premier plan, nu mais en chaussettes. Vers minuit, Oscar chavire. Il n'en peut plus de fatigue, s'endort où il est sur une table de café, une banquette du Dôme ou, comme nous l'avons trouvé un matin, sur le paillasson d'un palier. Le curieux est que dans le monde plutôt méchant, ricaneur et sarcastique où Oscar promène son aliénation particulière, il rencontre presque partout une indulgence plus tendre qu'amusée. On ne le jette pas à la rue quand un bar où il s'est endormi ferme au petit matin. On l'installe dans un taxi, on donne son adresse et une série de complicités qui finissent au chauffeur, l'aide à retrouver son lit où sa sœur le borde. À peine s'est-il fait voler une fois son portefeuille et, encore, le voleur qui le connaissait bien, le lui a rendu le lendemain. Il traverse la vie comme un innocent, protégé par sa faiblesse. Hier, à la Coupole, j'ai entendu un voisin de table interroger le maître d'hôtel : « Qui est ce type à monocle ? — C'est un poète. » Un poète qui n'écrit rien, un homme qui préfère mettre de la poésie dans sa vie que sur le papier. Le maître d'hôtel avait raison.

Elise est vaincue, nous le savons déjà. L'important est de savoir comment elle chutera, si tant est que l'on puisse parler de chute pour une femme pressée de consentir. Peut-être le plus important est-il d'ailleurs de savoir *où* elle chutera car elle a perdu, depuis le début, et sa superbe et l'initiative. Elle sait que c'est inéluctable mais elle n'est plus en mesure de décider du jour ou de la nuit. Révélons encore que ce n'est pas la première fois, c'est la seconde. La première a été une déception, une expérience unique dont elle garde un souvenir humiliant. Elle est sortie frustrée de cette épreuve qui ne lui a pas appris le plaisir et a laissé en elle une défiance animale à l'égard des hommes à femmes. Or, par une fatalité assez fréquente, elle est retombée une fois encore sur un homme qu'elle est assez lucide pour ranger dans la catégorie détestée. Néanmoins, elle peut espérer que ce séducteur aux mille ruses saura lui faire partager ses émois. Il y a dans chaque femme aux abois de l'amour une lectrice de Delly. Tandis qu'Elise rêve d'étreintes sublimes au clair de lune sur la plage d'un de ces atolls polynésiens que S. lui a longuement décrits, ou dans une auberge écossaise au bord d'un loch furieusement mélancolique, son séducteur médite une leçon d'amour dans un endroit où sa victime ne pourra rêver et, refusant un affreux décor, fermera les yeux pour ne penser qu'à lui. S'il n'en est pas à prévoir une cave à charbon, un hangar à pommes de terre ou une banquette avant de voiture (avertisseur débranché), il a la certitude qu'elle sera définitivement écrasée

227

par la laideur et la promiscuité d'une maison de rendez-vous. Quand Elise, à bout de force, est enfin capable de renoncer à ses rêves pour le recevoir et recevoir lui seul, il la conduit dans une maison de rendez-vous à Montparnasse. Cette maison se distingue à peine des autres dans une rue bourgeoise sans magasins à cela près que ses volets sont clos. L'entrée par une porte de fer forgé modern' style donne sur un petit hall où la téléphoniste de la réception ramasse la monnaie, donne une clé avec un numéro correspondant à l'étage et prévient la femme de chambre en appuyant sur une sonnette. L'ascenseur ne marche pas et dans l'escalier, ils croisent un couple qui descend : une pute et un gros homme écarlate comme s'il sortait d'un banquet de libres-penseurs un Vendredi saint. Elise baisse la tête et supporte avec un haut-le-cœur la femme de chambre du palier qui les accueille avec un sourire édenté et leur confie les deux serviettes et le savon bleu. La chambre elle-même est tragique avec ses rideaux tirés, le parfum du déodorant qui efface mal les relents de sueur du couple précédent, l'armoire à glace hideuse, le grand lit de bois marron aux draps frais cornés, le lavabo et l'obscène bidet. Derrière la tête du lit, un grand miroir reflète le champ de bataille, et, au-dessus, encastré dans le plafond, un autre miroir domine la scène. Elise ne retient plus ses larmes. Elle est loin de la plage de sable et des cocotiers, des promenades romantiques en forêt et d'une nuit en barque au clair de lune sur un lac d'Ecosse ou d'Italie. En fait, elle ne comprend pas ce qu'il veut, ni pourquoi il lui inflige ce supplice. Quand S. la déshabille, elle reste passive, les bras ballants, le regard perdu. S. a la surprise de découvrir un ravissant corps de jeune fille, une douce poitrine, de jolies et longues jambes. Le sexe est une discrète ombre claire au bas du ventre, sans ce côté goulu et crépu qui lui répugne. Il (S., pas le sexe !) est ému, un vague remords le saisit dont il apprécie la qualité, et très satisfait de lui-même, de son autorité sur cette femme, il la caresse debout, contre lui, plus pour calmer sa frayeur légitime et sa honte compréhensible que pour la voir défaillir dans ses bras. Elise n'ouvre pas les yeux pendant les deux heures qu'ils passent ensemble et, quand il le lui commande, c'est machinalement qu'elle se rhabille, tournant le dos au miroir. Elle titube dans l'escalier sans voir le couple qui monte : une femme d'une soixantaine d'années, au visage trop fardé, accompagnée d'un jeune homme aux cheveux calamistrés. Dans la voiture elle est muette jusqu'à ce qu'il la dépose devant chez elle. Elise a un geste pour refuser qu'il la suive. Elle dit « merci » et il répond : « À demain, même heure. »

Le lendemain, il l'emmène de nouveau dans la maison de rendez-vous. La réceptionniste est prévenue et leur octroie la chambre voisine de celle de la veille. Cette fois, le décor n'est plus le même.

La pièce est plongée dans l'obscurité et la femme de chambre les conduit vers un canapé où ils s'asseyent face à un mur qui restera sombre quelques minutes. Soudain un rectangle s'éclaire, découpant un morceau de la chambre voisine. Elise reconnaît l'affreux décor, le lit, l'armoire, le papier peint rose et bleu, et comprend que S. et elle sont derrière une glace sans tain : de l'autre côté le couple qui entre ignore les voyeurs. Elle réprime un frisson et veut serrer la main de son amant qui, sans brusquerie, la repousse parce qu'il tient à ce qu'elle assume seule la séance dont le début est d'ailleurs comique. La femme est assez jolie dans un genre petit-bourgeois. Elle se livre à sa première aventure avec un homme à peine plus âgé qu'elle qui se voudrait sûr de soi et tremble autant. La jeune femme s'est assise sur une chaise, genoux serrés, tenant son sac sur ses cuisses pour se défendre. L'homme lui retire son béret tenant par une épingle et doucement déboutonne le corsage. De temps à autre, il enlève une pièce de ses propres vêtements : la veste, le gilet, la cravate, les bretelles, les chaussures, le pantalon pour apparaître en caleçon et fixe-chaussettes. Elle a la poitrine nue. Pas une très jolie poitrine. Enfin, elle le laisse écarter son sac, soulever sa jupe et lui retirer ses bas. Elle est à la fois consentante et paralysée. Il achève de la déshabiller sans qu'elle lâche son sac. À travers le verre fumé de la glace sans tain, on distingue mal la coloration de leurs visages, mais l'homme doit être écarlate, la jeune femme très pâle. Il réussit enfin à la mettre debout et à la pousser vers le lit sur lequel elle tombe et se retourne n'offrant que ses reins et des fesses naïves dont la vue soudaine provoque sur le visage de l'homme un sourire béat où la satisfaction l'emporte sur le désir. Leur mêlée est un spectacle pénible et triste tant ils donnent l'impression de singer l'amour, d'en offrir une contrefaçon de pauvre. L'homme garde ses fixe-chaussettes et retire son caleçon. Il n'est pas affreux, il est pitoyable et soudain surpris quand la femme prend des initiatives. Après tant de simagrées, il ne s'attendait pas à ces gestes et on le devine qui se retient de la traiter de putain parce que la timidité change de camp.

S. prend la main d'Elise et l'entraîne hors de la chambre, hors de la maison de passe. Ils vont dîner au restaurant de la Cascade, au Bois. Le soir qui tombe est un ravissement sous les grands arbres éclairés par les lampadaires aux globes de verre laiteux qui attirent des myriades de papillons de nuit dont la danse est comme une chute de flocons de neige. Sur la route, plus bas, le long du champ de courses les phares des voitures défilent sans bruit et la Cascade est si isolée, si hors du temps, si défendue de Paris pourtant proche et dont les lumières teintent le ciel de mauve qu'Elise oublie le cauchemar de cette fin d'après-midi, l'image du type en caleçon et fixe-chaussettes contemplant, béat de satisfaction, le derrière naïf de la brunette, mais il suffit qu'un couple, visiblement au début d'une liaison, avec tous les stigmates des plaisirs excessifs arrachés aux courtes rencontres de l'après-midi, descende de voiture et se dirige vers une table voisine, ou se parle doucement, mains jointes, pour qu'une bouffée d'atroce honte envahisse Elise : ce couple n'était-il pas derrière le miroir sans tain de la maison de passe quand elle a fait la première fois l'amour avec S.? Tout est possible et S. lui dit que le spectacle ainsi offert est un des plus prisés de Paris, qu'on doit retenir des jours à l'avance la chambre des voyeurs, et que s'ils en sont partis précipitamment, c'est que le temps de spectacle se minute : d'autres voyeurs attendent leur tour...

Un garçon apporte délicatement des nègres en chemise, renouvelle la bougie qui vacille dans son globe de verre vénitien, montre que, dans le seau à glace, la bouteille de champagne est vide. Oui, fait S. d'un signe de tête indifférent. Elise à qui le plaisir du dessert, du champagne, de ce dîner en plein air a fait oublier quelques instants l'horreur vulgaire et obscène de l'après-midi, retient ses larmes en retrouvant soudain l'expression butée, presque méchante de son amant.

— Tu es un monstre! dit-elle. Pourquoi?

Il n'a aucune envie de lui répondre bien qu'elle

l'émeuve pour la première fois. En effet, le profil d'Elise a changé : la commissure des lèvres s'est adoucie, l'œil gris humide de larmes est souligné d'un cerne poignant et, dans le port de tête, la jeune femme a quelque chose d'enfin blessé ou fragile qui devrait rassurer son amant.

— Est-ce exprès, ose-t-elle encore demander, est-ce exprès que tu as sali notre amour ?

« Notre amour » ! Comme elle se lance ! S. est loin de ça. S'il n'interrompt pas Elise, elle utilisera encore des grands mots, inventera de grands sentiments pour lesquels, faute d'une éducation appropriée, elle n'est pas préparée. Doit-il l'arrêter brutalement ou, au contraire, la laisser délirer ? Il choisit de développer une théorie dont l'imbécillité prétentieuse le ravit : il n'y a pas d'amour sans épreuve. Elise écoute, fascinée. Aucun homme n'a jamais tenté de la séduire en visant plus haut que la ceinture, et ce qu'elle sait de la séduction, elle l'a appris dans les livres. Le discours pompeux de S. lui révèle les abîmes de son ignorance. Le jeu de l'amour est plus compliqué qu'elle ne croyait. Un cœur pur ne saurait s'y adonner sans avoir reçu un certain enseignement, convient-elle, bien qu'elle ne comprenne pas que S. puisse appeler épreuve le voyage à Capri qu'il lui propose. Certes, dans cette île de beauté, il n'y a ni cocotiers, ni plages de sable, mais Elise s'est déjà délestée de ces fadeurs pour ambitionner des côtes déchiquetées, des falaises abruptes, des tempêtes, et elle s'apprête à partir pour l'île de Sein, quand son amant se met à lui parler de la place Umberto où ils iront manger des cassates napolitaines, des Faraglioni qu'ils apercevront de leur fenêtre en ouvrant les volets le matin, de leur visite à Axel Munthe qui les attend à San Michele. S. trouve des accents si convaincants pour décrire ce qu'ils verront, qu'Elise a envie de jeter sa serviette, d'oublier le champagne que le sommelier verse dans sa flûte et de partir aussitôt. S. a du mal à la retenir tant elle s'exalte, et magiquement, pour donner corps à la réalité, il sort d'une enveloppe deux billets pour Naples, départ le lendemain matin. Elise oublie les mauvaises pensées qui ont pu l'assaillir et se voit déjà dans le train avec son amant, collant son front à la vitre pour guetter les premiers bleus de la Méditerranée à l'approche de Sainte-Maxime.

Le lendemain, Elise est à la gare de Lyon et l'heure approche quand le contrôleur lui remet une lettre de S. qui se dit empêché de partir le même jour. Qu'elle l'attende Hôtel Excelsior, via Partenope, il la rejoindra d'un instant à l'autre. Elle voyage seule, découvre Naples avec mélancolie et, à l'hôtel, se voit remettre un télégramme. S. la prie de l'excuser : il est retenu à Paris et elle doit s'installer à Capri où il arrivera d'une minute à l'autre. On a déjà deviné qu'elle passera une semaine seule à Capri, une semaine intolérable. Le moindre regard vers la mer, l'apparition d'une belle maison, une visite de la grotte d'Azur déchirent le cœur d'Elise. Des perfections de ce genre exigent d'être partagées, de se fondre, la nuit, dans un lit. Elise rencontre bien quelques solitaires comme elle, mais ils sont alcooliques, drogués ou homosexuels, inapprochables aux yeux de cette femme pétrifiée de timidité depuis que S. lui a révélé son insuffisance. Elle comprend que ces solitaires ne partageront rien avec une intruse assoiffée d'amour, en plein « manque » sexuel. Partager leurs plaisirs, l'alcool ou la cocaïne, Elise n'y songe pas : elle a encore une trop belle idée d'elle-même. Capri est vite un enfer dont elle ne voit plus la splendeur et qu'elle vomit au sens propre du mot. Le médecin de l'hôtel, appelé en hâte, lui conseille vivement de regagner la France. Il a connu beaucoup de cas de ce genre, et particulièrement parmi des veuves. Nombre de ces imprudentes se suicident pour mettre fin à leur panique. Elise comprend le conseil et reprend le bateau pour Naples qui est un tel pourrissoir qu'on y guérit aussitôt des fièvres occasionnées par un excès de beauté pris en solitaire. Elle part, presque rassérénée, pour Paris.

S. l'attend sur le quai de la gare de Lyon. Comment a-t-il su le jour, l'heure de son retour et même le numéro du sleeping pour être en dessous de sa fenêtre quand elle baissera la vitre et appellera un porteur ? C'est un mystère qu'elle ne cherche même plus à s'expliquer tant à la seconde où elle le revoit, il s'empare de nouveau d'elle. Le pire — qu'elle note aussitôt — est qu'il a le visage bronzé comme elle et quand il confie les bagages d'Elise à un porteur et qu'il lui saisit le bras pour marcher d'un pas allègre vers la sortie, elle se demande dans un moment d'aberration si l'absence de son amant à Capri n'a pas été un mauvais rêve. Pourquoi, au lieu de l'accabler de nouvelles insignifiantes et dont elle se moque — Oscar n'a rien bu pendant une semaine, leur père a été agressé dans un fourré du Bois de Boulogne — pourquoi ne fait-il pas allusion à ce rendez-vous manqué et quel impudent cynisme lui fait dire à un ami qu'ils rencontrent à la station de taxis et qui les félicite de leur bonne mine :

— Nous revenons de Capri.

À peine sont-ils dans l'appartement d'Elise qu'il la prend dans ses bras et la convainc sans peine que leur liaison a atteint son maximum d'intensité à Capri. Elise, trop affaiblie pour résister, se soumet. Elle est désormais sa chose, c'est-à-dire qu'elle ne présente plus le même intérêt pour un homme maladivement attaché à sa liberté et décidé à ne rien posséder. Afin d'obtenir qu'Elise s'éloigne de lui, S. est obligé d'imaginer un plan inverse de celui qui a brisé les défenses de la jeune femme.

En tête du livre on pouvait lire cette citation de l'*Amphitryon 38* de Giraudoux quand Mercure dit à

Jupiter : « À votre suite parfois j'aime une femme. Mais pour l'aborder, il faut lui plaire, puis la déshabiller, la rhabiller, puis, pour obtenir de la quitter, lui déplaire... c'est tout un métier. » Oui, c'est tout un métier, et pour déplaire à Elise, S. doit déployer autant d'ingéniosité que pour lui plaire. Il ne s'agit pas de procéder à une désintoxication brutale, mais de jouer un personnage qui l'agacera ou la révoltera, dont les mesquineries lui ouvriront les yeux et, comme en ce domaine on peut faire confiance aux femmes, il suffira qu'elle ne l'aime plus pour qu'elle croie ne l'avoir jamais aimé. Ce ne sont pas de graves et ostensibles défauts qui déboulonnent une statue — et même, bien au contraire, on pourrait dire que les défauts graves et ostensibles grandissent un homme qui vaudrait peu sans ses vices ou sa cruauté — mais des petitesses, de maladroits mensonges.

S. entreprend de mentir. Encore ne faut-il pas mentir de façon à être cru. Il s'agit plutôt de mensonges futiles et gratuits sans conséquences, si légèrement camouflés qu'il suffit de la moindre réflexion pour les déceler. Quand il prétend revenir d'un enterrement alors qu'il empeste le parfum, Elise n'a pas de mal à reconnaître ce parfum pour celui de sa meilleure amie (S. bien entendu a acheté un flacon et s'est parfumé légèrement avant de retrouver sa maîtresse). Quand il parle comme un intime d'un personnage connu et qu'une heure après, semblant oublier sa vanterie, il se fait, devant elle, présenter au personnage connu, Elise est profondément choquée. Elle ne s'indigne pas moins qu'il prétende avoir été, le mois précédent, l'amant d'une femme du monde dont Elise apprend, huit jours après, qu'elle vit depuis un an en Laponie dans un igloo (ou quelque chose comme ça). Les yeux d'Elise s'ouvrent sur une réalité différente, et elle croit voir un médiocre, un faiseur, là où la passion l'aveuglant elle avait cru voir un Satan adorable. L'éloignement se précise lorsque, montrant une insolente confiance, il l'invite en week-end avec un de ses amis, un comédien, et se décommande à la dernière minute, les laissant seuls dans une auberge d'Ile-de-France vouée aux adultères. Au retour d'Elise, S. lui demande avec une vulgarité voulue si elle est « passée à la casserole ». Ainsi feint-il l'indifférence qui libère d'autant la jeune femme. Bien sûr, elle est « passée à la casserole » avec le vague espoir que cela provoquera un drame : une brouille entre S. et son ami le comédien, une crise de jalousie de S. Or, non seulement, il s'en moque, mais il la pousse dans les bras d'un autre amant, un éditeur, puis d'un troisième, un journaliste. Elise fait désormais partie de ce petit lot de femmes dans lequel des Parisiens d'une certaine notoriété puisent indifféremment. S. a travaillé pour la communauté. Un jour, il voit avec un plaisir étonné Elise prendre seule son vol et acheter une conduite en épousant un homme tout à fait étranger au milieu dans lequel il l'a lancée.

Comme je l'ai déjà raconté, le cahier dans lequel Stanislas s'était amusé à noter au jour le jour son aventure avec la sœur du poète éthylique, dormit six mois dans un tiroir à partir du moment où celle qui inspira le personnage d'Elise convola en justes noces avec un inconnu sans intérêt. Retrouvant ce cahier dans son tiroir de bureau, Stanislas le rouvrit et, dans une de ces intuitions qu'il sentait devoir exploiter immédiatement s'il ne voulait pas que la paresse et la difficulté l'en détournassent, il reprit le thème, conserva la forme et enrichit l'histoire assez pour qu'elle devînt un véritable roman. Si grande soit la part de l'imagination, dans la version publiée de *Cryptogramme*, celle qui inspira Elise ne s'en reconnut pas moins, et on se souvient de sa lettre sarcastique : « pas beaucoup d'imagination, mon pauvre ! » Il en avait eu pourtant car, on s'en doute, le vrai Stanislas a peu de traits communs avec le sardonique et cruel S. bien qu'il eût accumulé nombre de détails qui inclinaient à les identifier et notamment ce « je » si trompeur auquel des lecteurs naïfs se laissent prendre.

*Cryptogramme* choqua profondément une certaine presse. Depuis *La Vie secrète d'un orgasme*, Stanislas Beren passait pour un auteur « osé ». On sourirait aujourd'hui ou même on ne prêterait pas attention à des audaces qui ne sont pas le sujet du livre. L'auteur décrivait avec une froide indifférence les deux scènes érotiques de la maison de rendez-vous. Il fallait être bien vicieux pour trouver pornographique l'image du monsieur en caleçon et fixe-chaussettes contemplant avec appétit le derrière d'une petite dame dont c'est le premier adultère et qui croit un attrait les deux énormes touffes de poils de ses aisselles. Quand le livre reparut en 1956, après la guerre, ces mêmes pages passèrent inaperçues. Elles venaient après la révélation brutale et lyrique des deux *Tropiques* d'Henry Miller et surtout après la publication de l'*Histoire d'O* de Pauline Réage. Mais sur le coup (1938) l'indignation avait été forte. Stanislas avait bien visé. Dans une lettre datée de Venise (13 octobre 1956) Stanislas m'écrivit :

Des imbéciles m'avaient traité de pornographe. Il s'agissait de les conforter dans leur imbécillité. Souviens-toi de ce que disait Gobineau : « Il faut laisser les imbéciles être des imbéciles. » Il est même charitable de les aider à le demeurer. Je leur ai jeté cet os. Un journal — soyons charitables et ne le nommons pas — me traite même de proxénète. Le comble du bonheur pour un écrivain est d'être pris pour ce qu'il n'est pas. Dans une interview on me demanda si c'était une histoire personnelle. Je répondis par les mots de Musset à qui l'on attribuait la paternité de *La Comtesse Gamiani* qu'il écrivit vraisemblablement avec George Sand : « Celui qui écrit ces choses-là dédaigne de les faire, celui qui les fait dédaigne de les écrire. » En vérité, je m'étais surtout attaché à raconter l'histoire d'un homme qui s'empare du caractère d'une femme, le détruit jusque dans son intime pudeur, puis le reconstruit sur d'aures bases, et, son œuvre achevée, jouit de voir s'animer une figure entièrement neuve, un personnage de sa création. Certes, il y avait du vrai dans cette histoire et j'ai dû être un rien cruel avec celle qui inspira le personnage d'Elise Dubouchez. Elle ne m'en a pas trop voulu. Elle passe pour une femme intelligente. Il est symbolique qu'elle soit encore une fois la victime d'une méprise sur sa personnalité. Je garde une réelle tendresse pour son frère si tôt disparu après notre rencontre folle sur le paillasson de Saeta. Cette appropriation d'un personnage de roman par un schizophrène n'est pas rare. Rue de Seine, s'est longuement longtemps promené, avant et après la guerre, un homme encore jeune qui se prenait pour le Colonel Chabert. Botté, en redingote, le cou serré dans le celluloïd, coiffé d'un gibus à poils, il parcourait les rues d'un pas pressé, écartant les passants de sa badine. Un photographe de presse l'ayant surpris un jour au marché de Buci où il s'achetait de modestes fruits, publia la photo dans un magazine avec une légende humoristique. Le faux Chabert le provoqua en duel. Au sabre, je te prie ! Et il le blessa méchamment. Ce cas n'est pas unique et je dois me flatter d'avoir rencontré un homme doué d'un peu de génie dans sa folie et qui se prenait pour Jezero Skadarsko. Après tout... nous n'écrivons pas pour d'autre raison : être cru. Je regrette aussi de n'avoir pas tiré un meilleur parti du père d'Elise. Celui-là, je l'ai à peine changé, mais j'aurais eu du mal à inventer sa mort. On l'a trouvé chez lui, dans son appartement du boulevard Saint-Germain, costumé en petite fille avec bas blancs et souliers vernis à barrette, une poupée dans ses bras. J'espère qu'on lui a fait un enterrement blanc.

L'année 1939 est celle d'une petite fille que nous appellerons Audrey Inglesey, du nom qu'elle eut plus tard dans un roman de Stanislas déjà cité, *Audrey*. Elle a huit ans, des yeux bleus et des cheveux blonds qui tombent jusqu'à ses reins. Elle skie dans les neiges du Vermont et l'après-midi étudie son piano. Sa mère est peintre et son père chef d'orchestre. Leur maison est au fond d'une vallée, au bord d'une rivière bordée de congères en hiver et de hautes herbes jaunes en été. Stanislas l'a rencontrée parce qu'au mois d'octobre 1938 un petit homme s'est présenté un matin au bureau des éditions Saeta peu après la parution de *Cryptogramme*. Engoncé dans un pardessus gris à chevrons matelassé de journaux pour tenir plus chaud à ce maigre enrhumé, coiffé d'un chapeau mou gris qui, lorsqu'il l'a ôté, a découvert une calvitie aussitôt jugée très commune par Emeline Aureo — de l'espèce, pensa-t-elle, affectant les garçons en pagne dans les brasseries — le petit homme a tendu une carte de visite à la secrétaire :

Maurice Humez
Commissaire de police en retraite.

Il désirait voir le « directeur littéraire », titre si embarrassant que personne n'avait encore songé à s'en emparer. Emeline Aureo avait estimé qu'étant donné le côté minable du personnage, une rencontre avec M. Dupuy suffirait. Au bout d'un quart d'heure de conversation, M. Dupuy jugeant, lui, que les propositions de M. Humez présentaient un véritable intérêt, l'avait conduit au Rendez-vous des Amis où Stanislas et André se consolaient au vin blanc d'un méchant article paru le matin même sur *Cryptogramme* qui, par ailleurs, se vendait fort bien.

M. Humez, à la retraite depuis la veille, offrait ses services bénévoles. Sa vie durant, il avait énormément lu, surtout des romans policiers, et la collection qui l'intéressait le plus était précisément celle des éditions Saeta : « Le crime paie. » Persuadé par une longue expérience que le crime payait, il avait rarement rencontré cette amère réalité dans les romans de gare, sauf dans les trois premiers de la collection : *La Mort du petit cheval dans les bras de sa mère, À voile et à vapeur, Le Poivré*. « Le crime paie » n'avait pas toujours tenu cette promesse et M. Humez offrait, d'une façon désintéressée, de conseiller des auteurs et même de leur fournir des sujets puisés dans sa longue expérience — quarante ans de métier — de policier. Il connaissait quantité de crimes parfaits et de criminels heureux.

Stanislas et André révélèrent qu'ils étaient les auteurs des trois premiers romans de la collection. Sans aucune préméditation et sans autre expérience que leur imagination, ils avaient remédié à une faiblesse du roman policier qui se termine en conte de fées par le châtiment du coupable.

M. Humez eut droit à un bureau voisin de celui de M. Dupuy. Si différentes que fussent leurs éruditions respectives, les deux hommes s'entendirent bien. La fréquentation des suspects avait aiguisé l'intuition psychologique de l'ancien commissaire de police, et l'ancien professeur reconnaissait que sa propre expérience demeurait surtout livresque. M. Humez refusa un salaire. Il habitait un pavillon au Perreux, prenait son train matin et soir, déjeunait d'un sandwich et d'une bière, descendait chaque jour au Rendez-vous des Amis pour un Amer Picon avant sa collation, redescendait pour un café dans l'après-midi. Jamais il n'éleva la voix. Il se contentait de rédiger des fiches sur les manuscrits, notant les erreurs, les invraisemblances ou même préparant des canevas pour les auteurs à court d'imagination. En quelques semaines, sa collaboration se révéla si efficace que Stanislas et André retrouvèrent un peu de liberté après avoir passé un cap difficile. Le succès de la collection « Le crime paie » compensait les graves mécomptes d'autres livres. Une étude didactique mais prophétique sur *Mein Kampf* n'avait pas trouvé cinq cents lecteurs. Une autre étude sur les cours du Général Guderian à l'École de guerre allemande intéressait si peu le public français que les retours des libraires s'élevaient à 90 %. En fait, après Munich, et au début de l'année 1939, personne ne désirait entendre parler de la guerre et ceux qui osaient aborder le sujet passaient pour des trouble-fête. On voudrait que Stanislas et André, qui avaient essayé d'informer les lecteurs avec ces deux livres, ne se fussent pas découragés aussi vite, mais comment — quand on aime passionnément la littérature — ne pas y chercher refuge à ses déceptions et se dire que si le monde se noie c'est qu'il le veut bien, que Néron a été un fantastique metteur en scène, et qu'on manque de Nérons en cette veille d'apocalypse.

André, soulagé de la partie la plus absorbante des activités de Saeta, voulait après quelques autres, découvrir l'Amérique. Il n'eut pas de mal à enthousiasmer Stanislas et à convaincre Félicité que le développement futur de Saeta exigeait des relations personnelles avec plusieurs éditeurs américains. Au début de février 1939, ils embarquèrent sur le *Normandie*. Pour André, c'était le premier voyage sur un paquebot. Je détache, dans son journal, ce qui a trait à cette traversée et à l'importante rencontre qu'ils firent[1] :

On se croirait à bord d'un musée ambulant de la France qui bouffe et qui boit. C'est ce que nous avons de mieux à offrir à l'étranger : cette euphorie satisfaite mais de qualité. Nous corrompons le monde américain avec notre foie gras, notre champagne, nos fromages. Ils débarqueront à New York, gavés, malades, ravis. On fait la queue chez le masseur pour perdre deux kilos qu'on rattrape à table. La nourriture a été élevée ici à la hauteur d'une obsession. Le temps restant limité, il faut faire vite. Moins de quatre jours !

Et le lendemain :

Tante Félicité règne. Si absorbés qu'ils soient par la vie à bord, si possédés par leur gloutonnerie, les passagers ne peuvent douter que de son fauteuil, sur le pont-promenade, à la table du commandant ou à sa propre table, entre son mari et moi, cette femme règne sur un monde auquel ils n'auront pas accès avec leur carnet de chèques. Un seul passager a trouvé non seulement grâce, mais s'est même vu accaparé, tyrannisé. Il est vrai qu'elle l'a connu il y a vingt ans, lorsqu'il dirigeait l'orchestre de Monte-Carlo pour les ballets de Diaghilev. Il a quarante-cinq ans, une magnifique crinière blanche, des yeux d'un bleu opale, un long nez fin de parfumeur, des mains admirables — aussi belles que celles de Cocteau. N'importe qui le rencontrant dans la rue, rien qu'à son port de tête impérieux, à sa façon de fixer dans les yeux un malheureux passant comme s'il

1. 10 février 1939.

avait fait une fausse note, devinerait qu'il est chef d'orchestre. Je ne voudrais pas en faire un portrait ridicule sur son seul aspect, mais nous avons toujours quelque mal, Stanislas et moi, à supporter le genre artiste. Cela dit, John Inglesey, une fois qu'on le connaît, est pure séduction. Il donne l'impression — mais là je ne lui fais pas crédit trop facilement — de savoir tout, d'avoir tout lu et de rencontrer tout le monde pendant les six mois par an où il donne des concerts. Les six autres mois, il vit auprès de sa femme qui est peintre, et de sa fille.

Et le troisième jour :

À la table du commandant, John a dirigé un orchestre de chambre, donnant la parole à chacun, puis faisant taire l'ensemble pour un solo de sa belle voix douce presque sans accent et, après la dernière mesure, il a rendu hommage à la seule femme présente : Félicité. Un peu plus nous l'applaudissions. Il nous invite à le retrouver dans le Vermont dès que nous en aurons assez de New York. « Nous irons », a décidé Tante Félicité qui, pour bien montrer qu'elle ne se laissait pas complètement aveugler par l'enthousiasme, lui a conseillé de couper un peu ses cheveux d'artiste. « John, vous avez gagné : vous dirigez les orchestres que vous voulez, vous interprétez les compositeurs que vous aimez... Alors ?... Vous n'avez plus besoin de cette tignasse. » Nous avons été ravis de le voir un instant désarçonné, mais au dîner il est apparu les cheveux coupés. Tante Félicité n'a pas daigné le remarquer. Cela allait de soi.

À l'arrivée devant New York, photographes et

journalistes montèrent à bord avant l'accostage. Ils avaient la liste des célébrités, liste fort mince, car en dehors de John Inglesey, on ne comptait que trois ou quatre politiciens d'un intérêt réduit. Le nom de Stanislas Beren ne disait évidemment rien, mais la lumière se fit quand on apprit que Félicité avait été Mme della Croce, femme du peintre dont le pompiérisme grandiose décorait plusieurs banques de Manhattan. Du coup dans le brouhaha de l'arrivée, Inglesey, Stanislas, André et Félicité furent mitraillés au magnésium et bombardés de questions. Le lendemain, quantité de journaux relataient leur arrivée, et comme il est nécessaire de grossir les événements de peu d'importance et au besoin d'inventer, Stanislas connut une journée de gloire qui ne dura guère car le lendemain le *Queen Mary* accostait à son tour avec des vedettes de cinéma, un violoniste célèbre, un pitre de music-hall et l'écrivain français « le plus expert en psychologie de l'amour », Maurice Dekobra, pour ne pas le nommer, l'inoubliable auteur de *La Madone des sleepings*. André qui avait espéré que sa « campagne américaine » serait facilitée par cette première vague de publicité, déchanta vite quand, le jour suivant, une seconde vague recouvrit la première, rejetant dans les limbes après une gloire éphémère, sinon Inglesey, du moins Stanislas Beren écrivain français inconnu. Les maisons d'édition qui leur accordèrent péniblement des rendez-vous, debout dans des couloirs parcourus au pas de course par des secrétaires, utilisaient des quantités d'avocats pour éviter des procès et pas un seul lecteur de français. On les renvoya aux agents littéraires qui ne connaissaient pas plus les langues étrangères. Il s'en trouva un cependant pour se faire résumer *Cryptogramme* et conseiller ensuite à Stanislas de modifier le commencement, le milieu et la fin du roman, et surtout d'en supprimer les scènes « romantiques ». Si cet homme sortit vivant de l'entretien, c'est grâce à Stanislas qui retint André au bord des violences. En fin de compte, il fallut bien se résigner et constater qu'ils échouaient sur toute la ligne, qu'ils avaient mal engagé leur « campagne américaine » et qu'aux États-Unis en cette année 1939, la francophilie était à sa cote la plus basse : les écrivains français étaient tous des communistes, des pornographes et des bellicistes qui cherchaient à entraîner l'Amérique dans la guerre.

L'accueil ne devait plus être le même fin 1940 quand Stanislas et Félicité revinrent aux États-Unis : la mode était à la francophilie par pitié pour ce malheureux pays qui déclenchait des guerres et ne savait pas les maîtriser seul. On se souvint par miracle du premier voyage et *Crypto-gramme* trouva aussitôt un éditeur, et, plus tard, les deux nouveaux livres écrits pendant les années 1940 à 1945 : *Trust me* et *Singtime* dont il a déjà été question.

Ces démarches décevantes, l'impression d'être rejetés par la grande machine américaine et laissés en marge du mouvement littéraire qui depuis deux décennies secouait l'autosatisfaction intellectuelle du pays, auraient dû remplir d'amertume Stanislas et André si Félicité, à peine arrivée, n'avait été fêtée, choyée par le tout New York. Un mois passa vite avant qu'Inglesey, ayant renouvelé son invitation, ils partissent pour Stockwood dans le Vermont. À flanc de montagne, la maison du chef d'orchestre dominait la grande tache verte du lac Champlain à la frontière canadienne. Après la pierre et le béton de New York dont on ne comprend l'étouffante force que dès qu'on s'en libère, ils roulèrent dans un paysage de neige et de forêts, de villages charmants et de petites villes poétiques qui participaient d'un autre monde. John vivait là six mois par an, avec Laura sa femme et Audrey sa fille. Laura passait ses journées dans un atelier qui recevait par ses larges baies vitrées la pure et froide lumière du nord et John, installé en contrebas, dans un pavillon de musique octogonal, vivait avec son piano et sa bibliothèque, mais l'âme de la maison c'était Audrey, huit ans, le trait d'union entre l'atelier et le pavillon de musique, messagère qui rappelait à l'un et à l'autre les heures communes des repas où ils se retrouvaient, portait ces exquis billets tendres que John et Laura échangeaient plusieurs fois par jour dans les élans de leur cœur et qui furent publiés après leur mort dans un accident d'avion en 1950.

Laura peignait de minutieux paysages de la Nouvelle-Angleterre : forêts de bouleaux descendant les pentes enneigées des vallées, églises de villages avec leurs clochers de bois carrés, rivières coulant d'un bleu intense entre leurs rives de congères en hiver ou leurs haies de hautes herbes jaunes en été. Elle peignait pour elle-même, comme on chantonne, comme on se parle dans la tête, donnant formes et couleurs aux mouvements de son âme dont John disait qu'elle ignorait le trouble et ne craignait que les excès de joie. À la disparition de sa mère, Audrey rassembla une centaine de toiles et les exposa dans une galerie de la Cinquième Avenue avec un insuccès qui aurait été à peu près total si Stanislas et Félicité n'en avaient acheté cinq qu'ils gardèrent à Londres. Audrey, elle aussi victime du destin en 1954, ne connut pas la revanche tardive de sa mère. Découvertes par hasard en 1970 par un conservateur du musée national de Washington, les toiles de Laura Inglesey figurent dans les importantes collections des peintres naïfs américains.

Quand Félicité, Stanislas et André arrivèrent à Stockwood, Laura avait à peine trente ans. André nota dans son carnet : « visage angélique, voix d'eau pure qui rappelle qu'elle aurait pu être un grand soprano si elle n'avait sacrifié sa carrière à

John, mains qui caressent les choses avant de les saisir et de les maîtriser. »

Ils étaient encore sur le seuil de la maison où les accueillait Laura, qu'ils aperçurent une tache rouge descendant en slalom parmi les sapins et soulevant une traînée de poudre blanche. Le lutin se rapprocha et grandit à peine. C'était Audrey. Elle avait huit ans, je l'ai dit, et un visage bronzé par le soleil des neiges, des yeux comme les ciels bleus des peintures de sa mère, et une masse de cheveux blonds qui s'épanouit autour de son visage quand elle retira le bonnet de laine qui cachait jusqu'à ses oreilles.

— Je vous connais! dit-elle, le doigt pointé, désignant Stanislas, Félicité.

Elle les embrassa l'un après l'autre, caressant de ses fraîches lèvres roses les joues des trois visiteurs. John qui avait entendu le bruit de la voiture, sortit de son pavillon de musique et monta les marches conduisant à la maison, enveloppé dans une canadienne, les pieds enfouis dans des bottes de trappeur. Audrey déchaussa ses skis et courut vers lui, sautant dans ses bras au risque de le faire tomber.

— C'est mon père! dit-elle avec une solennité qui, n'était son âge, aurait pu paraître affectée. Oui, ajouta-t-elle, et c'est le plus grand chef d'orchestre du monde! Vous le saviez?

— Nous nous en doutions, répondit Félicité, mais il est bon aussi que tu nous le confirmes.

252

Audrey n'allait pas à l'école. C'était une idée de John. Il rêvait d'une enfant qui n'appartiendrait qu'à eux, qui parlerait leur langage et non celui atrophié, réduit à trois cents mots imposés comme le plus petit commun dénominateur, par la vie avec d'autres enfants. Une institutrice passait deux fois par semaine, corrigeait les devoirs, en laissait d'autres. À huit ans, Audrey disait des choses qui n'étaient ni d'une adulte, ni d'une enfant, dans le genre : « Hier soir, nous avons eu un des plus beaux crépuscules du monde. » Aucune moquerie n'avait étouffé sa personnalité bien qu'elle n'eût rien d'une guenon savante. Le fait qu'avec la même aisance elle parlât deux langues — le français de sa mère, l'anglais de son père — avait développé en elle un goût irrésistible pour le jeu des mots et leurs assonances, ou de douces comparaisons qui inquiétaient : cette source si l'on s'en émerveillait devant elle, ne risquait-on pas de la tarir ?

Dès qu'ils furent installés dans le salon où Laura déposa sur la table basse devant le feu de bois un plateau de thé et de pain grillé, Audrey, éclipsée un instant, réapparut en robe de satin bleu, chaussettes blanches et souliers vernis. Pour qui s'était-elle habillée si vite, avec tant de soins ? On le sut tout de suite : pour Stanislas à côté de qui elle s'assit, veillant à ce qu'il ne manquât de rien. L'amour était né, et cet amour est le sujet d'*Audrey*[1], roman dans lequel Stanislas s'est peint sous les traits de Maximilien von Arelle. Mais, en 1939, nous sommes encore loin de cette évocation mélancolique d'un homme de cinquante ans qui s'accroche à un souvenir, et Audrey est une enfant et ne sait pas voiler ses sentiments. Plus âgée, à Stockwood, elle aurait détesté Félicité. Elle se contenta de l'ignorer inconsciemment au point que, la nuit venue, disant bonsoir à tout le monde, elle oublia d'embrasser Félicité, que Laura dut le lui rappeler et qu'elle revint confuse de s'être si bien trahie. Sans doute sut-elle par la suite ménager Félicité avec une rouerie féminine qui étonnait par sa précocité mais ne trompait personne.

Dans *Audrey* le premier séjour à Stockwood est décrit à peu près comme je viens de le résumer. Stanislas ne daigna pas embellir l'histoire de cette passion naissante. Elle était assez troublante en soi pour ne pas souffrir d'altération. L'apparition d'une enfant douée de grâce est un moment magique dans la vie et l'œuvre d'un écrivain. Un souffle passe, purifiant l'air qu'il respirait. Après *Cryptogramme* qui charriait les miasmes d'une âme inquiète et s'accusant à plaisir de noirceurs plus imaginaires que réelles, Stanislas avait besoin de retrouver des sentiments dépouillés d'artifices. Il est possible que sans l'amour illuminé de cette enfant de huit ans, son œuvre se fût perdue dans

1. *Audrey*, éditions Saeta, 1960.

un facile et plaisant cynisme. Audrey rendit à Stanislas l'inestimable service de lui rappeler que l'amour est aussi cet oubli total des calculs, cet irrésistible élan vers un être dont la venue transforme l'existence au point que chaque instant, chaque geste s'imprègnent de ce double qu'on ne distingue plus de soi.

L'amour fou d'Audrey émut Stanislas au-delà de ce qu'il aurait pu imaginer, et il s'angoissait de ne pouvoir y répondre avec la même générosité passionnée. À table sous sa serviette, sous sa porte au réveil, dans la poche de son manteau, il trouvait des enveloppes fermées sur le dos desquelles on lisait : S.W.A.L.K.[1] contenant ces poèmes charmants qu'il a reproduits dans *Audrey*, tantôt en anglais, tantôt en français. Elle n'y faisait pas allusion à ses sentiments, mais l'invitait à partager la griserie d'une descente à tombeau ouvert dans la vallée, la mélancolie d'une promenade en barque sur les rives du Champlain où poussent des joncs si hauts qu'on se perd dans une forêt aquatique, l'allégresse d'une sonate de Scarlatti que son père lui faisait répéter au piano l'après-midi, dans le pavillon de musique. Ou bien, elle lui citait des vers de T.S. Eliot et de Frost qui, disait-elle, correspondaient si exactement à ses états d'âme qu'elle s'effaçait derrière ces deux poètes, consciente qu'elle ne dirait jamais mieux qu'eux.

1. Sealed with a loving kiss : cachetée avec un tendre baiser.

Elle fut brave le jour de leur départ, son beau visage crispé par l'effort pour retenir des larmes, les yeux brillants, les pommettes soudain intensément rouges mais quand il se pencha pour l'embrasser, elle serra ses bras autour du cou de Stanislas avec un tel désespoir qu'il s'agenouilla pour lui murmurer dans l'oreille : « Je ne t'oublierai pas et je reviendrai. » Elle s'enfuit en courant, et ils ne l'aperçurent plus, de la voiture, que derrière la fenêtre de sa chambre, le front collé à la vitre.

Il ne l'oublia pas et revint, l'année suivante, en 1940. Si invraisemblable que cela paraisse, à neuf ans Audrey avait déjà mûri ce singulier amour né d'un premier regard comme si après un moment de révolte contre une situation impossible — son âge d'abord, Félicité ensuite — elle se résignait à n'exiger rien, à ne cueillir que ce qu'on voulait bien lui offrir, mais l'intense lumière de ses yeux bleus quand elle observait Stanislas, des accès soudain de mélancolie, et, parfois, l'affectation d'une fièvre rosissait ses joues, rappelaient à qui l'aurait oublié, que le feu couvait, couverait encore longtemps.

Les pages d'*Audrey* qui racontent, sous le masque du roman, cette passion d'une enfant pour un homme de plus de trente ans et le respect de celui-ci pour ce sentiment si fragile qu'un rien risque de le briser et de heurter à jamais une jeune âme sont parmi les plus belles d'un livre inspiré par un amour remémoré dans ses infimes détails. Un homme, Maximilien von Arelle, tente de sauver dans son passé ce qu'il a éprouvé d'unique, ce qu'il n'a pas résisté au désir d'accomplir au risque d'altérer la perfection d'un souvenir. Lentement, scène par scène — ou plutôt il faudrait dire croquis par croquis — on voit, au fil des années, Audrey muer, changer de visage et de corps sans que faiblisse sa passion.

Dans la réalité, elle eut quinze ans lorsque Stanislas repartit pour l'Europe, en 1946. Au cours de cet exil, les liens s'étaient resserrés avec John et Laura Inglesey. Stanislas et Félicité séjournaient longuement à Stockwood et se rendaient à Washington, Los Angeles, Philadelphie et San Francisco où John donnait des séries de concerts, mais c'est à Stockwood qu'ils s'étaient vus le mieux et c'est là que Stanislas avait commencé d'écrire *Crois-moi* après plusieurs essais infructueux dans leur appartement de la Cinquième Avenue.

Le soir de 1970, à Londres où nous avions Stanislas et moi fouillé dans les tiroirs et retrouvé les photos de Nathalie et de Vladimir, le manuscrit de *Crois-moi* apparut dans un dossier de toile serré par un ruban rose. Stanislas défit le ruban et l'enroula autour de son index.

— Audrey m'a donné ce ruban quand j'ai terminé le dernier chapitre. C'est un très curieux manuscrit pour qui s'intéresse au graphisme des écrivains. Je souffre d'une mauvaise écriture, à peine lisible. À New York, dès la fin de 1940, j'avais commencé vingt ébauches du premier chapitre. Impossible. Ça ne dépassait pas la dixième page et c'est à peine si j'arrivais à relire mes hiéroglyphes. Je me suis cru fini. Puis nous avons passé Noël à Stockwood et Audrey m'a demandé avec une feinte innocence ce que je faisais dans la vie puisque je ne peignais pas et ne jouais pas du piano. La question est d'ailleurs tout à fait normale étant donné qu'elle m'aimait. J'ai sottement répondu que *j'avais été* un écrivain, mais que, déraciné de France, ayant perdu mon meilleur, mon seul ami à la guerre, vivant dans un appartement loué dont je ne connaissais pas personnellement les meubles, luttant le jour contre l'invasion de la langue anglaise dans ma tête, je ne me sentais plus capable de rien. Alors Audrey a décidé que je ne partirais pas de Stockwood avant d'avoir commencé un livre. Laura m'a dressé une table dans la pièce attenante à son atelier. Assis sur ma chaise devant les feuillets blancs, j'apercevais, en levant les yeux, la vallée enneigée. Les jours ensoleillés, la forêt de grands sapins scintillait de mille lumières dorées et la neige bleuissait, mais quand le soleil se cachait derrière des nuages, la vue ne dépassait pas cent mètres et nous semblions isolés du monde, au centre d'une gigantesque balle de coton gris qui étouffait les bruits. Un peu plus bas,

258

la cheminée d'une maisonnette en bois filait dans l'air immobile une fumée qui dessinait des cercles mous animés de contorsions comme d'étranges méduses aériennes. La maisonnette appartenait à un chasseur. Le matin, il chaussait des raquettes, sifflait son chien, un husky sibérien argenté, et, le fusil à la bretelle, s'enfonçait dans la forêt. Ou bien, je voyais Audrey emmitouflée de laine bleue ou rouge, attendre, ses skis sur l'épaule, le passage d'une voiture à chenilles grimpant vers le col, et l'instant d'après, un bolide lilliputien, rouge ou bleu, zigzaguait entre les sapins et s'arrêtait pile devant ma fenêtre. Audrey écrasait son nez en grimaçant contre la vitre. J'ai commencé de travailler avec plus de sérénité. Mon écriture, apaisée, était lisible et même si soignée qu'Audrey, se glissant dans le bureau, malgré les interdictions de sa mère, pouvait lire par-dessus mon épaule. Si je feignais de me fâcher, elle s'installait à la turque sur un sofa de reps et je sentais, dans ma nuque, le fluide d'un regard perçant qui me contraignait à ne pas lâcher une page avant de l'avoir terminée. J'ai écrit ce livre sous sa dictée muette, je dirais presque sa censure, et lorsqu'il a paru, Edmund Wilson ne s'est pas trompé : c'est un conte de fées pour la petite fille à qui je l'ai dédié. Après Noël, quand nous avons regagné New York, j'avais rédigé une trentaine de pages, distance après laquelle un écrivain est à peu près assuré de continuer, mais, à peine de retour, je ressentis la même inhibition. La ville m'écrasait, me dévorait. Je ne supportais plus la présence de Félicité quand je travaillais et il m'est arrivé, à ces moments-là, de lui dire les seules choses désagréables que je lui ai dites dans ma vie. Il serait exagéré de prétendre qu'elle les prit bien. En février 1941, je retournai seul à Stockwood. John était en Amérique du Sud et je me retrouvai entre Laura et Audrey. Je n'ai pas parlé beaucoup de Laura dans *Audrey* parce qu'elle est sans histoire. John l'avait connue à Paris, épousée et emmenée en Amérique. Elle était de ces plantes qui s'accommodent de tout : le froid, le chaud, la nuit, le jour, les tropiques, le pôle. La vie la portait. Dépourvue de coquetterie, elle vivait pour Audrey, John et sa peinture. On imaginait très bien qu'enfant elle avait eu la blondeur poétique de sa fille, mais les années (trente à peine) avaient foncé ses cheveux, et des lunettes — que John passait son temps à lui interdire en vain — voilaient le bleu de ses yeux. En somme il s'agissait d'une de ces rares créatures auprès desquelles un homme trouve la paix. Troubler cette paix aurait d'ailleurs été impossible. Audrey veillait, et puis... il faut dire la vérité : je n'y pensais pas. Je ne pensais qu'à mon *Crois-moi* qui prit vraiment forme en février et mars 1941. Une tempête de neige nous isola. Il n'y eut plus ni téléphone, ni électricité, ni chauffage. Pendant cinq jours, nous vécûmes tous les trois dans le salon, devant un grand feu de bois, couchant sous des piles de couvertures, éclairés par des lampes à pétrole, grillant des steaks de viande d'ours sur les braises. La viande d'ours était un cadeau du chasseur dans la maisonnette de bois en dessous de celle des Inglesey. Où avait-il tué son ours ? Je ne crois pas que c'était dans les environs, mais plus loin, dans les forêts en bordure de la frontière canadienne. Toujours est-il que nous avions de cette viande qui, bien marinée, est très acceptable. Une sorte d'apathie nous paralysa dès le deuxième jour. Le monde nous oubliait. Au réveil, feu éteint, la grande pièce était enserrée dans la glace qui couvrait ses baies. Une lumière décomposée par les cristaux de neige nous donnait l'impression de vivre dans un aquarium de corail. Quand je rallumais le feu, les vitres dégelaient et, vus à travers l'eau qui ruisselait, les grands sapins se contorsionnaient en lisière de forêt, avançaient, reculaient, disparaissaient soudain pour réapparaître figés, menaçants gardiens de la vallée. Nous comptions au fur et à mesure que la vue se dégageait les branches brisées par le poids de la neige. La solitude nous engourdissait lentement et nous parlions peu. La nuit, Audrey qui dormait entre nous sur l'amas de coussins entassés devant la cheminée agrippait ma main et ne la lâchait pas, même au plus profond de son sommeil. Elle était là, indéfectiblement attachée, mon inspiratrice, mon censeur tandis que je rêvassais à *Crois-moi* qui au cours de ces cinq nuits — nuits sensibilisées par les souffrances de la maison oppressée par la neige et le froid, et dont les murs, les poutres, le toit, les huis-series craquaient comme de vieux os d'arthritique au point que je m'attendais à voir se volatiliser soudain notre abri, nous laissant en plein air, sous nos couvertures, lentement recouverts par les flocons voletant dans l'air glacé — oui, je rêvassais à *Crois-moi* qui acheva de se dessiner dans ma tête au point qu'après la tempête, quand l'électricité et le téléphone revinrent, il ne fallut pas plus de deux semaines pour le terminer. Jamais, après tant d'hésitations initiales, je n'ai écrit un livre aussi vite, avec allégresse et plaisir. Quand je l'ai relu, vingt ans après, j'en ai vu les faiblesses, la hâte, d'ailleurs assez joyeuse, mais aussi, derrière chaque page, je retrouvais le visage radieux d'Audrey, ses froncements de sourcils quand elle ne ʿcomprenait pas une page lue par-dessus mon épaule, son explosion de joie quand, entrant sur la pointe des pieds, elle me vit écrire puérilement en ronde bien moulée le mot FIN. C'est à cette minute que, dénouant ses cheveux, elle m'offrit le ruban rose...

Je le rappelle : ce long monologue rapporté aussi fidèlement que possible, date du soir de 1970 où, dans la maison de Chelsea, nous inventorions le contenu de tiroirs délaissés. Aidé de photos, de coupures de journaux, d'un ruban rose défraîchi, le passé resurgissait par bribes et il me semble que Stanislas aimait ce jeu qui mêlait les souvenirs réels et les romans qu'ils avaient inspirés au point que, des années après, il ne savait plus toujours où se trouvait la vérité.

Passons sur *Crois-moi* qui est une jolie histoire rapidement racontée, d'une inspiration totalement opposée à celle de *Cryptogramme* comme si Stanislas, regrettant une vaine leçon de cruauté amoureuse, avait voulu effacer ce cynique mouvement d'humeur. *Crois-moi* est un plaisant marivaudage entre un Français et une Américaine qui se rencontrent sur le *Normandie*, au départ du Havre. Attirés aussitôt l'un par l'autre, ils ne se quittent pas pendant quatre jours. De quoi peut-on parler quand on parcourt un pont-promenade, main dans la main, environ quatre cents fois ? N'ayant pas d'amis communs de qui médire, ils sont amenés à se raconter leur vie et c'est presque un hasard si ces deux êtres qui ne se connaissaient pas la veille commencent par un léger mensonge le récit complaisant de leurs passés. Il est fatal que ces deux légers mensonges en entraînent une cascade d'autres, et le Français et l'Américaine que tout devrait réunir se trouvent absurdement séparés par la vertigineuse mythomanie qui s'empare d'eux. Ils se sont situés, par jeu d'abord, puis par la logique implacable du mensonge, dans deux mondes inconciliables. Arrivés à New York, ils n'ont pas d'autre issue que de se séparer ou de s'avouer qu'ils ont déliré pour s'éblouir mutuellement et n'avaient nul besoin de cela pour s'aimer. Ils choisissent par amour-propre de se séparer.

Le roman ne rencontra qu'un succès d'estime, en 1943 dans sa traduction américaine et n'attira pas l'attention lorsqu'il parut en 1947 en France, mais, comme cela arrive souvent, vingt ans après, en 1967, un librettiste américain en tira une comédie musicale qui s'est jouée cinq ans à Broadway avant de faire le tour du monde. La comédie musicale est plus connue que le roman dont la fin a été modifiée : les deux héros s'avouent leurs mensonges et se marient. On a vu que *Les Temps heureux (Singtime)* paru à New York en 1944 fut mieux accueilli et connut, après le film, un succès international. Curieusement, ces deux livres publiés aux États-Unis sont les seuls à avoir été adaptés au cinéma et à la scène.

En contrepoint de *Crois-moi* s'inscrit la genèse d'*Audrey* qui ne parut qu'en 1960.

— C'est étrange, me disait Stanislas, j'ai peiné sur tous mes livres, sauf sur deux : *Crois-moi* et *Audrey*. Ils m'ont été littéralement dictés par Audrey. Le premier par la petite fille aux yeux bleus et aux cheveux blonds, le second par son double, son agrandissement, la jeune fille qui débarqua à Paris au début des années 50 après la mort dramatique de ses parents. Les deux manuscrits ont la même écriture : calme, sans ratures, tout à fait à l'opposé de mes autres manuscrits ignoblement couverts de gribouillages marginaux, de becquets, de repentirs en forme d'additifs, souillés par des trombones rouillés, croisés de papier collant pour réparer les pages déchirées et reprises dans la corbeille après réflexion. *Audrey* est un manuscrit propre à cela près que tu y verras, barrés de grands coups de crayon rouge, les passages qu'une fois le roman achevé j'ai décidé de ne pas publier. Ces passages étaient ceux auxquels je tenais le plus : des extraits du seul journal intime que j'aie jamais tenu de ma vie. Ensuite, j'ai brûlé ce journal pour ne pas être tenté de le relire. Les pages recopiées dans le roman ont échappé au feu. Je les ai finalement supprimées parce que d'une part elles me paraissaient assez complaisantes et que, d'autre part, elles rompaient le rythme du récit. Tu pourras les lire puisque je te donne ces deux manuscrits. Si un jour tu en as envie, tu les publieras, mais attends que je ne sois plus en mesure de les revoir...

*Audrey* reprend ce qui a été dit plus haut sur le séjour à Stockwood et la tempête qui isola la maison pendant cinq jours. Le héros s'appelle Maximilien von Arelle. Il est originaire d'Europe centrale, Autrichien au mieux, Sudète au pire. Quand il parle français, il a un léger accent anglais, anglais un accent allemand, allemand un accent français. Il vit bien, mais on ne sait pas de quoi. Si on l'interroge, il répond :

« Je suis dans les affaires. En d'autres termes, je devrais plutôt dire que je suis un escroc. »

En fait, ce n'est pas vrai mais son personnage est tout entier dans cette provocation. Rien ne l'agace plus que la curiosité qu'il excite, et, par moments, on croirait qu'il excite vicieusement cette curiosité. Il aimerait passer inaperçu et c'est impossible : il bute constamment contre des gens qui prétendent le connaître. Il se défend à coups d'insolence de la société dans laquelle il vit. Alors pourquoi y vit-il ?

« Par lâcheté, dit-il, et parce que l'autre société est encore plus ennuyeuse. »

Il aime bien qu'on lui rapporte les insanités qui se débitent sur son compte. Pour les uns il est milliardaire et avare. Pour les autres pique-assiette et généreux. Un rien de trop dans le raffinement de sa toilette l'a parfois fait prendre pour un homosexuel, ce qui l'enchante :

« Idéal ! Les maris rassurés me font confiance. Je sors leurs femmes pendant qu'ils couchent avec leurs secrétaires. Ils nous croient au concert, visitant des musées ou des demeures historiques alors que nous sommes au lit. Le soin avec lequel je rhabille ces dames, les maquille, les coiffe et les ramène chez elles, propres, sans un pli à leur jupe, avec tous leurs sous-vêtements, sans exception, me fait une excellente réputation. »

Maximilien a beaucoup de femmes dans sa vie, c'est-à-dire qu'il n'y en aura pas une, et d'ailleurs il n'y a rien qu'il aime autant que d'être seul. Il disparaît pendant deux mois : les commentaires vont bon train et, quand il réapparaît, on apprend — non par lui qui ne parle de lui-même qu'avec une dérision parfaite, mais par hasard car tout se sait — qu'il a passé deux mois dans un monastère du Mont-Athos ou à Solesmes, à moins qu'il ne se soit confiné dans la bibliothèque d'un château ami pour y étudier d'après des documents inédits la bataille de Waterloo, la peste à Londres au XVIIᵉ siècle ou la prise de Jérusalem par les Croisés. Oui, c'est un passionné d'histoire et sa seule faiblesse quand on profère, devant lui, une imbécillité historique est de prendre la parole pour rétablir la vérité.

Son âge reste indéfinissable, mais on peut quand même estimer qu'il a vu le jour au début du siècle, c'est-à-dire qu'en 1939, lorsqu'il se lie avec John Inglesey, il n'a pas encore quarante ans. Il en aura cinquante lorsque Audrey, après la mort de ses parents, débarquera en France. Les femmes disent qu'à cinquante ans Maximilien est bien plus beau que dans sa jeunesse, avec ses cheveux gris blond ondulés sur les tempes, son nez qui a forci, les rides blanches dans le teint cuivré aux commissures des yeux. Naturellement, les hommes ne lui trouvent aucune séduction. Le succès de Maximilien auprès des femmes est quelque chose qui leur passe tout à fait au-dessus de la tête. Il est vrai qu'il dispose d'un atout formidable : le temps. Aux femmes, il consacre le temps qu'il faut, alors que ses rivaux en sont avares ou n'y pensent pas. À peine deux ou trois intimes savent que cet oisif est un gros travailleur qui a poussé jusqu'au raffinement une méthode effaçant le travail. Dans le bureau où, à l'aide de trois téléphones et d'un télex, il dirige des opérations de change dans le monde entier, pas une minute ne se perd. En revanche, Maximilien est capable d'attendre une heure une femme qui essaie un chapeau, une robe, ou se fait coiffer par son merlan favori auquel elle raconte sa vie et demande un conseil sur son amant qui menace de la quitter ou pour son mari qui se présente à la députation dans une circonscription auvergnate. Cette disponibilité d'un homme est grisante et il y a des dîners où Maximilien s'étonne d'avoir embrassé — au sens fort du mot — les trois ou quatre ou cinq jolies femmes qui ornent la soirée.

Quand Audrey arrive à Paris, armée de sa foi innocente en l'homme qu'elle aime depuis l'enfance, Maximilien est au fort d'une liaison orageuse dont, pour la première fois de sa vie, il a perdu la maîtrise. Mme de C. le veut à elle seule, comme elle veut à elle seule son mari. Elle ignore la mesure et les sentiments distingués. Maximilien doit lutter à chaque instant pour conserver sa liberté et, en même temps, il ne se résout pas à rompre. Le léger désordre qui s'ensuit est difficile à masquer. Audrey qui espérait du sublime tombe dans ce qu'elle croit être du sordide et qui est simplement une situation des plus ordinaires. Qu'on imagine cette belle jeune fille débarquant en France, d'une ingénuité désarmante, élevée dans le coton neigeux de Stockwood entre un père passionné de musique romantique, une mère qui s'est réfugiée dans un univers de paysages naïfs et de personnages de contes de fées, une institutrice qui n'apportait du monde extérieur que l'abstraction mathématique ou des formules chimiques vides de sens, qu'on imagine cette belle jeune fille découvrant que l'objet de ses amours enfantines, puis adolescentes, est aux prises avec une autre femme dont, avec une maladresse inaccoutumée, il ne sait pas se débarrasser pour l'accueillir, elle l'immaculée, et on comprendra que la blessure soit profonde et triste. Mais il y a dans cette âme d'étonnantes ressources de hauteur et de dignité. La révélation du monde inouï qui entourait Stockwood où elle avait été si longtemps confinée, sans effacer la déception — si grande qu'elle paraissait même irréelle, impossible — cette révélation préserve Audrey du désespoir. Il y a aussi en elle une farouche énergie, un mépris absolu du temps, et elle s'installe à Paris dans un grand atelier du quai Anatole-France. Elle achète un piano, prend des leçons d'un professeur du Conservatoire. Il serait exagéré de dire qu'elle est une virtuose, mais elle a hérité le don si personnel de son père, une approche généreuse de la musique italienne des xvii^e et xviii^e siècles, et un doigté si léger que ses mains semblent dessiner des arabesques au-dessus du clavier sans le toucher. En dehors des leçons et de ses exercices, elle ne joue que pour des amis, un petit groupe d'Américains et d'Américaines qui feignent de poursuivre des études à Paris et, en vérité, rêvent tous de composer de la musique, de peindre ou d'écrire. Ils se sont inventé une revue, la *Paris-Review* qui publie leurs premiers essais.

C'est lors de ces soirées prolongées jusqu'à l'aube par une soupe à l'oignon aux Halles, que Maximilien découvre vraiment Audrey. Jusque-là, elle a été un jeu attendrissant et gracieux, mais dans son atelier, tout d'un coup, son personnage s'éclaire d'une mystérieuse lumière intérieure. La pièce est plongée dans la pénombre et les jeunes gens se vautrent sur des sofas ou s'asseyent par terre sur des coussins. Le profil d'Audrey penchée vers le clavier est dessiné en taches cireuses par la lueur des bougies dans les chandeliers du piano. Le clair-obscur idéalise le beau visage fin aux longs cheveux blonds. Elle s'habille de robes arabes ou indiennes aux manches flottantes serrées au poignet. Son front est ceint d'un bandeau noir. Quand elle joue, personne ne bouge, les regards sont tournés vers elle, mais, après le dernier accord, la nuit de l'atelier s'anime. D'autres bougies s'allument, fixées dans le goulot de fiasques de chianti. On boit du vin rouge dans d'épais verres verts et on mange du camembert sur des biscottes. Il y a toujours une ou deux filles qui ressemblent à Zelda Fitzgerald, mais les garçons ont plutôt choisi de ressembler à Bill Cody : longues moustaches tombantes et lourdes chevelures. Dans ce Paris des années 50, c'est une petite société fermée qui n'admet guère de Français pour ne pas dire pas du tout. Maximilien y est toléré par respect pour Audrey, mais il s'en moque : il est là pour découvrir cette jeune fille magique, venue de son froid Vermont, et s'il ne sait pas encore qu'il l'aimera, il sent monter en lui un sentiment étrange et désespérant. Sa vie cynique et légère lui apparaît dans sa vanité, et il se méprise d'être si faible devant Mme de C. dont il ne peut se détacher parce qu'elle lui donne, au lit, un plaisir qu'il n'a jamais connu aussi violent. Quand Audrey joue dans la pénombre de son atelier, Maximilien se croit délivré. Il voudrait qu'elle ne s'arrête jamais, qu'il n'y ait pas, ensuite, ces conversations décousues où il est malhabile parce qu'il n'a pas leur jeunesse. Dans un effort qui l'étonne lui-même, il se précipite sur les livres dont ils ont parlé, sur ces auteurs qu'ils évoquent comme des mots de passe, Carson McCullers ou Mary McCarthy, mais à peine a-t-il lu *Le cœur est un chasseur solitaire* et *La Vie d'artiste* que le petit groupe est déjà saisi d'autres admirations. Ce qui manque à Maximilien c'est le flair pour précéder ces jeunes esthètes et quand il croit avoir découvert avant eux un romancier, un poète, un dramaturge ou un compositeur, on l'écoute avec une patience si polie qu'il voit son erreur : il a parlé d'un feu de paille, il n'est pas dans le ton.

Depuis qu'Audrey a compris que Maximilien n'est pas libre, elle s'arrange, sans le fuir, pour ne jamais être seule avec lui. Elle interpose entre eux ces jeunes hommes et ces jeunes filles qui manient avec une désinvolte aisance des noms, des idées, des séjours dans les universités suisses ou italiennes, des souvenirs de concert à Aix, à l'Albert Hall, à Glynburn, à Rome, à Salzbourg ou à Bayreuth dont ils sont tous revenus fous, envoûtés par Furtwangler qui a dirigé la Neuvième Symphonie et par Wieland Wagner qui a mis en scène le *Ring*. Plusieurs d'entre eux sont des élèves de Nadia Boulanger qui a ouvert un conservatoire pour les jeunes Américains à Fontainebleau. Certes, Maximilien a toujours aimé la musique, mais en amateur distingué, et cette avalanche de noms, de références, ces appréciations de chanteurs et de virtuoses le laissent un peu en arrière de la main. Sa vie bascule : il s'aperçoit qu'il s'est défendu des émotions avec des sarcasmes alors qu'il aurait dû s'y livrer sans retenue. Assis par terre dans la nuit de l'atelier, il voit les mains blanches d'Audrey réinventer une sonate de Domenico Scarlatti ou une pièce de Lulli et il a peur d'être passé à côté de tout. Mais il y a toujours Mme de C. dont l'emprise reste aussi forte dès qu'il s'éloigne d'Audrey et enfin les amis qui ont élu la jeune fille pour reine lui font mesurer son âge : cinquante ans. Il a même la sottise de croire que ces hommes de vingt ou vingt-cinq ans sont plus séduisants que lui. Une seule solution s'impose : s'arracher à Mme de C. Il faut fuir. C'est atroce parce que c'est aussi quitter Audrey. Au XIX$^e$ siècle, pour guérir leurs passions malheureuses, les héros de roman provoquent en duel un bretteur, offrent leur épée aux insurgés grecs ou partent pour l'Italie explorer le Vésuve et l'Etna. Maximilien choisit de partir pour New York. Il pourrait s'y noyer dans l'alcool ou les plaisirs, mais il choisit le travail avec une application, une frénésie qu'on ne lui a jamais connues. Quand il revient en France, six mois après, Mme de C. est exorcisée et il se demande même comment il a pu s'enchaîner pendant un an à une femme qui l'a oublié dès qu'il a eu le dos tourné. Maximilien téléphone à Audrey. Une voix masculine, encore embrumée de sommeil, lui répond en anglais :

« Pardonnez-moi, nous nous sommes couchés si tard... Je n'ai pas compris votre nom.

— Maximilien von Arelle.

— Oh Maximilien ! Bien sûr. C'est Johnny... Vous voulez parler à ma femme ?

— Je veux parler à Audrey.

— Audrey dort encore. Où peut-elle vous rappeler ? »

Maximilien ne répond pas et pose l'écouteur. Il

y a ainsi des jours où rien ne va. Ce matin il s'est coupé la lèvre en se rasant, brûlé un doigt en grillant un toast et a dû boire un café noir parce qu'il n'y avait pas de thé dans sa cuisine. Enfin, il ne sait plus qui est Johnny : le blond aux cheveux crépus ou le grand maigre qui se ronge les ongles ? Il les a vus cent fois, a parlé à tous et à aucun. Les uns ont été méprisants, les autres respectueux de son âge, ce qui l'agaçait encore plus. Lequel était Johnny ? Il essaie de poser sur cette voix des visages comme des séries de masques et ne trouve pas non plus celui qui a pu être assez proche d'Audrey pour l'épouser, à moins qu'elle n'en ait pris un au hasard. Maximilien apprend à être malheureux. Il a perdu volontairement Mme de C. ce qui est une délivrance pour un homme épris de liberté, mais le voilà encore plus prisonnier qu'avant, investi entièrement par cette petite personne blonde qu'il sait maintenant être une femme. Il croit d'abord qu'Audrey refusera de le voir. Bien au contraire, c'est elle qui le rappelle à son bureau et lui fixe un rendez-vous au Café de Flore. Quand elle pousse la porte, il ne la reconnaît pas tout de suite. En quelques heures de détresse, il a eu le temps de se forger intérieurement un nouveau portrait d'elle. Maximilien déteste à ce point le mariage qu'il a imaginé Audrey déjà enceinte, des cernes sous les yeux, négligée, ayant perdu toute coquetterie, ses cheveux coupés, mais l'Audrey qui entre dans le Café de Flore et se tient, un instant immobile devant la porte pour le chercher des yeux, cette Audrey est la copie conforme de celle qu'il a quittée, la jeune fille de Stockwood. Rien n'a altéré sa beauté, sa grâce et un don qu'elle conserve de son enfance privilégiée : la transparence. Étonné, il reste assis, sans même lui indiquer, en levant le bras, l'endroit où il l'attend depuis une demi-heure car il est arrivé en avance pour calmer — en vain — sa fébrilité. Comme Audrey est légèrement myope, elle met un moment à le repérer, mais, dès qu'elle l'a aperçu, son visage s'éclaire de cette même joie enfantine qu'il goûtait tant à Stockwood. Quand elle s'assied à côté de lui, Maximilien est au comble du désespoir : il s'aperçoit que, pour la première fois de sa vie, il aime. Il a connu des passions dont il savait les vraies raisons, mais cette espèce de peur, jamais. Les lèvres d'Audrey sur sa joue le tirent de sa rêveuse inertie. La réserve qu'elle lui a montrée quand, à Paris, elle a découvert qu'il n'était pas libre, semble avoir fondu. Il la retrouve telle qu'on pouvait l'imaginer, arrivant de Stockwood, encore animée de cet irrésistible élan qu'elle lui portait enfant. Le cœur de Maximilien s'emplit de joie. Ce mariage est peut-être un cauchemar et il faut se réveiller, ouvrir les yeux à la réalité : la salle du Flore avec ses banquettes marron, ses tables vernies, ses tubulures de cuivre, Paul Boubal accoudé à la caisse régnant sur ses habitués et le ballet des garçons en veste blanche, Pascal, le plus célèbre d'entre eux, son grand crâne jaune souligné par deux barres de sourcils noirs. L'atmosphère est enfumée et comme il a plu dehors, les vêtements de beaucoup de consommateurs dégagent une odeur de laine humide. À côté d'eux, un jeune homme dont la main droite s'orne d'une améthyste écrit dans un cahier quadrillé, s'arrête, lève un regard absent, et porte à sa bouche un sandwich : baguette et jambon cru. Il en est à son cinquième café. Malgré les rideaux de dentelle qui masquent le spectacle de la terrasse et du boulevard Saint-Germain, on devine la silhouette lente des voitures qui roulent sur la chaussée glissante, et quand la porte vitrée s'ouvre, les gens qui entrent s'ébrouent comme des chiens mouillés. Alors, Maximilien comprend qu'il y a une invraisemblance dans la présence d'Audrey à ses côtés : son visage n'est pas luisant de pluie, le manteau qu'il l'aide à retirer est sec, et pourtant elle n'a même pas de parapluie. D'où vient cette irréelle personne sur qui l'eau glisse sans la mouiller comme sur les feuilles de géranium ? Mais elle n'est pas irréelle, elle a une voix et ses mains aux ongles courts reposent à plat sur la table :

« J'ai eu de la chance : Johnny m'a déposée juste devant la porte. »

Maximilien sourit, rassuré. Il n'y a pas de magie dans cette apparition et maintenant il faut savoir :

« Il sait que tu avais rendez-vous avec moi ?

— Bien sûr. Il voulait m'attendre. Je lui ai dit

que non, que tu m'emmèneras dîner et peut-être au cinéma ensuite et même prendre un verre dans un de ces endroits où tu aimes traîner la nuit, vieux cavaleur qui a peur de dormir seul.

— Audrey, tu es mariée?

— Oui.

— Tu aimes Johnny?

— Et toi, tu aimes toujours Mme de C.?

— Non.

— Ouf! Il était temps!

— Tu veux dire qu'il est trop tard.

— Comment trop tard? Est-ce que je n'ai pas dit à Stockwood que je t'aimerai toujours?

— Même en épousant Johnny?

— Oh, Johnny est parfait : il est bon, généreux, sans arrière-pensée et comme moi il aime la musique. »

Maximilien hésite à poser la question qui le torture depuis la seconde où il l'a vue entrer dans la salle du Flore. Il a peur de la réponse et, en même temps, il sait qu'il vivra dans l'angoisse s'il n'ose pas.

« Et tu fais l'amour avec Johnny?

— Oh non, mais c'est mon mari et je dois dormir avec lui. »

Et puis comme elle s'aperçoit qu'il est profondément troublé, pâle, la gorge serrée, et vient de commander au garçon deux doubles whiskies rien que pour se débarrasser de cette présence étrangère, oubliant que ni l'un ni l'autre ne boit de whisky, Audrey corrige son « Je dois... » de quelques mots qui éclairent soudain sa nouvelle vie, expliquent comment elle a conservé sa radieuse « transparence » de jeune fille élevée dans une serre. Sans un mot gênant, elle raconte que Johnny — le préféré de ses amis lors des soirées musicales dans l'atelier — est, par suite d'une blessure de guerre, incapable de faire l'amour. La nuit, il l'endort dans ses bras. Maximilien se jette à l'eau avec une violence dont il ne se serait pas cru capable.

— Tu veux dire qu'il n'a pas pénétré dans toi ?

Ces mots à peine dits, il en regrette l'atroce crudité tant le visage d'Audrey est angélique, mais elle ne rougit pas et semble trouver parfaitement naturelle la question de Maximilien.

— Non, le pauvre ne peut pas, mais il m'en a donné grande envie. Si tu n'étais pas revenu ces jours-ci, je crois que je cédais à Ronnie ou à James.

En même temps que l'envahit une joie qu'il sait devoir à tout prix ne pas montrer, Maximilien ne peut s'empêcher de penser que huit jours auparavant, alors qu'il aurait dû rester à New York encore quelques semaines, il a été saisi d'une irrésistible envie de retourner en Europe comme s'il pressentait le danger encouru par Audrey. Elle est là, à côté de lui, si présente qu'il en arrive à douter de la réalité. Par exemple, il aimerait qu'elle se parfume, mais c'est un détail qu'elle a toujours négligé, et Maximilien voudrait respirer sa peau parce qu'il est persuadé que ce corps si jeune et si blanc a une odeur à soi plus attirante que n'importe quel artifice. Elle porte un chandail avec un col en V ouvert sur sa poitrine et bien qu'elle néglige toute coquetterie il n'y a pas de doute que ce triangle de chair blanche cerné par de la laine noire est d'un érotisme si candide qu'aucun homme ne peut résister à l'envie de le toucher de l'index. Ce qu'il fait. Audrey sourit. Ce n'est pas le lieu, dit-elle. Ils ont attendu douze ans, ils attendront encore que la nuit finisse, et d'ailleurs elle voudrait qu'il l'emmène voir dans un petit cinéma du quartier Latin, un film de René Clair, *La Beauté du diable*, car, explique-t-elle, elle est une fanatique de René Clair dont elle a vu tous les films sauf celui-là qui manque à sa culture. N'est-elle pas venue à Paris pour se cultiver ? Elle veut tout voir, tout entendre, tout comprendre. Cette avidité, convient-elle, est très américaine, mais Audrey est américaine par son père et elle a toujours vécu là-bas, dans le Vermont, puis quelques mois à New York où sa curiosité s'est éveillée. En somme, elle cherche un mentor et elle voudrait que ce soit Maximilien. Johnny et ses amis sont de merveilleux bavards qui ne s'intéressent qu'à eux-mêmes, qui vivent en cercle fermé à Paris comme ils vivraient, sans en ressentir la moindre influence, dans une petite ville des États-Unis. Maximilien avoue son insuffisance : à part des livres d'histoire il lit peu, ne va au concert que pour accompagner une jolie amie, visite les expositions parce qu'il est sur la liste du Tout-Paris des vernissages et qu'une galerie, une salle de musée sont, le jour de l'ouverture, un agréable lieu de rencontre. Certes, il a beaucoup voyagé et a bien vu l'Italie, la Grèce, l'Espagne, le Portugal, la France, mais, pour être sincère, c'est parti d'un besoin de meubler des conversations creuses avec des gens qui l'assommaient en lui disant : « Comment ? Vous n'avez pas visité le Prado quand vous étiez à Madrid ? Comment ? Vous n'avez pas vu les Carpaccio à l'Accademia ? Comment ? Vous avez pu, avant la guerre, aller à Leningrad sans vous ruer au musée de l'Ermitage ? »

— Audrey, je ferai tout ce que tu voudras, j'irai avec toi au musée, au concert, à Vézelay, au Mont-Saint-Michel, nous nous promènerons derrière un beefeater dans la Tour de Londres, mais tu me promets, tu me jures sur l'honneur que si devant nous un jour le soleil se couche sur la mer rougie, tu ne diras pas : "C'est ravissant !" et que d'ailleurs tu ne le diras jamais à propos de quoi que ce soit.

— Je le jure !

— Alors allons voir *La Beauté du diable* qui n'est pas la tienne parce que toi, tu es la beauté de l'ange.

— Même quand je serai déchue ? Après le péché.

— Tu ne seras pas déchue. Je ne te toucherai pas.

— Oh, si! Je t'en prie. Je t'attends depuis l'âge de huit ans. »

Il faudrait une singulière force d'âme pour résister. Cette nuit-là, après être restée jusqu'à deux heures du matin dans la cave du club Saint-Germain, Audrey suit Maximilien chez lui et ce qu'elle attend depuis douze ans, avec une ingénuité qui s'est quand même émoussée depuis qu'elle vit à Paris au milieu de sa bande, se réalise enfin. Les femmes qui aiment au point de se faire aimer façonnent à volonté leurs amants. Dans les mains inexpérimentées d'Audrey, Maximilien, bien qu'atteint par la cinquantaine, redevient un jeune homme. Il l'espère avec des battements de cœur, achète de modestes marguerites pour orner son appartement où, auparavant, il avait la sottise de n'introduire que des orchidées, donne des rendez-vous à des sorties de métro, devant un cinéma ou dans l'atrium d'un théâtre. Ils vont à la Comédie-Française voir Raimu jouer Molière et Jean Marais interpréter Racine, et se sont inscrits au club de la cinémathèque où Joseph Kosma au piano accompagne les films muets. Audrey a exigé de revoir cinq fois *Paris qui dort* et *Le sang d'un poète*. Ainsi leur amour s'inscrit dans une recherche éperdue de tout ce qui émerveille Audrey et que Maximilien goûte comme des nouveautés.

Mais Johnny? On le voit à peine apparaître dans le roman. En revanche, Audrey fait souvent allusion à lui qui la conduit en voiture à ses rendez-vous et parfois même vient la chercher le lendemain matin dès qu'elle lui a téléphoné. Au début, Maximilien s'en inquiète peu. L'amour fou lui fait croire qu'il a la meilleure part d'Audrey, son corps, son amusement, sa passion, mais l'amour fou est un éclair dans une éternité et quand la raison reprend le dessus — oh, légèrement, très légèrement! — il pense plus souvent à Johnny et s'interroge : qui a vraiment la meilleure part d'Audrey? L'amant ou le mari? Il n'est pas certain d'être le gagnant. Au fil des mois, il en est même de moins en moins sûr. La discrétion de Johnny, son effacement exaspèrent Maximilien qui voudrait posséder seul Audrey. Mais comment la disputer à un fantôme obligeant qui, de surcroît, part souvent en voyage, soit qu'il retourne aux États-Unis, soit qu'il se rende à Milan où, à la bibliothèque de la Scala, il travaille à une histoire monumentale de l'opéra italien qu'une généreuse fondation californienne lui a commandée. Cet ouvrage est une tapisserie de Pénélope que Johnny trouve un grand plaisir à récrire sans cesse, à gonfler d'informations nouvelles. À force de ruses, Maximilien finit un jour par apercevoir ce mari mythique : ce n'est ni le blond aux cheveux crépus, ni le grand maigre qui se ronge les ongles. Johnny, atrocement blessé dans les Rangers au débarquement d'Omaha, doit approcher la trentaine bien qu'il ne paraisse pas son âge. Maximilien est frappé de la douceur et de la noblesse de ce visage. La barbe blonde est taillée à la Édouard VII et il y a, dans le regard sous les épais sourcils, un charme si modeste qu'on ne peut lui échapper. Comment Maximilien ne l'a-t-il pas distingué des autres membres du petit groupe de l'atelier? C'est incompréhensible. Le danger, pour Audrey, ne venait pas des autres jeunes gens grisés de leur prétentieux esthétisme, et découvrant à Paris, Rome ou Londres la société secrète des cosmopolites. Elle ne pouvait pas céder à cela, si séduisants que fussent ces hommes à peine plus âgés qu'elle. En fait, elle avait cédé à celui dont le caractère se rapprochait le plus du sien, et elle avouait que c'était pour punir Maximilien de sa liaison avec Mme de C. et de sa fuite. La tendresse était venue ensuite, une tendresse immense.

« Quand tu me quitteras, dit-elle à Maximilien, j'aurai toujours Johnny pour me recueillir. »

Maximilien est assez lucide pour prévoir que, bien entendu, c'est elle qui le quittera et que lui n'aura personne pour effacer une solitude retrouvée et certainement détestée. En attendant, il préfère ne pas rencontrer Johnny, et Johnny a le bon goût d'adopter la même attitude. On ne sait combien de temps durerait cette situation à la fois confortable et inconfortable si Audrey ne tombait malade. L'air de Paris attaque les bronches de cette enfant des montagnes. Elle accepte de partir pour la neige. Dans le roman, le lieu n'est pas précisé. Stanislas a pris soin, comme on le verra, de mêler les images, ayant soudain conscience qu'il copiait trop la réalité, qu'au cours du récit la distance entre lui et Maximilien s'amenuisait au point que, dans certaines pages, emporté par son élan, il racontait *Audrey* à la première personne et non à la troisième. Les corrections qu'il dut faire sont les seules ratures de ce manuscrit à la calligraphie si parfaite qu'on croirait que, comme un bon élève, il a mis au net son brouillon. On sait qu'il n'en est rien et que Stanislas attribuait la génération spontanée de *Crois-moi* et d'*Audrey* à quelque sorcellerie de l'enfant de Stockwood.

Quand Maximilien apprend qu'Audrey ne peut pas vivre à Paris, il sait tout de suite que c'en est fini, qu'il la perd, que Johnny a gagné. Dans la capitale, Audrey et Johnny sont invisibles, mêlés à la foule. À la montagne, ils seront le point de mire de leurs voisins et Johnny sera impossible à éviter. Maximilien ne pourra passer que quelques jours près d'elle et ils s'aimeront dans un hôtel proche s'il y en a un. Amours brèves et volées qui laissent un obsédant goût de regret dans la bouche. S'il la suppliait, Audrey resterait à Paris, mais, depuis plusieurs semaines, elle a si mauvaise mine que c'est à peine si, après l'amour, ses joues rosissent. Maximilien a prévu le malaise physique qui s'empare de lui et il est presque heureux de le saluer : tout cela était donc vrai, il aime Audrey, il n'a pas cédé au seul appât de la chair fraîche ! Alors comme un jeune homme de vingt ans, il se met à tenir un journal. Un journal apocryphe bien sûr puisqu'il faut sauver la face.

Je l'ai déjà dit : l'édition définitive d'*Audrey* ne reproduit pas les extraits du journal attribué à Maximilien. À la relecture, Stanislas y vit une rupture de ton et même une certaine invraisemblance. Au lieu de raconter, il prêtait sa voix au héros du roman. Enfin, s'il est courant qu'un homme aimé et aimant s'écrie ingénument : « Ma vie est un roman ! » c'était peu dans le caractère de Maximilien qui n'avait jamais dicté que des lettres d'affaires ou des rapports sur la gestion des sociétés dont il s'occupait. L'auteur s'aperçut que la frontière entre Maximilien et lui ne devait pas être franchie, que cette maladresse déséquilibrait le roman. Faut-il y voir aussi un réflexe de pudeur, la crainte de livrer plus de lui-même qu'il n'aurait voulu, fût-ce sous une forme romancée ? Les lecteurs ont tellement tendance à identifier l'auteur et son héros qu'il est nécessaire d'établir des barrages si l'on ne veut pas de méprise.

Ces pages de journal qui ralentissent le récit présentent plus d'intérêt pour la connaissance de Stanislas Beren que le roman pourtant si réussi. Le cynisme de Maximilien au début de l'histoire a cédé aux magies d'un amour auquel il se livre avec un délicieux abandon. Il lui reste ensuite à subir les graves atteintes de la mélancolie, forme, atténuée par l'expérience, du désespoir. Alors qu'il revient d'une visite à Audrey, dans l'avion qui le ramène en France, Maximilien écrit :

en vol le 15 avril 53
entre x... et Paris.

Un homme entre quarante-cinq et cinquante-cinq ans (la formule est vague et, en fait, rajeunit cet homme sans qu'on puisse l'accuser de dissimuler son âge, ce dont d'ailleurs il se garde bien, l'accusant plutôt à plaisir pour qu'on feigne l'étonnement quand il lance un chiffre précis), un homme a beaucoup rêvé dans sa vie. Rêvé le jour, rêvé la nuit. De ses rêves de jour, il tire sa subsistance. De ses rêves de nuit, il se souvient rarement, parce qu'il a la paresse de les noter. Cependant l'un de ses rêves est revenu assez souvent pour qu'il se le rappelle comme si ces images appartenaient réellement à sa vie vécue.

Il se trouve dans un paysage qui n'a rien de célèbre et si on en prenait une photographie panoramique, personne ne l'identifierait : les uns diraient le Perche, d'autres les Vosges, la Normandie, d'autres enfin — à supposer qu'ils aient quelque peu voyagé — situeraient ces couleurs, ces collines dans le Gloucestershire, au cœur de l'Angleterre, dans le Hesse, le canton de Vaud ou même simplement le Vermont. La seule certitude c'est que, chaque fois que notre ami s'y promène en rêve, il y fait beau, très beau. Une lumière froide baigne ces collines, les montagnes au loin couronnées de neige et une haleine bleue monte des forêts à l'abri dans les vallons. Les champs ne sont pas clôturés, mais on ne les traverse que s'il a gelé dans la nuit, si les labours sont encore durs comme la pierre. Aucune haie ne borde les chemins, les petites routes. Notre héros a l'impression de marcher à découvert, vu de tous et pourtant ce paysage est désert, livré à la solitude bien que le travail des hommes ait certainement changé son aspect. La saison n'est pas toujours la même et à certains indices on peut la déterminer : milieu de l'automne (les vergers regorgent de pommes offertes sans défense aux passants), début de l'hiver ou même peu avant le printemps. Par exemple en hiver notre promeneur voit plusieurs fontaines à demi gelées : un filet d'eau troue la surface glacée d'un bac en pierre grise où boivent les animaux. Un autre jour, la luzerne pousse. Il n'est pas difficile d'imaginer qu'en été ces collines vertes d'abord, jauniront, puis roussiront. Dire qu'on n'y voit personne n'est pas juste : peu de voitures certes, mais des tracteurs, et, par-ci par-là, une ferme, jolie maison aux toits pentus, aux balcons de bois. Des stères de sapin s'entassent aux portes, et, à leur volume, on situe à peu près l'hiver. Le charme tient surtout à la lumière si belle, aux jardins bien exposés au soleil, abrités des vents froids, remplis de fleurs. Par quel miracle ? Ou est-ce une illusion ? Dans un rêve, tout est permis et notre promeneur se moque pas mal de la réalité qui lui répète : en hiver, il n'y a pas de fleurs, sauf les perceneige et les edelweiss. Détail piquant, mais qui a son prix, les champs puent l'engrais. Au début on est choqué, puis, au fur et à mesure que la promenade se déroule, cette odeur a quelque chose d'agréable, de rassurant.

Notre quinquagénaire, déjà attiré par le sexagénariat, ne se promène pas seul dans ce paysage. La personne qui l'accompagne, qui connaît le moindre chemin, le meilleur raccourci, ne lui est pas inconnue. Il détourne rarement la tête pour l'apercevoir de profil, crainte qu'elle ne se dissipe dans l'air froid. Respectueux de son anonymat, il évite de la regarder, mais il écoute avec soin sa voix et en savoure le léger accent. Il a toujours aimé les accents : l'anglais de B., l'espagnol de G., même l'allemand de H., le créole de L. Qu'on n'y voie pas là une règle. Notre rêveur a aimé aussi des dames de France, mais il garde un faible pour les femmes qui ont des difficultés avec les *r*, les *u* et le genre des substantifs. La compagne de ces promenades rustiques ne dit pas des choses extraordinaires, bouleversantes. En fait, elle lui parle surtout du regret qu'ils ont de se quitter, ce qui laisse supposer qu'ils viennent de passer quelques jours ensemble, peut-être des nuits sous le même toit, et que cette promenade est malheureusement le signe de leur séparation prochaine. Ils ont beaucoup de choses à se dire et ne se les disent pas. Le rêve veut que l'un et l'autre soient sinon timides, du moins réservés. Et, peut-être, dans leur passé, ont-ils échangé les quelques mots, les quelques pressions de mains, les quelques regards qui suffisent à les lier pour la vie. On a compris qu'ils s'aiment et que l'angoisse de ces promenades à deux s'adoucit dans le paysage calme et limpide, puis reprend quand ils approchent de leur point de départ. Alors, la gorge du monsieur se serre et il n'a plus qu'une envie : s'enfuir pour ne pas voir dans le regard bleu de la marcheuse blonde les larmes qui le rassurent sur l'amour qu'il a encore pu inspirer à son âge, et le désespèrent parce que le rêve s'achève, que, dans un instant, le bruit déchirant des réacteurs de l'avion le tirera de son sommeil heureux.

Même s'il n'est pas aussi libre qu'il le désirerait, Maximilien retrouve Audrey non pas chez elle où il ne mettra jamais les pieds, mais dans les hôtels des deux grandes villes proches de l'endroit où elle s'est retirée. Un passage également supprimé de l'édition définitive donne cette note très bérénienne :

Il faut que j'écrive un guide des chambres d'hôtel. Toute mon expérience y passera. Peu de ces chambres trouveront grâce. En fait, je ne pourrais m'habituer à y dormir que si j'y séjournais longtemps, mais je suis un passant offensé par la laideur et l'indifférence que parfois efface un corps nu enroulé dans une serviette de bain et traversant l'espace. Alors le reste n'existe plus. Un autre jour, j'écrirai un épais guide des portes-tambour des grands hôtels et des femmes qui traversent ces vitrages comme par enchantement pour apparaître dans toute leur beauté.

Une autre fois, encore dans l'avion qui le ramenait en France, Maximilien notait :

en vol le 16 mai
entre x... et Paris
Projet de lettre que je ne finirai jamais :

Au concert, nous écoutions le *Concerto n° 3* de Beethoven interprété par Sviatoslav Richter. J'ai été si pris par la musique que j'ai oublié ta présence, à côté de moi. Je ne respirais même plus l'odeur tant aimée de ta peau et je ne pensais même plus à étendre ma main vers la tienne. Après la dernière note, quand Richter s'est levé pour saluer le public avec sa raideur coutumière, ta présence a été une vraie surprise, la plus belle que je pouvais espérer à mon retour sur terre.

Au contraire si tu n'es pas là, la musique ne me parle

que de toi et c'est à peine si je l'écoute, occupé de rêver à ton visage, tes mains, ta voix, ton corps.

Le roman tire à sa fin. La distance — aussi bien morale que physique — est trop grande. L'un et l'autre s'habituent aux beautés rêveuses de l'absence comme l'indique le dernier paragraphe cité du journal apocryphe. Ils ont trente ans de différence et des heures d'avion les séparent. Audrey n'a jamais cessé de porter une grande tendresse à Johnny, et parce qu'il a su, pendant l'orage du début, garder une sérénité qui plaçait son amour pour elle au-dessus de sa sensibilité, elle comprend qu'il est le vrai refuge de sa vie désormais diminuée par la maladie. Seule avec lui dans leur maison de campagne, elle se sent glisser vers cet homme qui partage, mieux que Maximilien, sa passion pour la musique. Le matin, elle joue pour lui, l'après-midi elle l'aide à classer ses milliers de notes sur l'opéra italien. Avec Maximilien elle continue de sublimer son amour d'enfant, avec Johnny elle vit dans la paix du cœur et, par force, dans la paix des sens. Maximilien sera toujours le seul homme qu'elle a aimé, une certitude si belle qu'elle n'a presque plus besoin de lui pour la chérir. Ils n'iront pas au-delà, conscients que les séparations entretiennent entre eux une grâce qui manque si souvent aux amants. Et puis, malgré les soins, malgré l'air qu'elle respire, Audrey ne peut plus se cacher que sa santé se détériore de mois en mois Certains jours, sa fatigue est extrême et elle parle à peine. Les rémissions sont de moins en moins longues. Johnny en tient un compte cruel : quand elle est épuisée, Audrey est à lui ; quand elle revit, Audrey téléphone à Maximilien qui la rejoint. C'est dire que peu à peu la part de l'amant s'amenuise sans qu'ils aient à en souffrir vraiment. On n'est même pas sûr que Maximilien s'en aperçoive jusqu'au jour où arrivé vingt-quatre heures plus tôt qu'il ne pensait dans la ville où elle le rejoint d'ordinaire, il se rend à un concert. Du balcon il aperçoit aux fauteuils d'orchestre Audrey et Johnny. Sourd à l'interprétation de *L'Oiseau de feu* que dirige Igor Markevitch, il observe le couple. C'est la première fois qu'il les voit ensemble. Tous deux écoutent avec une intense attention, mais cette attention, au contraire de celle qu'il avait au *Concerto n° 3* pour piano interprété par Richter, n'est pas une plongée de chacun en soi, c'est une communion délicieuse qui se traduit par un échange de regards et même un geste tendre — Johnny a posé quelques secondes sa main sur celle d'Audrey puis la retire comme pour ne pas l'influencer — et quand s'envolent les dernières mesures de *L'Oiseau de feu*, Maximilien sait par leur attitude que leur union est parfaite et que la salle entière bourrée de mélomanes n'existe plus. D'ailleurs, ils n'applaudissent pas. Ce qu'ils ont ressenti est au-delà d'un bruyant enthousiasme.

Quittant la salle de concert en dernier, pour

être sûr de ne pas se heurter à eux dans l'atrium, il erre dans les rues de la ville où les cinémas, les bars ferment et déversent sur le trottoir une foule frileuse qui se hâte vers des appartements tièdes et les gestes rituels d'avant le coucher. La belle, l'héroïque solution serait de se diriger vers l'aéroport et de prendre le premier avion qui passe, irait-il en Chine. L'envie de la voir une dernière fois est plus forte. Il veut baiser le fragile visage devenu presque diaphane, sans rien avouer de ce qu'il a surpris. Quand il la quitte trois jours plus tard, il est si fier de s'être tu qu'il en est presque heureux. Ils se sont promenés dans de belles forêts défeuillées, ont traversé le lac sur un bateau à aubes pour aller prendre un thé brûlant dans un petit chalet où la serveuse en costume national s'est penchée vers leur table basse, offrant une vue plongeante sur de prospères seins de lait, ils ont dormi dans le grand lit de la chambre d'hôtel qu'Audrey drapée dans une serviette de bain — plus pour cacher sa maigreur que par pudeur — a traversée plusieurs fois, effaçant, comme toujours, la laideur du mobilier, la flamboyante carpette vineuse, les mauvaises copies des roses gravées par Redouté. Il a tenu sa main la nuit, sommeillant à peine, inquiet des frémissements qu'elle transmettait à la sienne, message codé des rêves d'Audrey, de la lutte épuisante qui se déroule dans son corps. Le dernier matin, elle s'est habillée lentement, passant devant lui plusieurs fois et il a dit, lèvres closes, adieu au ventre, aux jambes, à la poitrine, aux épaules d'Audrey.

À l'aéroport, quand le haut-parleur appelle les passagers, il s'attarde pour goûter une dernière fois aux lèvres de la seule femme qui lui a inspiré un amour que n'entache aucune forfanterie. Le visage d'Audrey tremble un peu. Sait-elle aussi ? L'hôtesse vient le chercher et il doit marcher vite pour rattraper les autres, ne se retournant qu'une fois vers la silhouette gonflée par le manteau de fourrure, une silhouette qui n'est pas du tout celle si mince, si transparente d'Audrey. D'un hublot de l'avion, il l'aperçoit encore sur la terrasse de la gare aérienne où elle a grimpé malgré le froid qui embue ses yeux et la fait pleurer bien qu'elle soit envahie par une félicité bizarre comme si le départ de son amant la détachait de tout. Elle lève le bras sans voir Maximilien, mais elle est sûre qu'il s'est assis à un endroit où il a une chance de la deviner dans la foule assistant au décollage. C'est la dernière vision que Maximilien aura d'Audrey. Au retour, ayant pris froid sur cette terrasse battue par le vent glacé du nord, Audrey se couchera pour ne plus se relever.

*Audrey* parut en 1960, six ans après la mort de celle que nous appellerons toujours Audrey comme dans le roman. Laissons les policiers et les médecins légistes de la littérature fouiller son état civil, retrouver son véritable nom et ses adresses. Dans quelle ville, par exemple, rencontrait-elle Maximilien à la fin de sa vie? Quel hôtel? On publiera le diagnostic des médecins, la date exacte où elle a, comme on dit, rendu le dernier soupir. Ses lettres, ses poèmes d'enfant, seront édités. Il y aura des photos d'elle avec son père ou sa mère à Stockwood, plusieurs autres photos rassemblant les Inglesey et les Beren (mais elle n'y figure pas parce que c'est elle qui les a prises avec un appareil à soufflet offert par Félicité). En tout, on ne trouvera qu'un cliché d'elle et de Stanislas, œuvre d'un de ces photographes à la sauvette qui racolent les étrangers autour de l'arc de triomphe du Carrousel. Ses beaux cheveux blonds volent dans le vent qui souffle ce matin-là sur l'esplanade.

Elle est en tailleur sombre et elle a passé son bras sous celui de Stanislas qui a une tête de plus qu'elle. La casquette de Stanislas est du même tissu que sa veste de sport, un tweed à petits carreaux. N'importe qui dira, bien qu'ils se ressemblent curieusement : « Ce n'est pas le père et la fille, ce sont deux amants. » L'indiscrétion des policiers et des médecins légistes de la littérature n'ayant pas de limites, on recherchera Johnny qui vit en Californie où il enseigne l'histoire de la musique à Berkeley. Il refusera de parler et d'expliquer pourquoi il a été si complaisant. Personne, estime-t-il, ne comprendrait que c'est par amour. Pour tout savoir, il faudrait ouvrir d'un coup de scalpel le cœur de Stanislas, mais c'est une opération qu'on ne pratique pas sans danger sur un vivant qui se défend.

Alors, restent les témoins. Ils n'ont pas été si nombreux. Ces amants se sont cachés. Il importe cependant de ne pas trop attendre pour interroger ceux qui savaient : ils sont en général plus âgés que Stanislas et il est probable que la plupart se tairont. Stanislas, lui, sera muet. N'a-t-il pas écrit un *roman* ? Qu'on le laisse en paix ! Pour en être plus sûr, il a d'ailleurs disparu dans la nature le jour où le livre est apparu à la devanture des libraires. Dans les exemplaires du service de presse, il a demandé qu'on glisse un carton : « Hommage de l'auteur absent de Paris. » C'est bien vrai qu'il est parti pour sa dernière fugue. Il a cinquante-deux ans et on se doute bien qu'il n'est pas retourné dans les montagnes de son enfance, ni à Venise, ni à Londres. Un peu plus loin, nous le verrons à Lisbonne. Il y a retrouvé des amis que personne ne connaît, mais qui boivent bien. Georges Kapsalis et Félicité sont à Paris. Félicité au Ritz, bien entendu, dans la chambre qui lui est réservée où elle a une vue sur un jardinet intérieur. Elle reçoit dans cette chambre car depuis quelques jours elle a tant de mal à marcher qu'elle ne se déplace qu'en fauteuil roulant. Il y aura un mieux le mois suivant et elle partira pour Venise bien que son médecin le lui déconseille. Elle a soixante-cinq ans, ce qui n'est pas le bout du monde, mais la mécanique est usée si, en revanche, l'esprit veille avec une rapidité foudroyante qui étonne chez cette quasi-infirme.

Lorsque je lui apportai le premier exemplaire d'*Audrey*, Félicité soupesa le livre avec une moue :

— Des années, des jours, des nuits se réduisent à trois cents grammes de papier. C'est dérisoire.

Elle ouvrit au hasard une page, chaussa ses lunettes de presbyte, lut quelques lignes et, de son index amaigri, me montra une faute d'impression.

— Le cher M. Dupuy n'aurait pas laissé passer ça. Il va se retourner dans sa tombe. Je me demande ce qu'il aurait pensé de ce roman.

— Il n'était pas indulgent, mais je crois qu'il l'aurait aimé.

— C'était un romantique.

— Un romantique à sarcasmes.

— Enfin, il voyait juste. Sans lui ta boutique n'existerait pas...

J'étais habitué. De mauvaise humeur, elle écrasait tout d'un coup de talon méprisant, mais il est certain que M. Dupuy avait joué un rôle considérable aux éditions Saeta et que sans lui je n'aurais pas trouvé, à ma vingtième année, une « boutique » saine qui publiait peu et avec respect.

Elle avait lu le livre en manuscrit et il est probable qu'elle avait suggéré à Stanislas de ne pas publier des extraits de son vrai journal en le présentant comme celui de Maximilien von Arelle. Mais ce n'avait été qu'une suggestion, et, devant moi, elle hésitait à vérifier que Stanislas l'avait écoutée. Connaissant ses ruses, je la laissai tourner les pages d'un doigt négligent. Elle parut soulagée de ne rien trouver de ce qui l'inquiétait.

— Tu me laisses cet exemplaire ?

— Il est pour vous.

— Le concierge de l'hôtel est très anxieux de le lire. Un écho de Carmen Tessier dit que c'est un livre à clés. Un concierge de grand hôtel ne peut pas ne pas se sentir concerné.

Je souris.

— Pourquoi souris-tu ?

— Je vous connais.

Son accès de hargne dissimulait l'émotion qu'elle éprouvait à la parution de chaque livre de Stanislas. Elle parut réfléchir encore :

— Un roman d'amour! En 1960! Stanislas est fou. J'aurais dû lui déconseiller de publier ça.

— Ce n'est pas un roman d'amour, c'est l'histoire d'un amour.

— La nuance est jolie, mais je connais tes sources. Pendant huit jours tu t'es promené avec le livre de Nimier à la main : *Histoire d'un amour...* Mais toi tu n'as pas connu cette... comment l'appelle-t-il... Ah oui... Audrey. As-tu connu Audrey?

— Je l'ai aperçue.

— Une enfant adorable. Elle effrayait : si femme à huit ans qu'on se demandait quelle comédie elle oserait jouer à vingt.

— Elle n'a pas joué la comédie.

Félicité n'écoutait jamais quand on la contredisait.

— Je ne sais pas, dit-elle, ce que Stanislas lui trouvait. Oui, les cheveux étaient beaux, les yeux d'un bleu troublant. Mais la voix... la voix mièvre! Comme si elle n'avait pas grandi. Bonne pianiste quand même. Pas du tout à l'aise à partir de Ravel et Debussy. Je te l'ai dit : elle n'avait pas grandi! Ils ont dîné un soir avec Léautaud qui a regardé dans le corsage d'Audrey — il y a même, je crois, mis le doigt pour écarter le tissu et mieux juger — et a pris un air dégoûté : « Pas de poitrine. » On prétend qu'il en a craché dans son assiette, ce vieux satyre. C'est comme dans un roman de Félicien Marceau, un conseil d'un père à son fils :

« N'épouse pas une femme sans poitrine. À quarante ans, la vie te paraîtra un désert. »

Elle tapa du plat de la main sur la couverture du livre :

— La voilà miraculée, cette Audrey, transformée en nymphe au cœur fidèle. Que c'est beau, la littérature ! Enfin, j'espère que tu en vendras quelques exemplaires...

— Quelques dizaines de milliers...

— Qui va lire ça ? Stanislas a préféré se cacher. C'est son livre le plus impudique.

Elle dut voir qu'elle me décontenançait, et même me peinait tant j'aimais *Audrey*, le premier livre de Stanislas que je publiais depuis la mort de M. Dupuy.

— Console-toi mon grand ! C'est quand même un beau livre. Je n'ai pas aimé le modèle, et, après tout, j'en ai bien le droit.

Avait-elle craint Audrey ? Je ne le pense pas. Le roman ne laisse pas deviner l'ombre d'une femme légitime, et Maximilien, à part un attachement passionnel à une Mme de C., est un homme libre. Stanislas était à peu près aussi libre que lui, à cela près qu'il n'avait pas affiché Audrey dans les milieux qui connaissaient Félicité. Celle-ci n'avait pas à se plaindre : il l'avait toujours respectée, et quand il racontait sa vie secrète, c'était sous le masque du roman qui permet tout. Depuis longtemps Félicité s'était forgé une philosophie qui ne ressemblait en rien à de la résignation. Johnny n'avait pas agi autrement avec Audrey, persuadé, au début du moins, avant qu'elle ne tombât malade, que sa femme lui reviendrait. Félicité n'avait jamais douté que Stanislas lui reviendrait aussi. Contre cette terrible force, les tiers, amants ou maîtresses, se brisent.

Sur Audrey, le même jour, j'entendis un autre son de cloche. Georges Kapsalis passa en fin de journée aux éditions Saeta prendre un exemplaire. Je l'emmenai au Flore, rien que pour le plaisir de nous asseoir face à la porte sur la banquette où Maximilien von Arelle attend Audrey. Nous lûmes ensemble la page qui décrit l'arrivée de celle-ci. La pluie battait le boulevard Saint-Germain comme dans le roman. Une jeune fille entra, en imperméable, coiffée d'un béret bleu qu'elle ôta, libérant une masse de cheveux blonds. Son visage rosi par le froid s'éclaira d'un radieux sourire quand elle aperçut à la table près de la caisse un jeune Noir aux longs cils.

— Je n'ai pas trouvé Audrey si belle que la décrit Stanislas, dit Georges Kapsalis. Nous avons dîné ensemble deux fois et, un soir, ils étaient au concert juste devant moi. J'ai dû fixer sa nuque avec tant d'attention qu'elle s'est retournée et m'a souri. Oui, un sourire charmant, je me souviens... comme celui de la jeune fille à l'imperméable et au béret qui vient d'entrer. Franchement, je ne voudrais pas être injuste, mais elle m'a paru banale, de cette sorte de beauté moyenne dont regorgent les États-Unis, le type Shirley Temple à vingt ans. Enfin... avec un plus joli nez, mais ce qui m'a captivé en elle, c'est sa voix. Elle devait tenir de sa mère qui, tu le sais, était un soprano léger. Un son exquis. Souvent nous croyons connaître une femme par ses yeux ou le dessin de ses lèvres. On imaginait Audrey — elle parlait peu et il fallait la deviner — d'après sa voix. Si nous avions des verres de cristal, je te donnerais le ton exact en le frappant du doigt. À partir de là il était possible de rêver à sa transparence et Stanislas s'est servi de ce mot plusieurs fois quand il l'évoque dans *Audrey*. Oui « transparente » comme du cristal est le mot. La première fois que je l'ai vue je me suis dit que je ne lui aurais pas prêté attention si j'avais ignoré qu'elle était la nouvelle maîtresse de Stanislas. La deuxième fois, je n'ai vu qu'elle et pourtant trois autres ravissantes femmes assistaient à ce dîner après lequel elle a joué une difficile sonate de Debussy avec un brio confondant pour une femme qui n'était pas une virtuose. Enfin, je suppose que si elle avait hérité la voix de sa mère, elle avait aussi hérité le talent de son père. Tu me diras qu'elle aurait pu jouer du piano comme sa mère peignait — je me méfie des naïfs, ce sont si souvent des roublards! — et chanter comme son père qui avait la pire voix du monde. Oui, c'est une chance : elle a pris le meilleur de l'un et de l'autre et ne s'est pas trompée dans les gènes. Je me demande ce qui serait arrivé si elle avait vécu.

Trente ans de différence, c'est beaucoup! Vingt ans et cinquante ans s'harmonisent encore, mais pour ses quarante ans elle aurait fêté les soixante-dix ans de Stanislas. Et le mari? J'ai lu, il y a un an ou deux, un article dans un magazine américain : un certain Johnny Smith ou Brown, je ne sais plus — et peut-être était-ce un homonyme — était accusé de dévoyer des petits garçons dans un collège américain où il enseignait la musique. Stanislas a trouvé plus décent d'en faire un impuissant qu'un pédophile. Cela pour dire que le romancier s'arroge tous les droits et qu'il a bien raison...

La jeune fille au béret bleu se levait et remettait son imperméable. Son ami la suivit et ils sortirent pour revenir presque aussitôt : le beau Noir aux cils frisés craignait la pluie. Leur table était déjà prise et ils vinrent s'asseoir à côté de nous, face à face. Ils étaient américains, lui avec une voix de basse, elle avec une pointe d'accent irlandais. À un moment, leurs mains se joignirent par-dessus la table, émouvant entrecroisement de longs doigts noirs aux ongles mauves et de courts doigts blancs bien en chair.

— Ce n'est pas plus étrange, dit Georges Kapsalis, que l'amour d'Audrey pour Maximilien.

Je le quittai un peu plus tard. Livre serré sous le bras, il s'abritait d'un parapluie noir au bec d'argent ciselé. Je n'avais pas contesté son portrait d'Audrey. Le même jour, j'entendais deux avis différents. Aucun ne me satisfaisait. En fait, j'avais légèrement menti à Félicité Beren en prétendant n'avoir qu'aperçu Audrey. Un matin à la sortie de Saint-Louis, Stanislas m'attendait pour m'emmener déjeuner. À côté de lui, se tenait une jeune fille ou femme, en manteau de sport beige, coiffée d'un drôle de petit chapeau, une sorte de toque en velours marron retenue par des épingles à une masse de cheveux blonds noués en chignon sur le cou. À son bras pendait une serviette en cuir comme celles dont se servent les musiciens pour ranger leurs partitions. Je la trouvai jolie, sans plus, mais sa jeunesse — accusée par la différence d'âge avec Stanislas — emportait l'apparence physique pour éclater comme un don du ciel, faisant oublier le bleu insondable de son regard et l'harmonie du visage pâle avec les cheveux blonds. Elle me fit penser à un Nattier et très spécialement au portrait de la duchesse de Chartres.

Nous déjeunâmes dans un restaurant chinois de la rue Monsieur-le-Prince. Audrey se servait à ravir des baguettes alors que Stanislas et moi nous dûmes demander des fourchettes. Si sa voix était mièvre ou cristalline, je l'aurais remarqué, mais aucun souvenir ne m'en reste bien que, toutefois, je me souviens des questions qu'elle posa sur mon année de philosophie, la musique, mes lectures. Il me semble — quoi qu'en ait dit Stanislas dans le roman et qui est d'ailleurs infirmé par l'extrait du journal resté inédit jusqu'aujourd'hui — il me semble qu'elle avait un léger accent et que deux ou trois fois, elle usa d'anglicismes qu'aucun de nous deux ne fut tenté de corriger. Au contraire de ces femmes dûment chapitrées par leurs amants pour qu'elles conquièrent leur meilleur ami, Audrey ne tenta rien de tel et j'aimai aussitôt, dès cette première et unique rencontre, son naturel, la façon dont elle se plaça de plain-pied — comme si nous nous connaissions depuis toujours — avec un garçon qu'elle considéra de son âge, ou presque. La serviette contenant ses partitions de Scarlatti qu'elle étudiait à ce moment-là avec Marcelle Meyer répondait à mon sous-cul de lycéen, une affreuse pochette en tapisserie bourrée de livres. À la fin du déjeuner, j'eus l'impression que nous avions oublié Stanislas, mais il n'était pas exclu par nous, il s'était exclu de lui-même pour se retirer dans une songerie dont je devinais le motif. Audrey et moi passerions-nous notre examen mutuel ? Elle le passa très bien pour moi et, quelques jours après, Stanislas me dit que j'avais obtenu une mention « bien » auprès d'Audrey. En somme, ce déjeuner impromptu était une réussite et je regagnai le lycée pour la classe de l'après-midi avec du vague à l'âme. À cause de Félicité, et bien que celle-ci sût à quoi s'en tenir sur la double vie menée par Stanislas, il ne pouvait ni s'afficher avec Audrey, ni l'amener chez des amis de Félicité. Ou peut-être préférait-il qu'elle ne fût qu'à lui, trouvant déjà bien assez qu'elle retrouvât Johnny dès qu'il la quittait. Ou, encore, il éprouvait le besoin de s'assurer de témoins qui, un jour, jureraient qu'Audrey avait existé. Des années plus tard, puisque c'est après la mort de Félicité, alors que nous marchions le long du quai Anatole-France, nous passâmes sous les fenêtres de l'ancien atelier qu'elle habitait pendant son séjour à Paris. Stanislas m'arrêta par le bras et me montra, au dernier étage, la baie vitrée. « N'est-ce pas qu'elle a existé ? me dit-il. Tu l'as vue, tu en as eu la preuve. » La preuve ! Comme s'il en doutait parce que la bien-aimée était morte depuis vingt ans. La nouvelle lui en était parvenue au printemps à Cannes alors qu'il présidait le jury au Festival du Cinéma. Il avait enfoui le télégramme dans sa poche et assista sans mot dire à la projection.

Trois mois après la mort d'Audrey, la *Paris-Review* publia un article sur elle. Le signataire, Peter Kilroy, faisait partie du petit groupe d'artistes assidus à l'atelier. Le groupe s'était dispersé après qu'Audrey eut quitté Paris. Plusieurs étaient repartis pour les États-Unis. D'autres égaillés en Italie ou en Grèce ne se décidaient pas à quitter la vieille Europe dans l'espoir imaginaire qu'un jour ces pays leur prêteraient un talent qui les fuyait. Peter Kilroy est le seul d'entre eux à connaître aujourd'hui la notoriété avec un premier livre féroce dans sa drôlerie : *Eleanor a-t-elle mangé Franklin ?* satire sans pitié d'une veuve abusive qui, par ambition et goût du lucre, met un voile sur les infidélités de son mari. Kilroy écrit maintenant dans le *New Yorker* et c'est lui qui réussit à faire entrer Stanislas dans le cercle très fermé de ce magazine. Le portrait de la *Paris-Review* souffre d'emphase. Lorsque je le lui dis, des années après, à New York, Kilroy avoua : « Oh, c'était un exercice de style. Je suis plus à l'aise dans l'humour méchant que dans l'évocation poétique. Je n'ai pas récidivé après cet essai qui a pourtant plu à mes copains. » On n'en reconnaît pas moins une Audrey telle qu'elle apparut à ces jeunes gens avides d'idées et de plaisirs : une petite fée, l'intercesseur idéalisé entre eux et un talent qu'ils poursuivaient. Un détail, cependant, trouble le lecteur : Kilroy prête à Audrey des yeux verts et des cheveux châtains (*auburn*) alors que nous nous croyions tous d'accord pour qu'elle fût une porcelaine blonde aux yeux bleus. De même, prétend-il qu'elle n'aimait jouer qu'Erik Satie au piano : il suffisait d'entendre *Les Trois Valses distinguées du précieux dégoûté* pour l'évoquer. Si sur son talent de pianiste tout le monde est d'accord, il semble que chacun ait une idée à soi sur les compositeurs qu'elle interprétait avec le plus de ferveur. De Scarlatti à Satie, l'éventail est large et il est possible qu'elle ait eu des passions successives, dominantes mais brèves, pour l'un ou l'autre de ces musiciens. Ajoutons encore une note curieuse : en 1970, deux thèses furent soutenues à la Sorbonne et à l'Université d'Indiana, sur les personnages de femmes dans l'œuvre de Stanislas. Pierre Levy à Paris affirme qu'Audrey est morte dans le Tessin et que Maximilien la retrouvait à Lugano, tandis que Thomas O'Brien pense qu'elle était retournée aux États-Unis et vivait à Sun Valley. D'où tenaient-ils ces certitudes ? Stanislas quand il lut les deux thèses, me dit faussement navré : « Bientôt Audrey sera recouverte par les erreurs et disparaîtra sous elles. La vérité est tellement plus simple. »

Devant ces différends, la sagesse conseille de s'en tenir au portrait dessiné dans *Audrey*. À l'abri des faux témoins, Audrey y a gagné un sursis contre l'oubli et vivra tant que le roman de Stanislas gardera des lecteurs. Comme Sosie clamant que « Le véritable Amphitryon — Est l'Amphitryon où l'on dîne », la véritable Audrey est l'Audrey qu'aima Stanislas, alias Maximilien von Arelle. La seule faiblesse du livre est le personnage de Maximilien. Soucieux de ne pas se mettre en scène, Stanislas a forcé le caractère du héros pour que l'on ne soit pas tenté de le confondre avec l'auteur. Les inconvénients sont visibles. Stanislas, par exemple, n'est pas à l'aise dans ce qu'il faut dire — même si ce n'est pas le sujet du livre — sur les occupations de Maximilien que l'on devine cambiste, un métier qui pourtant ne laisse guère disponible, ni l'esprit libre. Sur ce point, tout est vague pour la bonne raison que Stanislas ne s'était jamais occupé de Bourse et avait dédaigné de s'informer. Il construisit de toutes pièces un personnage qui amuse, mais se révèle souvent antipathique. Les origines de ce séducteur restent dans l'ombre. Il est pris au vol vers la quarantaine, perdu un moment puis retrouvé quand il a cinquante ans et Audrey vingt. Il est désinvolte, cynique, sûr de soi, ayant jugé qu'après le plaisir la meilleure grâce que l'on fait à une femme est de la quitter en aussi peu de temps qu'il en a fallu pour la séduire. Comment, alors, cet homme qui déteste les chaînes se laisse-t-il attraper par une Mme de C. qui exerce sur lui une attirance purement physique ? Quand, guéri de cette femme qui ne tenait même pas à lui, il peut enfin aimer Audrey, il retombe dans un piège bien plus grave, celui d'un amour condamné à la brièveté. Il le sait et la mélancolie s'empare de lui, ce qui est mal compatible avec le caractère décrit au début du livre. Le lecteur s'étonne également que la réaction de Maximilien à la mort d'Audrey soit escamotée. Elle le fut aussi dans la vie de Stanislas. Il n'en parla que forcé parce qu'on évoquait Audrey devant lui, ou dans un moment d'abandon comme il en eut un sur le quai Anatole-France quand nous passions sous les anciennes fenêtres de l'atelier et une autre fois, en Espagne, à Ampurias. Mais alors comment comprendre sa brusque fuite en 1960, à la parution du roman ?

308

Où était-il ? Pourtant, habituée, Félicité commençait de s'inquiéter lorsque le hasard nous servit. À notre collection « Le crime paie » que dirigeait toujours Maurice Humez, âgé de quatre-vingt-un ans, collaborait un jeune écrivain portugais qu'aimait bien Stanislas. Mario Mendosa nous « fabriquait » deux romans policiers par an, gagnant assez d'argent pour survivre à Lisbonne et mener la vie de café qu'il aimait, qu'il aime toujours parce qu'à Lisbonne la poésie et la prose naissent dans ces salles sombres et vétustes, autour des tables de marbre tachées par le marc, dans la fumée âcre des cigarillos. Il semble que Mario avait connu, très jeune, une vie mouvementée. On disait — mais que ne dit-on pas pour meubler les longues nuits ? — qu'il avait séjourné en maison de correction à seize ans pour vol à main armée, qu'il avait tué un homme à vingt ans. Son procès venu après un an de prison préventive s'était terminé par un acquittement faute de preuves suffisantes, bien que la conviction du tribunal et des jurés fût faite. En prison, Mario Mendosa avait été affecté à la bibliothèque où il balayait et collait des étiquettes sur les livres. Au début, il pouvait rédiger et coller cent étiquettes par jour. À la fin, il n'en collait plus qu'une : le reste du temps, il lisait. Et pas n'importe quoi : *Les Lusiades* de Camões. Que s'était-il passé dans ce cerveau en friche? Comment Camões pouvait-il séduire par son lyrisme, son érudition et son sens nostalgique de la grandeur, un jeune homme renfermé, secret et peut-être bien même sournois comme c'est le cas de beaucoup d'inculpés qui voient des ennemis partout? Libéré, il avait continué de lire, appris le français et commencé un roman qui révélait sa profonde connaissance des bas-fonds de Lisbonne. Publié, il avait aussitôt été traduit en français pour notre collection. Maurice Humez assurait à juste titre que Mario Mendosa avait quelque chose de plus qu'un simple fabricant de romans policiers. Dans chacun de ses livres — nous venions de publier le quatrième — le personnage principal était Lisbonne, cité triste et allègre selon les vers d'Armindo Rodriguès. Mario aimait sa ville d'un amour fou et si intransigeant que lorsque nous l'avions invité à Paris, il ne s'était intéressé à rien. Au bout de huit jours, nous avions dû le mettre dans le train du retour, et c'est un homme heureux auquel nous avions dit adieu sur le quai de la gare. Il rejoignait ses amis, un petit groupe d'intellectuels auprès desquels il jouissait d'un prestige mal acquis mais certain. On assurait qu'il préparait en secret (et surtout en paroles dissipées dans d'interminables conversations avec ses pairs) un long poème épique à la gloire de Lisbonne, une version moderne de ces *Lusiades* dont la lecture, en prison, avait changé sa vie. Ne comptait pas pour rien dans l'admiration de Mendosa pour Camões le fait qu'ils étaient tous deux borgnes, à cela près que l'auteur de la future geste épique de Lisbonne avait perdu un œil dans une mauvaise bagarre entre voyous.

L'aspect du « nouveau » Camões était plutôt sinistre. Au sortir de son procès, il s'était voué au noir, portant des costumes si lustrés qu'à la lueur des cafés ils en devenaient verdâtres. Il rafistolait lui-même au col ses chemises d'un blanc douteux et nouait en guise de cravate un ruban de vieux velours froissé. Grand et maigre, il avait déjà des pieds de bonne taille que des bottines éculées allongeaient encore au point qu'il semblait assez en peine de marcher autrement qu'en canard, un canard qui cachait une calvitie précoce sous un feutre noir aux bords rabattus. Que dire de son visage sinon qu'il n'inspirait pas plus la gaieté ? Jaune de teint, l'œil charbonneux (l'autre couvert par un monocle fumé) il avait, dans les silences, la componction d'un croque-mort, mais dès que la parole lui appartenait, une sorte de génie l'habitait, nourri d'un vocabulaire à la fois précieux et argotique. Il connaissait un nombre fou d'histoires que le ton bas et tranquille de sa voix chuintante rendait encore plus fantastiques. Stanislas l'avait rencontré à Paris et, bien sûr, nous avions passé de longues heures au Rendez-vous des Amis, de beaucoup plus longues heures qu'au Louvre ou dans les théâtres.

Alors que nous désespérions de savoir où Stanislas se réfugiait pour échapper à son livre, un court billet de Mario Mendosa me demanda de venir d'urgence : « Il est là, écrivait-il. Dépêchez-vous ! » Mario m'attendait à la descente de l'avion et comme je présentais mon passeport, j'aperçus sa tête dominant la foule pressée à la porte de sortie. Son feutre se souleva en signe de reconnaissance, découvrant son crâne chauve. Stanislas, après quelques jours passés dans un palace de Lisbonne, avait déménagé pour un bouge du quartier d'Alfama où il buvait tellement que Mario et ses amis s'inquiétaient. Nous prîmes un taxi qui nous conduisit au pied du château Saint-Georges. À partir de là, il fallait marcher dans les ruelles en escalier par une chaleur qui me parut torride, dans une aimable odeur de sardines grillées. Des enfants pieds nus couraient dans nos jambes, se renvoyant des palets de métal qui cascadaient de marche en marche, suivis du regard par les femmes assises à l'ombre des porches, cousant ou pilant de l'ail dans des mortiers de bois. Descendre d'un avion et se promener dans ces ruelles quelques minutes plus tard, accompagné d'un homme noir était si peu réel que j'en oubliais notre recherche. Alfama sentait les épices — safran et poivre — le poisson frit, et plus fort que tout, par moments, les eaux grasses que les femmes vidaient dans la rigole. J'étais aveuglé par cette blancheur de fournaise tachée aux fenêtres de tapis multicolores. Mario échangeait des saluts avec les rares hommes qui nous croisaient, en bras de chemise, la veste rejetée sur l'épaule, à la main un parapluie ou un cure-dents avec lequel ils se labouraient les gencives d'un air rêveur. Nous arrivâmes sur une placette juste en dessous du socle de pierre qui brandit au-dessus de Lisbonne le flamboyant château Saint-Georges, rouge et miel dans la lumière éclatante. Du doigt, Mario qui avait à peine parlé jusque-là me désigna un écriteau : « Pensaõ Amanda-Comodidades », une maison un peu plus soignée que les autres avec des baquets de géraniums roses aux balcons de fer forgé. Une vigne vierge encadrait la porte ouverte sur un trou noir, un vestibule dont on ne devinait rien du dehors. Mario frappa dans ses mains et quelque chose bougea au fond du vestibule, une masse noire en forme de boule. Nos yeux s'habituant à l'obscurité, nous devinâmes qu'une femme était assise là, dans un fauteuil grinçant, probablement en rotin. Ses mains, ses avant-bras et ses mollets nous apparurent lentement dans l'ombre qui avalait le corps auquel ils s'attachaient.

— Senhora Amanda! dit Mario d'un ton impérieux.

Une voix inattendue, une voix de fillette — ou bien minaudait-elle parce qu'on la tirait de sa sieste — répondit :

— C'est vous Senhor Doutor!

Elle se levait avec peine et marchait vers nous dans l'étroit couloir au fond duquel elle sommeil-

lait en surveillant les allées et venues des pension-
naires. Marcher est beaucoup dire. Elle donnait
plutôt l'impression de rouler entre les murs suin-
tants qui la contenaient. Sur le pas de la porte, la
Senhora Amanda apparut telle que l'âge et
l'hydropisie l'avaient transformée, bien qu'on ne
pût douter de son ancienne splendeur rien qu'à la
beauté lasse de ses yeux de velours noir, sa bouche
voluptueuse aux lèvres ourlées sur des dents
superbes.

— Nous venons voir le Français, dit Mario.

Elle leva ses énormes avant-bras dans un geste
qui pouvait être d'impuissance ou de désespoir.

— Le Senhor Maximilien est parti depuis deux
jours. Il a laissé sa valise. Il n'a pas payé sa note.

Elle fouillait dans la poche de son tablier, à la
recherche d'un papier qu'elle ne trouvait pas.

— Concha! cria-t-elle de sa voix aiguë.

Une enfant que nous n'avions pas vue, cachée
derrière le fauteuil de rotin, apparut la note à la
main. Je payai les mille deux cents écus. Mario ne
m'avait pas prévenu que Stanislas se faisait appeler
Maximilien. Pourquoi s'être donné tant de peine
à se différencier du héros d'*Audrey* pour endosser
finalement son nom dans ce pays et cette ville où,
à part Mario Mendosa et quelques intellectuels, il
était inconnu? D'un geste, la Senhora Amanda
nous indiqua l'escalier et la chambre n° 3. C'était
à pleurer. Deux costumes gisaient par terre,
maculés de taches. Le linge sale s'empilait dans la

314

bassine de la toilette, car les « comodidades » étaient une bassine et un broc d'émail écaillé sur une tablette avec un porte-savon et une serviette en loques. La courtepointe avait été tirée sur le lit défait.

Nous empilâmes les affaires dans la valise. En bas, la Senhora Amanda voulut s'excuser. La chambre n'était pas très bien rangée. Elle avait tant de mal à monter les escaliers avec ses jambes enflées. Avec une impudeur inattendue, elle releva sa jupe jusqu'à mi-cuisses, découvrant des chairs violacées.

— Je n'ai pas prévenu la police, dit-elle. S'il revient, qu'est-ce que je dois dire, Senhor Doutor ?

— Que je suis passé prendre ses affaires, mais il ne reviendra pas.

— Un homme si bien !

Mario haussa les épaules et redescendit d'Alfama vers le taxi qui nous attendait.

— Ça va être difficile, murmura Mario, mais on ne peut pas en vouloir à cette grosse pute, elle ne sait vraiment rien.

— Ne me dites pas que c'est une pute !

— Plus maintenant, mais elle l'a été. Son mec est en tôle un an sur deux. La police la surveille.

— Alors la police a surveillé aussi Stanislas ?

— Peut-être. À moins qu'il n'ait donné encore un autre nom. Maximilien von Arelle ! Qu'est-ce que c'est que cette invention ?

— C'est le nom du personnage principal de son dernier roman.

— Je ne l'ai pas lu.

— Je vous en ai apporté un exemplaire.


Je retrouvai Mario le soir avant dîner dans un café de la place des Restaurateurs. Deux de ses amis l'écoutaient raconter une histoire et je suppose qu'il parlait de Stanislas, car Mario s'arrêta quand j'approchai, non sans que j'aie eu le temps d'observer son visage animé d'une passion farouche que je ne lui connaissais pas : les deux hommes étaient déjà au courant. L'un était un poète dont j'ai oublié le nom, l'autre un inspecteur de police également poète à ses heures de liberté. Dans une gargote à peine reniflable, nous dînâmes d'un merveilleux *emperador* grillé. Il ne fut pas question de Stanislas, mais de poésie. Ces trois-là savaient tout, guettaient dans le monde entier la naissance du moindre poète, curiosité inimaginable en France où la poésie est l'affaire d'orgueilleuses chapelles. De temps à autre, Mario clignait vers moi de son œil unique. Je voyais bien qu'il voulait m'épater mais que nous ne perdions quand même pas notre objectif. Ils me quittèrent à la porte de l'hôtel et Mario me glissa dans le creux de l'oreille :

— Nous le cherchons. J'ai bon espoir.

Il fallut quand même trois jours pendant lesquels je trompai mon angoisse en marchant dans Lisbonne, tantôt seul, tantôt en compagnie de Mario Mendosa qui s'instituait mon mentor. Nous dégustions des morues frites arrosées de vin vert, et Mario connaissait une douzaine d'adresses où le madère et le porto étaient selon lui incomparables si on les buvait entre amis. Des amis, il s'en trouvait toujours dans ces endroits-là et je m'émerveillais qu'il y eût tant de poètes à Lisbonne contre si peu de romanciers. Mario était fier de montrer « son » éditeur français. Tous avaient rencontré Stanislas au moins une fois ou deux depuis son arrivée au Portugal, sans comprendre pourquoi cet auteur si connu sous son nom s'obstinait à se faire appeler Maximilien von Arelle. Il buvait beaucoup, m'assura-t-on, et plusieurs fois, Mario et ses amis avaient dû le raccompagner à son hôtel où le portier s'occupait de lui, puis à la pension Amanda où il fallait le coucher sur son lit.

— Ça lui a fait du bien, disait Mario. Cet homme avait besoin de se libérer.

Se libérer de quoi ? J'avais hâte de le savoir bien qu'il fût certain qu'à un moment Stanislas s'arrêterait et rejoindrait Félicité à Paris. Le troisième jour, le portier me remit, sous enveloppe, un morceau de nappe en papier sur lequel l'inspecteur poète avait écrit : Posada de Lord Byron, Sintra.

La posada en contrebas de la route du palais royal était une jolie maison bâtie en équilibre au fond d'un vallon où les magnolias aux feuilles vernissées, les camélias aux fleurs rouges, grenat et blanches, les mimosas aux grappes desséchées, pris de démence, recouvraient tout et menaçaient même la maison, débordant sur les terrasses, pénétrant par les fenêtres que leur abandonnait la propriétaire, une vieille Anglaise aux cheveux blancs soigneusement bouclés par une permanente. Le contraste entre Mrs. Simpson (rien à voir avec la duchesse morganatique) et la Senhora Amanda était si frappant qu'il amena un sourire sur le visage macabre de Mario. Mrs. Simpson parut ravie de nous voir comme si elle nous attendait depuis longtemps.

— Avez-vous retrouvé sa valise à l'aéroport?

Ainsi avait-il probablement expliqué son arrivée sans bagages et Mrs. Simpson nous prit d'abord pour des employés de la compagnie fautive. Son ravissement fut tel qu'il l'empêcha de répondre à mes premières questions, et ce n'est qu'au bout d'un moment, après qu'elle nous eut apporté un plateau de thé avec des *torradas* admirablement grillées et des œufs sucrés de Sintra qu'elle sembla comprendre notre intérêt pour Stanislas. Elle l'appelait Maximilien von Arelle comme la Senhora Amanda. Oui, c'était un homme charmant, d'une grande érudition. Il savait tout du séjour de

318

Byron à Sintra et récitait des pages entières de *Childe Harold* commencé dans cette maison même devenue une posada. Il se promenait la journée dans le parc de la Pena, dînait d'une tranche de jambon, d'un toast et de thé, lisait une partie de la nuit dans un fauteuil auprès d'un feu de bois car les journées ont beau avoir été chaudes à Sintra, les nuits sont fraîches et l'haleine de la forêt retombe le soir en une nappe humide qui ruisselle sur les vitres des fenêtres et les murs.

— J'ai dû le conduire dans un magasin de confection pour qu'il s'achète un pantalon, des chemises et un chandail avant qu'on ait retrouvé sa valise. C'est un grand enfant...

La Senhora Amanda avait dû le voir sous un autre jour !

— Il a tenu à ce que je l'appelle Maximilien et il m'appelle Dolly... parce que mon prénom est Dolly bien que je n'aie rien d'une poupée... Il ne devrait pas tarder, à moins qu'il ne se soit égaré comme hier... j'espère fermement qu'il ne mettra pas à exécution son projet de passer une nuit dans le couvent des Capuchos... C'est un endroit absolument sinistre, mais qui l'attire d'une façon irrésistible. Il prétend qu'en passant une nuit dans les grottes tapissées de liège où ces malheureux vivaient, il retrouvera leurs songes. On se demande à quoi pouvaient bien rêver des capucins... enfin... les catholiques sont comme ça !

— Ils rêvaient à de belles filles grasses et nues, à

319

des gâteaux à la crème et à un feu de bois, dit
Mario.

Mrs. Simpson gloussa.

— Je n'aurais jamais cru que vous pouviez être
drôle, monsieur... monsieur?

— Mario Mendosa.

— Vous travaillez à l'aéroport?

— Je suis poète et romancier, madame.

Elle semblait étonnée qu'un borgne pût écrire.

— Ça ne vous gêne pas? demanda-t-elle en
pointant son doigt vers son propre œil.

— Pas plus que ça ne gênait Camões.

— Ah oui... et Cervantès!

— Non, Mrs. Simpson, Cervantès n'avait pas
perdu un œil, mais la main à Lépante. Il est vrai
que c'était la main gauche.

— Ah ça doit être très gênant... Et vous aussi,
vous écrivez?

— Non, je suis éditeur. Je suis même l'éditeur
de votre locataire.

— C'est inouï! Nous sommes en plein quipro-
quo. Nous ne parlons pas de la même personne.
Le baron von Arelle est cambiste...

— À ses moments perdus... le reste du temps, il
est écrivain, je vous l'assure.

— Eh bien, c'est un cachottier... et moi qui
vous prenais pour des employés de la T.A.P. ou de
la douane...

Décidé à ne pas la troubler plus longtemps j'eus
aussi la certitude qu'il ne fallait pas se cogner dans

Stanislas en sortant de cette maison. On pouvait compter sur Mrs. Simpson pour lui annoncer notre visite et notre retour pour le lendemain vers la même heure. S'il ne désirait pas nous voir, il aurait largement le temps de s'en aller, de se trouver un autre refuge. Je laissai une enveloppe avec quelques billets de mille écus au cas où il serait sans argent. Mrs. Simpson se désola : ne pourrions-nous attendre jusqu'à l'heure du dîner ? Mario avait compris et prétexta d'un dîner à Lisbonne.

Il était impossible de tourner sur l'étroite route en corniche en bas de laquelle est bâtie la posada, et nous dûmes remonter jusqu'à la place du paço de Sintra. Des autocars rembarquaient la dernière fournée de touristes et les marchands ambulants ramassaient leur pacotille : poupées de *campinos* ribatejans, de paysannes minhotes, de pêcheurs de Nazaré, carrioles en miniature, ânes en pain d'épice, motifs magiques tressés dans la paille. Sintra revenait à soi. La forêt, prête à s'assoupir, exhalait son haleine bleuâtre qui retombait sur la vallée. J'allais faire demi-tour quand Mario m'arrêta, posant sa main sur le volant.

— Le voilà ! Il a meilleure mine.

Stanislas traversait la place à quelques mètres de nous, comme nous le décrivait Mrs. Simpson, en pantalon de velours et bras de chemise, un chandail noué par les manches autour de la taille. Je ne l'avais jamais vu avec une canne, plutôt une sorte de gourdin noueux comme ceux que les mana-diers lancent en boomerang à la tête des taureaux égarés. La poignée enflée était percée d'un brace-let de cuir enserrant sa main. Il avait dû l'acheter à un des marchands ambulants de la place du châ-teau. C'est à Sintra qu'il prit le goût des cannes. À Londres et à Venise il y en eut, par la suite, une hotte pleine dans le vestibule et il ne sortit plus sans en choisir une qui s'accordât à son humeur. Les cannes n'aidaient pas sa marche, mais il s'arrê-tait, il reposait une partie du poids de son corps sur cette troisième jambe. En fait, les cannes étaient surtout destinées à rythmer sa parole inté-rieure et souvent, l'attendant à un de ces rendez-vous qu'il aimait donner dans un jardin ou un parc de Paris, je devinais son humeur de loin, rien qu'en voyant la façon dont il maniait sa canne. Quand il réapparut à Paris, il y eut quelques échos : on crut à un accident de ski (il ne skiait pas), à une chute de cheval (il ne montait pas), à une arthrite ou des rhumatismes (il n'en eut jamais). Non. La canne l'occupait comme un jouet. Ajoutons à cela la passion du collection-neur : entrer dans un bric-à-brac, aviser une poi-gnée en or, en ivoire, en argent, chercher ensuite un artisan qui conservait des joncs, des bambous, du coudrier, du chêne ou de l'ébène. Se serait-il soudain lassé des cannes qu'il aurait eu des diffi-cultés avec les photographes. Édouard Boubat exi-gea une canne pour la photo qu'il prit de lui et publia dans *Miroirs, autoportraits*[1]. Lorsque Marcel Jullian lança *Idée fixe*[2], jolie porte ouverte à des auteurs toute catégorie pour confesser leurs manies, Stanislas proposa d'écrire cinquante pages sur ses cannes. Le jeu l'amusait mais resta du domaine des projets qui ne virent pas le jour. Ou peut-être eut-il le sentiment d'avoir dit l'essentiel dans la lettre qu'il m'écrivit de Londres à ce sujet[3] :

Ce n'est pas plus étrange de collectionner des cannes que de collectionner des timbres-poste. La canne donne une contenance. Je n'aime pas les mains dans les poches et les femmes sans chapeau. Coco Chanel prenait son bain avec son canotier sur la tête. C'est peut-être un peu beaucoup, mais elle n'avait pas tort... Suppose qu'un plombier soit entré brusquement sans frapper pour changer un robinet! Eh bien, je partage la même appréhension. Qu'un Sganarelle quelconque me parle mal, que faire? Des coups de bâton sont un remède souverain. Avec les bâtons, on mène les ânes depuis l'Antiquité. C'est le ressort d'Aristophane, de Molière, de Goldoni, de Marivaux. Et je ne cite que les meilleurs. Nadar photographiait ses contemporains canne en main : Barbey d'Aurevilly, Émile Augier et même ce merveilleux fou anarchiste de Mikhaïl Bakounine. Il y a la jolie canne de Boni de Castellane, les cannes plus solides de Flaubert, d'Apollinaire, celle du général Leclerc. Et, pour parler au présent, que crois-tu

1. Denoël, 1973.
2. Plon.
3. 1er juillet 1976.

que signifiaient dans les tableaux de Dali toutes ces béquilles? Ce sont des cannes. Dali ne se promène jamais sans canne. Regarde bien le Charles I$^{er}$ d'Angleterre de Van Dyck, le Louis XIV de Rigaud : tous les deux ont des cannes. À noter cependant qu'ils la tiennent de la main qui devait tirer l'épée, la gauche pour Louis XIV, la droite pour Charles I$^{er}$. Rappelle-toi Lauzun furieux contre Louis XIV, brisant son épée devant le roi : « Jamais de ma vie je ne servirai un prince qui trahit si vilainement ses promesses. » Louis leva sa canne, puis se ravisant, ouvrit une fenêtre et la jeta dehors : « Je serais trop fâché d'avoir frappé un gentilhomme. » Dieu ne se sert pas d'une canne mais enjoint à ses évêques de ne pas se montrer en public sans leur crosse. Il y aura beaucoup à dire si jamais j'écris cette étude de mœurs.

Le goût lui en était donc venu à Sintra, par hasard, dans le désœuvrement de ces journées où n'importe quoi était bon pour effacer les amers souvenirs revenus en foule à la parution d'*Audrey*.

Il passa devant la voiture sans nous prêter attention, distrait, parfaitement à l'aise avec soi-même comme on l'est après une orageuse dispute intérieure. De ses fugues dont il émergeait apaisé, il aimait dire :

— Je reviens de loin. Je ne pouvais plus me voir. La réconciliation a été difficile, mais, vous savez ce que c'est : les vieux couples comme moi finissent toujours par se remettre en ménage. La peur du vide ou de l'aventure a vite raison des tentations. Pas besoin de se faire la morale longtemps : il n'y a qu'avec soi qu'on est bien. Je suis contre le divorce qui sépare un homme de lui-même. Il faut rester dans soi et se montrer un peu d'indulgence.

À Sintra, les excès de ces deux dernières semaines ne l'avaient pas marqué. Une fois de plus, j'admirai sa résistance physique. Amaigri sûrement, mais de cette maigreur qui bombe les torses et fait saillir les muscles. Je croyais l'entendre comme au retour des longues marches dont il était coutumier, fût-ce à Londres, Venise ou Paris quand il ne se trouvait pas à la montagne :

— Je me suis purifié! J'ai brûlé mon alcool, toussé ma nicotine, éliminé mon cholestérol et mon urée, vidé ma cervelle des miasmes qui l'encombraient. Je suis neuf.

Et il se versait un verre de whisky, allumait un cigare, à table mangeait comme quatre, buvait plusieurs tasses de café, un armagnac ou ces alcools de prune qu'une lectrice lui envoyait régulièrement de Suisse chaque mois. Quitte à remarcher l'après-midi ou à filer vers une salle de culture physique : quelques exercices violents, bain de vapeur, douche glacée, massage. Plus qu'une saine fatigue, il cherchait dans la marche un exutoire aux sentiments qui l'obsédaient par trop.

— Je n'aurais jamais dû être écrivain... j'aurais dû être facteur rural au siècle dernier, quand il n'y avait même pas de bicyclettes. Dix lieues par jour formaient des hommes à la pensée saine, à l'immense expérience humaine. Le facteur rural apprenait au monde les naissances, les mariages, les morts. Il lutinait les veuves, conseillait les veufs, préparait les élections. Il vivait vieux, confit dans la sagesse, desséché, la peau sur les os, le visage couturé de rides par le grand air, marabout du village que l'on consulte pour les peines de cœur ou d'argent. Quelle belle vie au service d'autrui !

Il nous dépassa et s'engagea sur la route conduisant à la posada de Lord Byron où Mrs. Simpson devait commencer à s'inquiéter de son pensionnaire. S'il n'avait pas envie de me voir, il lui était facile de partir sur-le-champ. Je le retrouvais, mais pas pour le forcer.

Quand nous revînmes le lendemain, Mrs. Simpson toute joyeuse, s'écria dès qu'elle eut ouvert la porte :

— Il vous attend au château de la Pena.

— Par ce temps !

— Il ne s'est même pas aperçu qu'il pleuvait. J'ai dû lui courir après avec un ciré, le ciré de mon mari. Un imperméable ne résiste pas à la pluie de Sintra. Il faut un ciré. En avez-vous un ?

— À Lisbonne, le soleil brillait quand nous sommes partis.

— À Sintra vous n'êtes pas à Lisbonne, à peine au Portugal. Il faut que la forêt boive tous les jours. Je vais vous prêter quelque chose.

Elle décrocha deux cirés jaunes d'une patère.

— Des clients me les ont laissés. Ils partaient vers des pays secs... Je prépare un feu pour votre retour.

C'est vrai qu'il pleuvait, et abominablement. Mario refusa le ciré, montrant son parapluie à peu près aussi large qu'un parasol de plage. Noir, bien entendu. Mrs. Simpson nous avait dit qu'il était préférable de monter à pied jusqu'à la Pena au cas où, las de nous attendre, Stanislas redescendrait par la forêt. Sous les arbres, nous pensions moins craindre le déluge, mais c'était encore une illusion. Nous ne recevions pas de gouttes, plutôt de pleins seaux d'eau quand un coup de vent secouait le feuillage épais des hêtres, des chênes monstrueux. Le chemin en lacet contournait des cascades, franchissait des ruisseaux, des mares, des bassins. Nous avancions dans un aquarium, les pas étouffés par le sol mou dont l'odeur mucilagineuse nous imprégnait lentement. Les forêts ne sécrètent pas d'enchantements, elles sécrètent la mort, et les arbres sont les colonnes du désespoir, nourris de cadavres millénaires qui dévorent leurs racines. La peur maintient éveillé le promeneur égaré. Sans un chemin fléché, nous nous serions perdus dans cette glauque lumière tamisée par les sous-bois, dans ce délire végétal de fougères arborescentes. Il était cependant impossible de se laisser tout à fait envoûter quand on marchait à côté de Mario. Si le parapluie protégeait sa tête et ses épaules, en revanche les jambes de son pantalon furent vite à tordre et ses vieux brodequins avaient tellement pompé l'eau qu'ils lâchaient, à chaque pas, un comique bruit de ventouse comme un gros baiser visqueux auquel Mario ne prenait pas garde, lèvres pincées, furieux de patauger dans la boue, d'enjamber des flaques, de traverser des bassins sur des passerelles en dos d'âne, de glisser sur des dalles de granite. Oui, il était absurde dans ce décor, le disciple de Camoës. Absurde et comique, remâchant sa rage de s'aventurer dans cette nature si lourde, lui l'enfant des pavés de Lisbonne, le troglodyte des cafés sombres où s'élabore une poésie hermétique rongée par la mélancolie d'être. Comme nous nous arrêtions pour souffler, au bord d'un bassin dans lequel se déversait une jolie cascade bleue, il soupira : « Si c'est une initiation, j'aurais préféré rester innocent. » Peut-être devions-nous mériter les retrouvailles avec Stanislas, à supposer qu'il nous attendît encore au château et n'eût pas filé ailleurs, insaisissable et sarcastique. La Pena nous apparut enfin quand le sentier retrouva la route. Dressé sur son socle de roches grises, ses tours grandiloquentes accrochaient des lambeaux de nuages déchirés par le vent. Tous les amants de Sintra ont parlé du château de la Pena et je ne m'y risquerai pas après Beckford. À peine oserai-je dire qu'aux deux visiteurs il ne sembla même pas réel. On mourait d'envie de crever les murs d'un coup de pied dans le carton-pâte, bien que cet ensemble d'une extravagante prétention fût bâti en dur pour défier le temps. Les rêves du facteur Cheval ou de Gaudi paraissent singulièrement raisonnables si on les confronte au rêve de ce Ferdinand de Cobourg, un précurseur de Disneyland. Je regardai Mario : trempé, le pantalon tire-bouchonné autour de ses maigres échasses de coureur des rues, crotté, imperturbable, l'air offusqué d'un citadin égaré dans un roman de chevalerie, il était irrésistible. J'éclatai de rire, ce qu'il faillit prendre mal, et je dus le convaincre que je riais de la basse culture architecturale de ce prince saxon et du tour que nous jouait Stanislas en nous entraînant de la pensão Amanda au château de la Pena.

— Je parie, dit Mario, que nous ne le trouverons pas. Il est allé s'amuser ailleurs, pendant que nous nous perdions dans la forêt. J'ai toujours détesté la nature, mais sans la connaître. Maintenant, je sais que mon instinct était le bon.

Il leva le doigt, sentencieux, et comme la pluie s'arrêtait, secoua son parapluie et le referma. Nous passions sous la poterne quand une voix française que je connaissais bien cria au-dessus de nos têtes :

— Je suis fort aise de vous voir en bonne santé ! Horatio, si j'ai bonne mémoire.

— Hamlet-Maximilien-Stanislas, la plaisanterie a suffisamment duré, répondit Mario en levant la tête vers le visage hilare qui apparut entre deux créneaux.

— Que tu sois un esprit bienveillant ou un esprit des enfers, que tu m'apportes les doux zéphyrs du ciel ou les tempêtes des Enfers, que tes desseins soient mauvais ou généreux, tu viens sous une forme si humaine que je veux te parler, ô Mario, poète et Portugais.

— Qu'est-ce que tu crois? Que je ne connais pas mon *Hamlet*? Mon pauvre Stanislas, je le sais par cœur.

— Montez mes enfants! Je n'en peux plus de vous attendre. Venez, c'est splendide.

Stanislas nous attendait sur la terrasse, appuyé sur sa canne, le ciré de Mrs. Simpson sur le bras, décoiffé, radieux. Les lambeaux de nuées qui, quelques minutes auparavant, traînaient encore au-dessus du château, avaient disparu et le ciel d'un bleu timide s'ouvrait, immense.

— Je vous accueille chez moi! dit Stanislas en écartant les bras.

Mario devait ignorer que dans la thèse de Walker parue en 1957, l'étudiant américain avait cherché une paternité à Stanislas parmi les Cobourg, mais je n'avais pas oublié les démentis méprisants de l'auteur d'*Audrey* : on n'a pas connu un seul artiste dans cette famille de fournisseurs en rois pour les dynasties européennes épuisées par les mariages consanguins. Que Stanislas y fît allusion pour se moquer à la fois de lui-même et de la Pena, était signe qu'à cette minute il retrouvait l'humeur que j'aimais chez lui, sa façon de se

330

moquer de lui-même à travers les autres. Cela signifiait aussi qu'il était prêt à regagner le bercail et que nous n'arrivions ni trop tôt, ni trop tard. Pourquoi aussi me parut-il vieilli, malgré son visage reposé et ses yeux pétillants d'ironie? Il n'avait que cinquante-deux ans, mais l'âge mûr le marquait soudain après une épreuve intérieure qui ne le laissait pas intact. Cela confirmait ce que je soupçonnais parfois : une grande lassitude de la vie qu'il menait d'ordinaire, de cette parade à laquelle l'obligeait Félicité, bien qu'il y fût si à l'aise qu'il n'y renoncerait jamais. Quel homme n'a pas, à certaines minutes, l'envie de se détruire quand tout est trop parfait à un détail près et que, soudain, ce détail importe plus que les facilités de la vie. Stanislas regagnait le camp de l'ordre. Encore quelques mois et il commencerait un nouveau livre tant il est vrai qu'un écrivain qui n'écrit plus est un drogué en état de manque.

Nous regagnâmes Sintra par la route. Après la pluie, les senteurs de la forêt nous atteignaient par vagues successives : fleurs, humus pourrissant, odeur fraîche du bois gonflé d'eau. Stanislas marchait allégrement entre nous deux, ignorant la mauvaise humeur de Mario. Nulle allusion à ces deux dernières semaines, mais un plaisir très grand à nous raconter sa rencontre de la veille où ses pas l'avaient conduit jusqu'à l'hôtel Seteais. Et là, dans qui s'était-il cogné? Il nous le donnait en mille. Bien sûr nous ne pouvions pas deviner que

Jacques Chardonne passait quelques jours dans ce palace qui a peut-être été le plus beau du monde. Stanislas l'avait trouvé dans le hall.

— Je suppose qu'en pleine jungle, à Bornéo, il porterait le même nœud papillon qu'à Paris, le même chapeau Eden beige à bords roulés, le même costume gris rayé sur chemise rose. D'ailleurs, nous n'avons pas du tout parlé du Portugal. Non. Seulement de Cioran qu'il met très haut, qu'il cite très bien. Mais moi aussi je le cite bien : « C'est parce que nous sommes vêtus que nous nous flattons d'immortalité : comment peut-on mourir quand on porte une cravate ? » Je regardais son nœud papillon, fort joli en effet, une soie bleue à pois blancs. Nous avons parlé pendant une heure de nos cadavres qui s'accoutrent pour ne pas se voir. J'ai rappelé à Chardonne ces mots qui concernent un homme toujours aussi élégamment habillé que lui : « Quand vous vous mettrez un chapeau, qui dirait que vous avez séjourné dans des entrailles ou que les vers se gorgeront de votre graisse ? » Nous avons pris un thé pas du tout mélancolique malgré le ton de ces réflexions. Il n'y a que les pessimistes pour voir la face du monde, et cette face est plutôt comique. La terrasse du Seteais donne sur la vallée. La forêt et les jardins descendent jusqu'à la route. De l'autre côté, il y a des vignobles en rangs serrés. Leur vin rouge est excellent, assure Chardonne. Je me suis enquis du nom : Colarès. Il faut que nous y allions demain pour en acheter une bonbonne...

— Qu'en ferons-nous ?

— Nous l'offrirons à Mrs. Simpson. Le manque de vin attriste ses menus. Je ne connais que les Anglais pour être aussi imperméables au pays dans lequel ils vivent. Encore que les Français le soient aussi parfois... Chardonne m'a désigné au creux de la vallée un petit village blanc aux toits de tuiles rondes : Cabriz. Un de ses amis, installé là avec sa femme et son chien, écrit un roman dont l'action se déroule en Afrique du Nord, en plein bled. Il lui faut fermer les yeux pour oublier le jardin luxurieux et surtout un parterre d'agapanthes, la lisière de la forêt qui sécrète des vapeurs bleues... Mais nous, ne sommes-nous pas tous pareils ? L'écrivain n'est pas un peintre d'après nature. Il lui faut tout recréer dans la chambre noire de l'imagination. Je ne suis jamais arrivé à écrire une ligne sur Venise quand j'habite le Largo Fortunio, et pas une ligne sur Londres quand nous séjournons à Chelsea.

— Et Lisbonne ? demanda Mario.

— Ce sera pour plus tard, bien plus tard.


Plus tard, ce fut dans *L'Abeille*[1] quand Roger Sanpeur après son suicide raté, fuit l'Italie et s'ins-

1. Saeta, 1963.

talle quelques semaines à Lisbonne pour écrire un de ces romans policiers dont il vit honteusement. Le roman se situe à Hambourg où il n'est jamais allé, mais il a pris soin d'acheter un guide et un album de photos. Quand il lève les yeux, Sanpeur voit par la fenêtre la ruelle d'Alfama où jouent des enfants et geignent des matrones. La pension est tenue par une grosse femme à la bouche gourmande et aux cuisses éléphantesques, et dans la chambre voisine marche, de long en large, un escogriffe tout de noir habillé qui récite les *Lusiades.* Dans le Lisbonne qui l'entoure et devrait solliciter son attention, Sanpeur est comme un corps étranger, muré dans son roman policier, sourd à l'appel de la ville qui crie autour de lui. Il y a là quelques pages sur Lisbonne qui sont parmi les meilleures de Stanislas.

Le lendemain de ces retrouvailles à Sintra, nous prîmes l'avion pour Paris. Mario Mendosa nous accompagna jusqu'à la police des passeports et sa triste silhouette d'hidalgo resta plantée devant le portillon jusqu'à ce qu'il fût certain que nous embarquions. Je crois qu'il voyait repartir Stanislas avec un mélange de regrets et de soulagement. Devant lui, un homme s'était noyé pour revenir à la surface de la façon la plus inattendue. Nous l'avions entraîné à Sintra dans une forêt qui confirmait son horreur de la nature. Quand en 1970, il publia un fragment de ses *Lisbonenses*[1] nous reconnûmes, comme une description de l'enfer, l'ascension dans la forêt aquatique de la Pena et la rencontre avec le fantôme d'Hamlet sur le chemin de ronde du château.

— Il est comme moi, dit Stanislas. Il ne laisse rien perdre. Parfois, j'en ai presque honte. On devrait m'accrocher un écriteau dans le dos : attention, se souvient de tout, utilise tout sans scrupules. Je ne sais pas inventer.

— Vous réinventez.

— Oh, c'est parce que j'ai l'esprit de l'escalier.

Au retour à Paris, Félicité accueillit Stanislas comme s'il ne s'était rien passé. Ils avaient d'autres sentiments à échanger que la mesquine monnaie des reproches. Leur vie reprit à la nuance près que Stanislas avait découvert, quatre ans après la mort d'Audrey, l'immensité de l'amour offert par la petite fille de Stockwood. Écrire et publier *Audrey* éclairait Stanislas sur lui-même plus qu'aucun autre de ses livres. Vécu, l'amour d'Audrey avait été une poétique et délicieuse aventure, mais du jour où, recomposé image par image, émotion par émotion, consigné sur des pages blanches d'une écriture si nette qu'elle ne pouvait être qu'inspirée, cet amour devenait une réalité forte et désespérante qui

1. Livraria Bertrand.

imprégnerait le reste de sa vie. En lui consacrant un livre, Stanislas rendait le souffle à la jeune morte pâle qui avait écouté passionnément *L'Oiseau de feu* dirigé par Igor Markevitch. Elle revivait, elle disait des choses ingénues fleuries dans son cœur, on respirait son parfum, on captait son regard bleu de ciel, on attendait une pression de sa main, on croyait qu'elle allait soudain cambrer son joli corps nu et blanc barré d'une étrange cicatrice sur le ventre, et le presser contre le corps de son amant qui ne vieillissait que parce qu'elle était trop jeune et trop pure pour lui. Les hommes délaissés par la tromperie ou par la mort qui se ressemblent tant qu'on prend la tromperie pour la mort et la mort pour une tromperie sinistre, ces hommes qui n'ont que des souvenirs vite édulcorés, des lettres mièvres ou des photos incapables de rendre justice à l'aimée, connaissent le bonheur d'oublier doucement, mais les imprudents écrivains creusent leur plaie et s'infligent une maladie inguérissable qui les jette dans les plaisirs, l'amertume ou la recherche éperdue des signes négligés. Ainsi en fut-il de ce signe que Stanislas voulut retrouver avec moi, deux ou trois ans plus tard. Un après-midi, je travaillais dans mon bureau de Saeta quand il apparut sur le seuil de la porte, en veste de tweed, pantalon gris et casquette. Je crus qu'il venait signer le service de presse de *L'Abeille*, mais non, il voulait m'emmener déjeuner dans un petit restaurant sur la route d'Orléans, une occasion d'essayer sa nouvelle voiture, une Maserati immatriculée en Italie. À dix heures du soir, nous nous présentions au Perthus. C'est presque à tâtons qu'après minuit nous arrivâmes à Ampurias. Au petit matin, du balcon de ma chambre, je le vis, sur la plage, en bras de chemise, son pantalon remonté jusqu'aux genoux, marchant en bordure de l'eau dans les vagues qui expiraient sur le sable. La mer encore rougie par le soleil levant ondulait doucement entre les deux pointes du golfe et deux barques ancrées à quelques mètres du bord balançaient leurs lamparos.

Pendant le trajet si inattendu, nous avions à peine échangé quelques mots et je m'étais gardé de troubler la pensée qui l'agitait et nous lançait sur cette longue route dévorée par la Maserati bleue, le dernier de ses jouets. Il ne s'agissait pas que d'essayer une nouvelle voiture, j'en fus certain dès le moment où nous eûmes grillé le restaurant prétexte de cette échappée. Avait-il d'ailleurs jamais eu l'intention de s'y arrêter ? Nous n'allions pas non plus retrouver une femme pour laquelle il n'aurait eu aucun besoin d'un témoin. J'étais loin de deviner que nous courions à la recherche d'une ombre. Oui, Audrey, dix ans auparavant, c'est-à-dire vers 1952 ou 3, était venue passer un mois à Ampurias avec Johnny et quelques-uns de leurs amis. Logés dans cet hôtel où nous étions descendus, ils occupaient les quatre chambres donnant sur la plage. Ampurias n'était rien à cette époque-là, juste un village de pêcheurs avec quelques ruines romaines pour attirer les tou-

337

ristes consciencieux. La Costa Brava embaumait la myrrhe et le thym, pas encore les huiles solaires, l'essence et la poussière tenace des grands ensembles de béton. Les amis d'Audrey avaient apporté des livres, des guitares et pris goût au pastis espagnol qu'on trouble en versant goutte à goutte l'eau sur un sucre en équilibre dans une cuillère percée. Ces enfants d'une civilisation préfabriquée découvraient avec étonnement le poisson rapporté dans les filets au lever du jour, l'odeur du pain chaud sortant des fours dressés derrière les maisons, les vins catalans qui râpent la gorge et les jerez qui l'enflamment. Ils croyaient robinsonner. Encore quelques années, et la Costa Brava se métamorphoserait en dépotoir. Sans le savoir, ils en goûtaient la dernière saveur et la liberté.

Stanislas était arrivé une nuit où ils chantaient sur la plage. Dans l'ombre, malgré une torche flambant au milieu de leur cercle, il ne pouvait distinguer Audrey des autres jeunes femmes du petit groupe, mais reconnut sa voix quand elle entonna une douce chanson catalane apprise, la veille, d'une femme du village. Abrité derrière une barque échouée, il avait attendu leur départ, trouvé une chambre chez l'habitant, et le lendemain fait porter par un enfant un mot à Audrey pour qu'elle le rejoigne à la sortie du village. Le soleil hâlait son teint délicat et, dans la minute où elle s'avança vers lui qui l'attendait sans un geste, accoté au tronc d'un pin, il la trouva si belle qu'il en eut le cœur atrocement serré. Il ne l'aurait jamais à lui, rien qu'à lui. Il faudrait toujours la partager avec Johnny, avec ses amis. Cette peine s'évanouit quand elle fut contre lui et qu'il retrouva son regard, caressa la nuque sous les longs cheveux blonds. Elle était *aussi* à lui. Ils avaient marché dans la pinède jusqu'à une anse où un pêcheur prêtait une barque. À la rame, ils avaient gagné une crique à l'eau d'opale. Aucun chemin n'y accédait. On n'arrivait que par la mer à cette demi-lune de sable blanc. Audrey avait retiré sa robe bariolée de gitane et plongé, réapparaissant coiffée d'un casque de cheveux blond fauve. Ils avaient nagé vers la plage au sable si léger qu'on y enfonçait jusqu'à la cheville. Elle s'était allongée sur le dos et il lui avait retiré son soutien-gorge. Elle avait souri de son étonnement que ces seins fussent aussi hâlés que le reste du corps. Oui, en groupe, ils se baignaient à demi nus. Quand Stanislas lui avait retiré son slip, il avait vu l'étroite marque du maillot à la limite du pubis brillant de gouttes d'eau comme un écrin ouvert. Il avait voulu y poser ses lèvres, boire cette rosée scintillante mais elle lui avait pris la tête entre les mains pour la ramener à son propre visage aux yeux grands ouverts. Penché sur cet ovale heureux, Stanislas y retrouvait un reflet du ciel, une lueur bleue brouillée par l'approche du plaisir. C'est une chose d'embrasser la beauté dans l'ombre d'une chambre, c'en est une autre d'embrasser la beauté en plein soleil.

Stanislas avait passé une semaine à Ampurias, ignoré de Johnny et du groupe des amis qui paressaient le matin dans leurs chambres. L'après-midi, il ne devait pas se montrer. Le soir, il les apercevait sur la plage toujours chantant, dansant ou récitant des poèmes. Il ne pouvait pas les envier. C'était lui le voleur. C'est à lui qu'Audrey donnait ce qu'elle possédait de plus beau, le plaisir de son corps hâlé couché dans le sable, ces secondes où son regard brouillé accusait l'éclosion d'un spasme après lequel elle n'était plus qu'une chair tendre dans les bras de son amant.

Cela aurait pu durer l'été si Stanislas ne s'était inventé une raison de partir. Il importait plus de conserver un souvenir parfait dans sa brièveté que de le ternir en risquant une ultime imprudence. Ce souvenir, nous revenions le chercher à Ampurias, un matin de juin. L'hôtel s'était haussé d'un étage. Sous ses fenêtres la plage se tachait de parasols orange, de pédalos rouges. Un gros type en short sale ratissait le sable et ramassait des mégots qu'il décortiquait pour se bourrer une pipe. Nous désirions une barque à rames. Il n'y avait que des canots à moteur. Un pêcheur nous emmena vers les criques lovées dans les rochers rouges. La première pointe dépassée, Stanislas voulut s'arrêter. Il y avait bien une demi-lune de sable, mais une maison ocrée dominait la plage. On avait creusé un escalier dans la roche rouge. Un peu plus loin, ce fut un hôtel : une jetée en ciment avait modifié la plage dont on avait dû utiliser le sable pour construire ce bloc de béton. Ne restaient plus que des galets. Les deux criques suivantes souffraient du même mal. Stanislas ordonna le retour.

— J'ai dû rêver ! me dit-il quand nous remontâmes en voiture.

Le soir nous étions à Paris, barbus, épuisés.

Stanislas ne parla plus d'Audrey sauf le soir où nous passâmes sous ses anciennes fenêtres, quai Anatole-France, mais je n'avais pas besoin de confessions, ni même d'allusions voilées. Il pensait toujours à elle. L'amour revécu est le sublime résumé de longues attentes, de doutes et de craintes. Le temps s'y resserre en quelques scènes intenses, néglige les espaces morts et les déceptions, et quand la séparation, même la plus cruelle, le sauve des lassitudes ou du mensonge, le passé s'installe dans notre mémoire comme un magique miroir à volets reflétant deux visages émerveillés.

Il avait encore quelques années à passer avec Félicité qui l'aida dans cette crise à retardement. Rien ne sert de se mentir. Il la respectait assez pour retrouver auprès d'elle une paix qu'il n'aurait jamais conquise si elle ne lui avait pas rappelé l'exigence dont elle avait fait sa règle. Grâce à elle, il fit face. Il y eut encore des dames. Sans les blesser, disons qu'elles furent des passantes.

*Audrey* fut un succès de librairie dès sa parution. Des romans de Stanislas Beren, c'est aussi celui qui a connu et connaît encore le succès le plus durable. Dire qu'il y fut insensible serait exagéré, mais s'il fut heureux, il le montra peu ou mal. Dans une lettre de 1970 (non datée mais dix ans après la parution du roman et deux ans après la mort de Félicité), il m'écrivit de Londres :

Je te prie de dire non de la façon la plus ferme et une fois pour toutes, à ce producteur, à tous les producteurs. Je ne veux pas voir sur l'écran Maximilien von Arelle et Audrey Inglesey. J'ai des raisons personnelles, affectives pour tout dire. On nous propose des distributions ridicules, mais ce n'est même pas la question. En fait, personne ne peut jouer les rôles d'Audrey et de Maximilien. Je vois d'ici ce que le cinéma ferait de cette histoire : un risible mélo. Je n'aurais pas dû écrire ce livre et encore moins le publier. Je me suis trompé et c'est trop tard que je l'ai mesuré. À le relire, je ne trouve que faiblesses et concessions qui expliquent, d'ailleurs, son succès. Je n'avais pas cherché à plaire et j'ai plu. Léger sentiment de honte qui me fait toujours penser à cet orateur athénien interrompu par les applaudissements du sénat et les coupant d'un sec : « Aurais-je proféré une imbécillité ? » ! Les énormes ventes d'*Audrey* me font cet effet-là. Des critiques élogieuses m'ont coupé les jambes. Si je connaissais un magicien, je lui demanderais de remonter le temps et de détruire le manuscrit d'*Audrey*. Comme je ne connais pas de magicien, je n'ai qu'une solution : préparer pour après ma mort, la véritable histoire d'Audrey sans aucun de ces masques dont je l'ai affublée, sans ce personnage trop flou de Maximilien. J'ai eu l'intuition qu'il fallait le faire le jour où nous sommes allés à Ampurias retrouver la petite crique où je faisais l'amour à ma chérie. La bêtise des hommes avait effacé ce lieu sacré. Je dois à la mémoire d'Audrey de noter toute la vérité, rien que la vérité. J'ai commencé d'écrire ce livre. Il est même presque fini. Dans un mois, je le déposerai dans le coffre que tu connais sous une enveloppe à ton nom, et toi seul auras le droit de l'ouvrir, après ma mort, dans dix ans, dans vingt ans. Tu le publieras si tu juges que j'ai eu raison de récrire entièrement ce livre. J'ai un titre : *Un déjeuner de soleil*. C'est celui, tu t'en souviens, du roman que j'ai sacrifié aux exigences de Félicité. Il m'appartient, bien que je l'aie, un jour, dans un élan de générosité qui ne m'est pas coutumier, « prêté » à Léon-Paul Fargue. Fargue l'a transformé en *Déjeuners de soleil*. Mais connais-tu Fargue, as-tu lu ce poète recouvert par sa légende de noctambule en taxi ? Si tu ne le connais pas, dépêche-toi :

> *... une méduse blonde et bleue*
> *Qui veut s'instruire en s'attristant*
> *Traverse les étages bondés de la mer,*
> *Nette et claire comme un ascenseur*

*Et décoiffe sa lampe à fleur d'eau*
*Pour te voir feindre sur le sable*
*Avec ton ombrelle en pleurant*
*Les trois cas d'égalité des triangles.*

Espérons que Fargue me pardonnera de lui reprendre mon bien. Je ne serai pas le seul à présenter deux versions du même livre. On publie tous les jours une nouvelle écriture de *Lady Chatterley*. D.H. Lawrence n'en demandait peut-être pas tant. Entre *Audrey* et *Un déjeuner de soleil*, le public choisira. Je crains qu'il ne préfère *Audrey*, mais le temps sera bon juge si toutefois on me lit encore en l'an 2000, ce dont je ne suis pas plus sûr que toi.

Ce qu'il y a de terrible, il faut l'avouer, c'est que je me suis vidé de moi-même dans *Audrey*. Une imprudence. Après, j'ai pu écrire des romans adroits et légèrement méchants comme *L'Abeille* et *Vivre à trois*. Ils ont plu. Je n'y vois que du métier, une écriture serrée, mais je suis sans doute le seul à deviner de la lassitude derrière ces histoires. À partir d'un certain âge, un auteur dramatique ou un romancier s'autocopient. Ne me jette pas Stendhal à la tête qui écrit *La Chartreuse de Parme* à cinquante-cinq ans. Il avait accumulé de la dynamite jusqu'à cet âge-là. Il y a longtemps que j'ai usé la mienne.

Dans *Un déjeuner de soleil* j'ai navigué au plus près contre le vent debout des souvenirs. Par exemple, *Audrey* ne dit rien du corps d'Audrey. C'est une omission grave. Peut-être l'as-tu deviné le jour où je t'ai kidnappé et emmené à Ampurias. Le plaisir pris sur cette demi-lune de sable avec Audrey est le plus intense plaisir de ma vie. Je ne voulais pas le revivre, je voulais revoir le lieu où j'ai ressenti une terrible explosion en moi. *Un déjeuner de soleil* racontera comment nous fai-

344

sions l'amour. Il y a des détails (un moraliste appellerait cela des crudités) que l'on ne peut publier de son vivant. Ne pense pas que cette frêle et poétique enfant était une nymphomane. Loin de là. Et il est probable que l'extrême tension à laquelle nous parvenions au cours de nos rencontres tient à ce miracle d'équilibre qu'Audrey imposait à sa pudeur et à la liberté. Quelle que soit ma réputation, je ne suis pas un écrivain érotique, et puisque tu feins d'avoir lu mes livres tu dois te souvenir que j'ai plutôt suggéré que décrit. *Cryptogramme* ridiculise l'érotisme avec l'histoire d'Élise dans la maison de passe. *Un déjeuner de soleil* est l'aveu d'une révélation : l'éblouissement d'un homme chaque fois qu'il pénètre la femme aimée. Aucun de nos plaisirs n'est oublié. Je n'ignore pas qu'il y en eut de puérils, mais l'amour physique tolère de ces puérilités. C'est un jeu et une investigation joyeuse. Comment expliquer sans cela qu'après le spasme, avant le renouveau du désir, une écrasante tristesse nous assaille pendant quelques minutes ; le jeu a cessé et jusqu'à ce qu'il reprenne, au second souffle, nous nous croyons abandonnés, exclus du paradis. Brasillach disait que Mauriac avait trouvé dans la tristesse de la chair après l'amour une preuve de l'existence de Dieu. On a cru à une boutade mais il y a peut-être quelque chose de vrai. Jouir dans une femme est un acte créateur, même si elle a pris des précautions pour qu'il n'y ait pas de suites. Il n'y a que deux sortes de créateurs sur cette terre : l'homme qui baise et l'artiste. Ce sont des dieux.

Il est possible qu'*Un déjeuner de soleil* te déçoive et que tu hésites à le publier parce que tu te diras qu'un livre où la sexualité tient une telle place risque de nuire à l'auteur que je suis, mais réfléchis bien : c'est ma volonté. Je ne crains pas le qu'en-dira-t-on, et le craindrai encore moins dans le cimetière de San Michele où tu auras soin de me faire déposer à côté de Félicité. Ce livre est ma minute de vérité, et cette vérité je la dois au souvenir d'Audrey. Nous n'avons pas vécu, elle un caprice d'enfant, moi une vanité d'homme mûr. Songe que nous étions condamnés au secret, ou du moins aux apparences du secret puisque Johnny et Félicité savaient et qu'ils devaient feindre de ne pas savoir. Nous les respections l'un et l'autre, mais nous ne leur devions rien physiquement. Sans entrer dans les détails, tu devines que je n'avais plus de rapports avec Félicité depuis des années, et que, comme je l'ai dit dans le roman, Audrey n'avait été la femme de personne. Je n'ai pas été le premier à la tenir dans mes bras. Johnny et elle dormaient ensemble et certainement avec tendresse. Peut-être l'a-t-il caressée, mais j'ai été son seul amant. La beauté intime de son corps m'emplissait d'anxiété. Il y a d'affreux pubis, goulus, dilatés, dégoûtants, grimaçants dont on se dit qu'ils engloutiraient une trompe d'éléphant. Le sien était un objet d'art, à peine ombré, une incision légère entre ses deux longues cuisses, et pourtant c'était une chose vivante, la respiration surprise de ces huîtres, les bénitiers, qui tapissent les fonds de corail dans le Pacifique, étrange mollusque ou fruit exotique, figues de Barbarie que les paysans andalous fendent d'un coup de canif et, comme moi avec elle, portent à leurs lèvres, indifférents aux myriades d'épines de la peau. Sa poitrine m'émerveillait tellement que, de peur de la voir vieillir, j'ai voulu la photographier dans l'éclat de sa jeunesse. Nous passions quelques jours dans une auberge de Montfort-l'Amaury et la fenêtre de la chambre ouvrait sur le jardin où l'on servait à déjeuner en été. Un murmure agréable de conversations adultérines montait jusqu'à nous avec le cliquetis des couverts sur les assiettes, les ordres du maître d'hôtel. Un peu plus tard, un violoniste qui était certainement un virtuose et s'exerçait dans sa chambre à l'autre angle de l'auberge, a répété pendant une demi-heure un passage du concerto en *mi* majeur de Beethoven d'une gaieté, d'une allégresse qui nous rendirent si parfaitement heureux, si libres, que j'ai osé prendre ces photos, peut-être une trentaine, sous tous les angles, jouant avec la lumière de l'après-midi qui entrait de biais et inondait le lit où elle s'est couchée, la chaise où elle s'est assise de profil, le fauteuil où elle s'est abandonnée. À Paris, j'ai porté le film chez un photographe qui l'a développé devant moi. Je ne sais quel absurde mécanisme n'avait pas fonctionné dans l'appareil et la pellicule était noire. Il ne faut pas aller contre ces petites fatalités comiques. Je n'ai pas recommencé mais le souvenir de la séance de pose dans cette chambre assez commune qu'embellissait soudain les exercices du violoniste lointain, est resté si parfait que j'ai, pour la première fois, cru à la volupté, et Audrey m'a avoué qu'elle y avait pris un plaisir égal au mien, si violent qu'elle ne voulait plus jamais l'éprouver pour ne pas en altérer la perfection. Nous avions vraiment vaincu la pudeur et nous nous libérions du dernier interdit qui aurait pu nous empêcher de nous aimer totalement. Ne crois pas au vice. Audrey n'avait rien de l'Hécate de Paul Morand suivie de sa meute d'enfants arabes. Elle explorait l'amour avec un enthousiasme dont l'innocence et la pureté m'effrayent encore quand j'y pense. Mais tout nous semblait si naturel... Tu as pu me croire indifférent lorsque j'ai appris sa mort, mais tu le sais bien : je manifeste mal mes sentiments. Je me répétais : « Nous n'avons pas de regrets, elle dans sa tombe, moi parmi les vivants. » Le cycle de l'amour était accompli. Nous pouvions répéter les mêmes gestes, mais la surprise n'aurait plus le même rendez-vous avec le plaisir. J'ai accepté notre séparation comme la fin providentielle de nos amours. Je ne pouvais pas me dire : nous n'avons pas osé ceci ou cela, et j'en garderai à jamais le regret. Non. Nous avions tout tenté, tout réussi. Même les extrêmes, ce qui parfois, loin de l'apaiser, dérègle le désir. Dans quoi risquions-nous de tomber ensuite ? La violence ? Quelle horreur !

Ainsi les quelques témoins des amours de Stanislas et d'Audrey ne comprirent pas l'essentiel que révèle cette lettre. Même Félicité, pourtant si intuitive, ne devina pas. C'est probablement le seul secret qu'il ait eu pour elle. Quand elle croyait que Nathalie et Vladimir avaient failli lui voler Stanislas, elle se trompait. Le vrai danger était pour plus tard. Elle l'ignora et ce fut tant mieux. Dans *Audrey* elle vit un accès de romantisme, une aventure comme il était entendu que Stanislas pouvait s'en offrir aussi souvent qu'il le désirait à condition de ne pas porter l'affaire sur la place publique. Si lors de la parution du livre, Félicité montra l'agacement que j'ai rapporté, c'est qu'elle attendait *plus* de lui. Je l'entends encore me dire :

— Avec leur habitude de magnifier l'amour, d'inventer des passions poussées à leur paroxysme, les écrivains français ont fabriqué des sentiments inexistants après lesquels les imbéciles courent sans regarder où ils posent les pieds, persuadés que le ciel est à leur portée. Naturellement, à la première marche, ils butent et se cassent la figure. Les voilà malheureux pour la vie. J'espérais que

Stanislas ne viendrait pas gonfler le lot de ces fabricants de dupes. Il a bien d'autres choses à raconter.

Ce *plus* attendu en vain par Félicité, Stanislas ne s'y décida qu'après la mort de sa femme quand, assis à sa longue table peinte, dans la bibliothèque de leur appartement du Largo Fortunio, fenêtre ouverte sur le canal où, durant les belles après-midi pour touristes, retentissait le « Aoï » des gondoliers, il écrivit enfin *Un déjeuner de soleil*.

Deux romans avaient paru depuis *Audrey* : *L'Abeille* en 1963, et *Vivre à trois* en 1967. La blessure creusée en lui par l'écriture d'*Audrey*, l'amère impression d'avoir manqué ce livre parce qu'il y avait caché la vraie raison de sa passion pour Audrey, lui firent juger les deux romans suivants comme des exercices de style. Il appelait cela du roman-roman avec un dédain sincère. *L'Abeille* et *Vivre à trois* peignent pourtant avec une drôlerie charmante l'échec de jeunes hommes qui aiment au-dessus de leurs moyens. Des femmes qu'ils désirent on peut tout de suite dire que l'une s'ennuie et qu'elle est à prendre par le premier qui la fera rire, que l'autre se croit une intellectuelle et qu'elle est à prendre par le premier qui l'étonnera. Elles n'ont que faire des amoureux transis. Dans *L'Abeille*, Roger Sanpeur est un écrivain raté qui se cache d'écrire des romans policiers alimentaires. Dans *Vivre à trois*, Abraham Siniaski, jeune héritier d'une grosse fortune, se ruine en voulant monter des affaires mirobolantes pour éblouir la femme de ses rêves. Sanpeur est amoureux d'Albina, princesse Sansovino, belle Romaine qui s'ennuie dans son palais. Elle n'a pas épousé qu'un prince, elle a, découvre-t-elle, épousé une famille : une belle-mère envahissante qui, oubliant qu'elle s'est envoyée en l'air avec tout Rome dans les années vingt, vient chaque jour lui faire la morale, accompagnée de tantes, d'oncles, de cousins à l'infini. Quand il ne s'agit plus de morale, la vieille princesse instruit sa bru des origines des Sansovino. Ce babillage héraldique exaspère la belle Albina qui, pour y échapper, est prête à tomber dans les bras du premier homme qui lui dira un mot obscène. Roger Sanpeur n'est pas vilain à regarder, mais sa crainte d'un échec le paralyse. Il est de ces hommes que les femmes doivent violer. Albina découvre que son amoureux écrit, sous un pseudonyme américain, des romans policiers dont le héros est un détective privé à la sexualité irrésistible. Persuadée que le timide Sanpeur lui joue la comédie, elle l'identifie à son héros de romans de gare et lui rend visite à son hôtel de troisième ordre. La chance est si grande, si inattendue que Sanpeur perd ses moyens. Albina éclate de rire. Suprême échec, il veut se suicider et se rate. Le mauvais sort attaché à sa vie le condamne à écrire les aventures du surhomme qu'il ne sera jamais.

Siniaski héros de *Vivre à trois* est, lui, épris d'une

Française, Margot Dupuy, bas-bleu qui, un soir par semaine, a porte ouverte. Se pressent chez elle, des demi-écrivains, des poètes à compte d'auteur, des mélomanes douteux, des peintres du dimanche et beaucoup de dames proches du mûrissement et sevrées de bel esprit par des maris terre à terre. Margot ne s'illusionne guère sur la médiocrité de cet entourage, mais, de temps à autre, une gloire littéraire ou artistique éclaire ses réceptions et elle sait qu'à force de persévérance elle éliminera les médiocres et n'aura que les gloires. Dans ce milieu bigarré qui vole les petits fours et boit trop de champagne, Abraham Siniaski est un corps étranger dont on rit sous cape, qu'on se renvoie comme une balle, jusqu'au jour où une gloire (un écrivain qui ressemble terriblement à François Mauriac) s'intéresse au jeune financier, l'attire dans un coin du salon et ne parle qu'à lui toute la soirée, quittant Margot qu'il remercie vivement de lui avoir permis de rencontrer un homme aussi remarquable que cet Abraham Siniaski. Du coup, Margot garde son soupirant le reste de la nuit, s'enthousiasme de ses performances, divorce d'un confortable mari banquier, épouse Abraham et découvre qu'il est ruiné, détail qui, si éthérée qu'elle se prétende, a une importance considérable : comment tenir un salon à Paris si l'on n'a pas de quoi nourrir et désaltérer ces éternels assoiffés que sont les artistes? Il ne lui faut pas trois mois pour jeter Abraham et ré-épouser son mari complaisant.

Les deux portraits de femme sont cruels, et à la parution des livres les ragoteurs s'en donnèrent à cœur joie. Il y eut des gens informés pour reconnaître la princesse X... dans Albina, et Mme Y... dans Margot. Ces deux dames s'indignèrent à si haute voix qu'on ne pouvait douter de leur vanité à se retrouver dans un livre. Dans une lettre datée d'avril 1967 à Londres, peu après la sortie en librairie de *Vivre à trois*, il m'écrivait:

Ce que tu me rapportes est irrésistible. En peignant Margot, je n'avais jamais pensé à Mme Y... que je connais d'ailleurs à peine, lui ayant été présenté une fois chez Marie-Louise Bousquet où elle essayait de recueillir les miettes de cette charmante femme de tant d'esprit. Avons-nous parlé plus de trois minutes? Elle a dû m'inviter à son Mercredi soir, mais j'étais prévenu et j'ai esquivé. Je garde le souvenir d'une assez belle personne qui mettait sous mon nez (assez long comme tu le sais) deux seins globuleux et blancs prêts à jaillir du corsage trop serré. J'ai cru qu'elle m'invitait à cacher dans l'interstice des mamelles un billet tendre. Je n'ai rien glissé, même pas une pièce de vingt sous. J'adore qu'elle clame partout que je l'ai prise pour héroïne de *Vivre à trois*. Si ce que tu dis est exact — et qu'elle pousse l'indignation jusqu'à acheter mon roman par douzaines pour le distribuer à ceux de ses amis qui ne l'auraient pas lu afin qu'ils partagent son indignation et voient bien que je suis un salaud — si c'est exact, félicitons-nous-en. La dernière des cruautés serait évidemment de publier un démenti, affirmant que ma Margot

Dupuy n'est pas du tout Mme Y... mais tout au contraire Mme Z... Elle ne s'en relèverait pas. Quand nous avons publié *L'Abeille*, la princesse X... a réagi de la même façon, mais moins bruyamment. Elle avait des raisons. Le personnage d'Albina Sansovino lui doit quelques traits. Je m'en suis inspiré sans y penser, bien que nous ayons eu il y a quatre ou cinq ans un petit coup au cœur l'un pour l'autre pendant un week-end à Ischia. C'est une personne aimable au sens propre du mot et, à la différence de Roger Sanpeur, je n'ai pas fait flanelle quand nous avons pu nous isoler quelques instants. Je prends mon bien un peu partout.

Félicité va mieux. Nous partons début mai pour Venise et j'espère que tu nous rejoindras en juin quand les éditions Saeta prendront leurs quartiers d'été. Nous parlerons du sujet qui t'intéresse. Il est évident que si mon imagination patine lamentablement dès qu'il s'agit d'écrire un roman, l'idée d'un *Cardinal de Bernis à Venise* est amusante. Cela commence à trotter dans ma tête, mais, à part l'aventure racontée par Casanova dans ses *Mémoires*, qui a pu parler de l'ambassade de Bernis auprès de la Sérénissime ? J'ai hâte d'interroger Paolo Carlotto qui dans son palazzetto poussiéreux est la mémoire de Venise. Dès que je prononcerai devant lui le nom de Bernis, il roulera un escabeau le long de sa bibliothèque et me sortira dix livres, cinquante documents. Merci de m'avoir envoyé le libelle de Roger Vailland, mais ce n'est pas de Bernis qu'il parle, c'est de lui-même. Du meilleur Vailland [1]. As-tu remarqué comme les anciens surréalistes, une fois libérés de la tutelle moralisatrice de Breton, cherchent éperdument à justifier leurs idées poétiques et politiques par des

---

1. Roger Vailland : *Éloge du Cardinal de Bernis*, Fasquelle, 1956.

recherches érotiques? Le « tout est dans tout » est, pour eux, un sexe positif dans un sexe négatif. L'accouplement fondant l'ontologie, qui dit mieux? On trouve la même recherche dans le tantrisme tibétain. Forniquer sans jouir pendant des heures — on dit même que certains moines y parviennent pendant des jours et des nuits — c'est la lente ascension vers l'extase, un essai de retour dans le ventre originel. On peut y voir le processus inverse de la Création, la Décréation qui devrait, de couple gigogne en couple gigogne révéler l'Origine à ceux qui auront retenu le plus longtemps leur plaisir. Cela dit, quel écrivain que Roger Vailland! Je le préfère dans l'insolence froide et méprisante que dans ses acrobaties érotico-cyniques.

*P.S.* On ne retient jamais assez sa jouissance et... ses livres. Dans un article de *L'Express*, je lis une très juste critique : je n'ai pas indiqué ce qui dans Abraham Siniaski fascine tant l'illustre écrivain égaré chez Margot Dupuy. En effet, de quoi se parlent-ils? Les goûts d'Abraham ne dépassent pas Albert Samain et Marcel Prévost. Il n'a rien lu de l'homme qui le prend par le bras et, à la rage de la maîtresse de maison, la néglige et néglige les autres invités. Eh bien, en y réfléchissant, l'esprit de l'escalier me souffle que l'illustre écrivain, ayant flairé un financier, passe deux heures à lui demander comment il doit rédiger sa feuille de contributions et placer ses droits d'auteur. Il n'y a pas d'autres explications. Mais Margot Dupuy ne le saura jamais.

Je les rejoignis à Venise en juin 1967. Stanislas se passionnait réellement pour Bernis dont il lisait et relisait les *Mémoires*. Dans son bureau, il avait arrangé une table basse sur laquelle s'accumulaient les livres et les documents prêtés par Paolo Carlotto. Une pile de fiches commençait à reconstituer le calendrier du séjour à Venise de Bernis. Carlotto butait cependant sur un détail : quel nom mettre sous M. M., les deux initiales qui désignent la Supérieure du couvent de Murano dans les *Mémoires* de Casanova ? Les archives de ce couvent avaient été brûlées ou dispersées par les soldats de Bonaparte en 1797, mais Carlotto ne désespérait pas. Avec Stanislas il passait ses matinées à Murano, questionnait les gens comme si Bernis était passé la veille, se présentant dans les quelques maisons patriciennes où pouvaient être conservées des archives.

L'après-midi, Félicité sortait de sa chambre. Squelettique, elle pesait le poids d'un enfant, et Luigi, un gros Vénitien taciturne à son service depuis trente ans, la prenait sans effort dans ses bras pour la descendre jusqu'au canot à moteur amarré à la porte donnant sur le petit canal. Le temps des gondoles était passé sauf pour les traghetti ou les touristes qu'on promenait le soir avec accompagnement de guitare et d'accordéon en chantant *O sole mio*. Les longs canots à moteur les remplaçaient, vernis, orgueilleusement entretenus. Avec le respect dû au Saint-Sacrement, Luigi déposait Félicité à l'intérieur de la cabine vitrée s'il faisait frais ou s'il pleuvait, sur la banquette arrière s'il faisait beau. La femme de chambre veillait à ce qu'elle partît emmitouflée, ses cheveux noirs (bien entendu, elle les teignait, et ce n'était pas sa seule coquetterie) enveloppés d'une gaze pour résister aux injures du vent. Pour les sorties en canot, elle avait renoncé à ses célèbres feutres qui, la mode ayant quand même changé malgré de nombreux retours en arrière, la faisaient reconnaître de tout le monde. Quand elle était seule sur la banquette arrière, le buste bien droit, les mains dans un manchon, on aurait dit d'une momie sortie de son sarcophage, habillée pour quelque plaisanterie macabre. La promenade durait une heure ou deux par les canaux ou sur la lagune par temps calme. Elle aimait aller à Torcello ou Burano, ses beautés préférées, et ne visitait plus d'amies comme autrefois. Les amies avaient disparu, mortes ou retournées aux États-Unis, en Angleterre. Les palais qui donnaient des concerts privés, des bals somptueux, des soirées où des jeunes gens un peu trop beaux récitaient des poèmes imprécatoires contre la société capitaliste, des thés où les derniers dandys vénitiens se retrouvaient avec les chanteurs et les comédiens de passage à la Fenice, ces palais fermaient un à un leurs portes. Passant devant l'une de ces façades dont les balcons menaçaient de s'effondrer et dont les fenêtres s'affaissaient dangereusement, signe que les fondations n'en pouvaient plus, rongées par l'eau polluée, les vers, l'âge, Félicité revivait les fêtes abolies. Selon son humeur, elle allait seule ou passait prendre celles qu'elle appelait sans dédain ses amies de compagnie : Maria Bomponi, une volubile Française mariée à un avocat italien, Adriana Salpucci, une ancienne cantatrice retirée de la galanterie qui avait bien aidé sa carrière. Georges Kapsalis arrivait avec les premiers beaux jours, et c'était son devoir le plus agréable de s'asseoir sur la banquette à côté de Félicité. Le vent de la vitesse lui interdisait de porter son Borsalino et il se coiffait d'une casquette à carreaux qui jurait avec son costume précieux, sa cravate maintenue bouffante par une épingle surmontée d'une perle en poire, ses gants beurre frais serrés sur le pommeau d'argent de sa canne. Ils avaient des souvenirs communs, ils pouvaient parler, pendant des heures, de Daisy, de Peggy, de Mary, de Grace, de Carlos, de Mimi, d'Apostolis, d'Étienne, de Paul, de Jean.

Pendant mes séjours, je l'accompagnais aussi avec le sentiment intolérable que ce regard fiévreux dans le visage émacié cherchait à tout voir et revoir pour emporter bientôt dans la tombe l'image indélébile de Venise. À moi, elle parlait peu. Nous n'avions pas les mêmes prénoms à échanger et je n'avais pas connu les fêtes dont sa mémoire retrouvait les fastes et les ridicules. Plus que des mots, nous échangions des connivences, et quand elle apercevait un palais aimé, un canal romantique, une façade fière et croulante, elle me les signalait d'une pression de la main sur le bras. Alors je regardais et un peu de son angoisse me serrait la gorge. Elle le comprenait sans que je lui dise :

— N'aie pas de peine, mon grand. J'ai eu une belle vie, je ne me suis jamais ennuyée et j'ai aimé la beauté. Ça m'a rendue très exigeante. D'aucuns diront « capricieuse » parce que je n'ai pas toujours mis les formes, mais j'ai eu trop de chance : trois maris qui ont eu la politesse de ne pas s'attarder, puis Stanislas jusqu'au dernier souffle...

Nous rentrions pour le thé qui avait toujours été une cérémonie respectée. Devant son plateau d'argent et les jolies tasses Minton, le pain grillé et les gâteaux, elle officiait sans qu'on osât un geste de soi-même. Malheur à celui qui aurait osé se servir seul de sucre ou d'une rondelle de citron : une tape sur la main le rappelait à l'ordre, et Félicité prenait un sucre avec la pince et piquait la rondelle de citron avec une fourchette à deux dents. S'il y avait des amis, Stanislas apparaissait quelques minutes, buvait son Ceylan debout et retournait à son travail. J'aimais bien quand nous étions seuls, elle et moi, et que notre conversation tournait autour de celui qui, enfermé dans son cabinet de travail, nous préoccupait le plus. Il arrivait à Félicité de poser des questions embarrassantes :

— Quelle est la femme qu'il a le plus aimée ?

— Mais c'est vous !

— Ne fais pas l'imbécile.

Je savais qu'il ne fallait pas répondre Audrey, alors je feignais de chercher :

— C'est peut-être Nathalie.

Elle ne paraissait pas convaincue.

— Sûrement pas Elise, disais-je.

— Elle méritait mieux que le traitement qu'il lui a fait subir dans son roman et peut-être dans la vie... Mais enfin... elle n'était pas son genre. Alors? Il t'a parlé d'Eva Moore?

— Jamais.

— Il lui a écrit pendant un an et puis un jour il lui a tourné le dos.

Je pensai aux lettres qu'il me faudrait un jour récupérer en échange de trois billets mièvres de cette inconnue. Distrait, j'esquissai un geste vers l'assiette de biscuits. Elle m'arrêta :

— Non. Surveille-toi. Les Garrett ont l'embon-point facile. Ton grand-père pesait vingt kilos de trop, ton père cinq quand il a été mobilisé. Vous êtes une famille d'obèses, ne l'oublie pas.

— Alors pourquoi ces tentations sur la table? Vous ne mangez rien.

— C'est l'habitude.

— La cuisinière est furieuse quand les gâteaux reviennent.

— Pas du tout. Elle les distribue à sa famille. Tu n'as pas vu ses enfants? Tous des obèses... Je me demande si Stanislas ne pense pas encore à Audrey, onze ans après.

— Il pense à beaucoup.

— Il se laisserait aller à ne penser qu'à ça, si tu ne lui avais pas donné une grande idée avec ce *Ber-*

*nis à Venise.* Il est passionné bien que je ne sois pas sûre qu'il écrive ce livre. Non, il ne l'écrira pas. Ce serait se mettre dans la peau d'un autre. Il n'a jamais été bien que dans la sienne. Il a ses limites. Je le connais, mais son appréhension des êtres est allée très loin. Il viole les âmes. Un jour Jean-Paul Binet lui a dit : « J'opère à cœur ouvert, toi tu opères à âme ouverte. » Nathalie l'émerveillait parce qu'il ne trouvait rien en elle... à moins que la futilité élevée à la hauteur d'un art soit fascinante... oui, c'est probablement ça... ou plus simplement, qu'elle ait toujours porté du linge blanc, comme il l'a dit dans *Les Temps heureux.* Du linge blanc ! A-t-on idée ? Quand Stanislas a ouvert Audrey, il a trouvé un noyau dur et pur comme du cristal de roche...

— Et en vous ?

— Oh en moi, il a dû rencontrer un obstacle, peut-être un miroir complice dans lequel il se regarderait toujours sans fausse honte et sans fausse pitié. Il a su tout de suite que nous ne pouvions pas nous mentir. C'était briser le miroir. Il n'a pas pu me tromper réellement...

Il l'avait trompée plus « réellement » qu'elle ne le croyait et c'était bénédiction qu'elle se fiât aux apparences. J'entendais Stanislas dire : « Je ne mens pas, je dissimule... »

— Avec son cher Paolo Carlotto, disait Félicité, il a trouvé un ange gardien et un répétiteur. Je voudrais que tu convainques Stanislas de sortir, de ramer, de se baigner au Lido. À rester enfermé dans la bibliothèque de Paolo, il va prendre le teint mâché du papier de Venise.

Je dus réprimer un sourire. Paolo Carlotto, vénitien jusqu'à en avoir le mal de terre quand il dépassait Padoue, où il ne se rendait d'ailleurs plus depuis qu'on avait supprimé le coche d'eau de la Brenta, Paolo, vieillard de cinquante ans comme aurait dit Balzac, vivait si bien dans le XVIII$^e$ siècle de ses archives qu'il le prolongeait jusqu'au XX$^e$ siècle par un goût passionné des petites intrigues. Le sort avait voulu qu'il fût condamné à l'observation, mais rien ne l'enflammait tant que le succès d'un ami dans une affaire ourdie par lui, le « senza catso ». Respecté, correspondant de nombreuses sociétés savantes, consulté par les historiens de tous les pays, possesseur de la plus belle bibliothèque de Venise complétée depuis six générations avec une frénésie qui avait maintes fois poussé les Carlotto à la malhonnêteté, Paolo n'avait pas de plus grande jouissance que d'offrir à ses amis les aventures qu'il n'aurait pu mener à bien. Ainsi, quinze jours auparavant, avait-il présenté Stanislas à une jeune fille en convalescence chez ses parents, les gardiens de son palazzetto. Jusque-là, rien de spécifiquement vénitien, mais la jeune fille était une nonnette d'un ordre de Brescia. Encore pâle de son opération, de beaux yeux veloutés, la bouche rose d'une grenade, Sœur Annunciata, dans ses vêtements noirs éclairés d'un bandeau blanc à la naissance des cheveux et d'une collerette blanche au cou, inspirait plus le désir que le respect. Modeste cependant, sans ostentation, ne donnant prise au soupçon, Sœur Annunciata aidait sa mère aux travaux du ménage dans le palazzetto. C'est là que Stanislas l'avait aperçue pour la première fois, assise sur une chaise, astiquant un chandelier d'argent maintenu par ses cuisses. La jupe courte, tirée par le poids du chandelier, découvrait de jolis genoux gainés de noir. Paolo avait surpris le coup d'œil et remarqué que la nonnette de vingt ans ne baissait pas sa jupe et au contraire, affirmait-il à son ami, s'était mise à astiquer le chandelier avec une frénésie symbolique.

N'idéalisons pas trop la séduction de Stanislas. En fait, la nonnette était mûre. Grâce à l'hôpital, l'opération et la convalescence chez ses parents, elle mesurait ce que l'avenir lui réservait d'ingrat si elle restait dans son ordre de Brescia. Paolo fournit la chambre, au premier étage. Sœur Annunciata y montait à minuit par l'escalier de service. Elle ne poussait cependant pas le sacrilège jusqu'à rester en uniforme noir. Certes, elle y perdait un peu de son charme, mais l'innocence rattrapait cela, et aussi des dons naturels. Stanislas rentrait allégrement à pied vers quatre heures du matin dans Venise endormie, un décor de théâtre oublié par les comédiens. L'aventure n'engageait que ces trois ou quatre heures de la nuit, mais

Paolo Carlotto jubilait : son ami ne se contentait pas d'étudier la vie de Bernis à Venise, il était Bernis dans le cynisme et le libertinage, et pas plus que le jeune ambassadeur et abbé, il ne prenait l'affaire au sérieux. Au mois de juillet, Sœur Annunciata refusa de rejoindre son couvent et reprit son prénom de jeune fille : Adriana. Sa peau, assurait Stanislas, avait le goût des brugnons mûris au soleil. Paolo se félicitait qu'en aidant sa mère au ménage du palazzetto elle chantât en vénitien. L'année suivante, à la mort de Félicité, il la revit encore une fois dans une situation que je raconterai bientôt. Peu après, elle lui demanda la permission de se marier, permission aussitôt accordée à la probable condition que leurs plaisirs continueraient. Reconnaissante, Adriana n'oubliait personne, petite bourgeoise rangée et même pieuse, fière de son violoniste de mari à l'orchestre de la Fenice. Je la revis au cimetière de San Michele quand la bière de Stanislas descendit dans la tombe rejoindre la bière de Félicité. Elle était là, en tailleur noir, ses beaux cheveux noirs recouverts d'une résille, agenouillée sur la marche de marbre pour pleurer le visage dans ses mains. Elle avait de bien jolies jambes et je ne m'en veux pas de les avoir remarquées à cet instant-là. Stanislas les aurait remarquées avec le même plaisir.

Après le dîner, avant de rejoindre Sœur Annunciata, Stanislas passait un moment dans un fauteuil au pied du lit de Félicité. Il lui lisait quelques pages : Saint-Simon, Chateaubriand, Stendhal. Abrutie d'analgésiques, elle somnolait et finissait par s'endormir, la tête vacillant sur le long cou maigre aux fanons proéminents. Stanislas partait sur la pointe des pieds, laissant une veilleuse. Dans la pièce voisine, sur un lit de camp, dormait une garde de nuit. On avait eu beaucoup de mal à en trouver une qui ne ronflât pas. Celle-là s'enfonçait dans le sommeil avec une telle pesanteur qu'aucun appel, aucune sonnette ne la réveillait. Félicité avait dû l'attacher à une cordelette qu'elle tirait d'un coup sec pour réveiller Mme Barberini, ancienne habilleuse de la Fenice, dont la grande gloire était d'avoir suivi l'enterrement de Diaghilev, coiffé la Duse et tenu dans sa main pendant une seconde le sexe de Gabriele D'Annunzio qui aimait présenter cet hommage rapide et se rebraguettait aussitôt. Ces jolies histoires meublaient une heure d'insomnie quotidienne, entre trois et quatre, puis Félicité se rendormait. À l'apparition du jour, elle appelait pour qu'on l'aidât à sa toilette, puis lisait jusqu'à l'heure du déjeuner. Une pile de livres attendait sur sa table de nuit : services de presse, revues, plaquettes de jeunes poètes. Elle jetait des notes sur un calepin, en parlait à Stanislas avec assez de précision pour qu'il répondît à un envoi par une lettre de dix lignes, pertinente et joyeuse. Très encouragé par Félicité, il ouvrait parfois un livre et ne le quittait pas, mais la préparation du *Bernis à Venise* absorbait son attention et il préférait ne pas en être distrait.

Cette année 67, ils restèrent à Venise jusqu'à la Biennale, et regagnèrent Londres directement. Félicité s'usait de jour en jour. Seule la voix restait vibrante et forte dans un sursaut d'orgueil. Au printemps 68, elle faillit mourir d'un mauvais virus qui mit Londres à genoux pendant un mois. Félicité s'accrocha, insultant le médecin :

— Je ne veux pas mourir ici ! Je veux mourir à Venise.

Elle eut le temps de s'installer au Largo Fortunio, de demander qu'on tournât son lit vers la fenêtre donnant sur le Grand Canal. Des oreillers derrière son dos, elle resta toute une journée le regard humide de larmes, murmurant à intervalles réguliers :

— C'est si beau, si beau...

À la tombée de la nuit, elle ferma les yeux et nous pensâmes qu'elle ne les rouvrirait pas. Stanislas sommeilla dans le fauteuil à côté d'elle, sursautant quand il croyait ne plus l'entendre respirer. Au lever du jour, elle rouvrit les yeux. Le regard était déjà glauque, mais la voix restait impérieuse :

— Stanislas ! Va dormir.

Il obéit et je le remplaçai dans le fauteuil.

— Ouvre le Musset.

— Mais vous n'aimez pas Musset!

— Ouvre, je te dis, page 98... et lis...

> *Dans Venise la rouge*
> *Pas un bateau qui bouge;*
> *Pas un pêcheur dans l'eau,*
> *Pas un falot.*
> *Seul, assis à la grève*
> *Le grand lion soulève,*
> *Sur l'horizon serein*
> *Son pied d'airain.*

Une quinte la secoua et je m'approchai : non, elle étouffait un rire :

— C'est idiot, dit-elle, de la poésie de touriste. Lis-moi plutôt... « Et les palais... »

> *Et les palais antiques,*
> *Et les graves portiques,*
> *Et les blancs escaliers*
> *Des chevaliers*
> *Et les ponts, et les rues,*
> *Et les mornes statues*
> *Et le golfe mouvant*
> *Qui tremble au vent...*

— Arrête, murmura-t-elle. Après, c'est trop bête. On n'écrit pas sur Venise : c'est courir au suicide. Venise est une ville pour les peintres... Il faudra te faire couper les cheveux. Ils sont trop longs.

Stanislas revint vers midi. Avec Paolo Carlotto, il était allé chez Franco Lombardi à San Vio. Franco Lombardi sait sur Venise tout ce que les érudits ne savent pas et ne sauront jamais. Ils revenaient avec la réponse à la question en vain posée jusque-là : la supérieure du couvent de Murano était une Morosini. Oui, il y avait eu un doge dans cette famille. Il avait perpétué le nom des siens en envoyant un boulet incendiaire qui avait fait sauter l'Acropole d'Athènes occupé par les Turcs. Une comtesse Morosini avait enflammé D'Annunzio. Elle était devenue folle. Quant à la belle nonne volup-tueuse, un portrait d'elle avait été vendu l'année passée à un collectionneur américain qui s'intéres-sait à la maîtresse de Bernis et de Casanova, et pré-parait un livre sur elle. Franco Lombardi promet-tait de leur procurer le nom du collectionneur et son adresse aux États-Unis. Quand Stanislas raconta cet incroyable concours de circonstances à Félicité, elle me regarda, certaine que j'avais compris : il n'écrirait pas son *Bernis à Venise* mais il fallait le laisser courir après sa chimère du moment.

Dans l'après-midi, elle parut tout à fait mieux et demanda du thé. On lui apporta un plateau sur son lit. En portant la tasse à ses lèvres, sa main hésita et retomba. Le thé se répandit sur le revers brodé du drap. Félicité Beren était morte. Commandées par Mme Barberini surgie à son heure, les femmes nous chassèrent. Nous ne revîmes Félicité qu'en robe de dentelle blanche, chaussée d'escarpins noirs, la mâchoire maintenue par une mentonnière, allongée sur son lit à baldaquin. Stanislas, plus pâle qu'elle, n'avait pas dit un mot, et nous étions silencieux derrière lui : Georges Kapsalis, Paolo Carlotto et moi. Personne ne prêta attention au prêtre qui la bénit et glissa dans les mains jointes un rameau de buis. Carlotto partit le premier et Georges, qui avait toujours le bon réflexe, m'emmena dîner. Au retour, nous trouvâmes Stanislas dans le fauteuil près du lit, une lampe basse éclairant le livre qu'il tenait à la main : *Les Mémoires d'outre-tombe*. Il continuait la lecture de la veille. À minuit, il nous renvoya, éteignit la lampe et allongea les jambes. Une bougie brûlait sur la table de nuit.

Stanislas me réveilla vers huit heures.

— Prends ma place. Il ne faut pas la laisser seule.

Je l'entendis se doucher, se laver les dents, se raser, puis plus rien. Georges me rejoignit :

— Il est sorti.


Plus tard, j'appris par Paolo Carlotto que Stanislas arrivé au palazzetto à dix heures du matin avait voulu voir aussitôt l'ex-sœur Annunciata. Ce n'était pas le moment avec les parents éveillés, le père qui peignait une porte dans la courette, la mère qui poursuivait la poussière dans le salon. Il avait fallu envoyer l'un porter une lettre à la Giudecca, l'autre au marché. Annunciata-Adriana n'avait pas eu le temps de se changer.

— C'est un hussard, Stanislas. Ça n'a pas pris longtemps. La petite Adriana est restée foudroyée sur le lit, encore dans sa robe noire qu'il avait dû rabaisser en partant parce que c'est un homme ordonné. Je crois que c'était un besoin irrésistible, une fuite éperdue devant l'idée de la mort. Je t'ai préparé une petite fiche avec les références des nombreux chroniqueurs italiens du XVIIIe siècle qui relatent des aventures pareilles : Jacopo Lorenti, Luigi Caretto, Orlando Lodenbacci, Antonio Blondino. Tous des Vénitiens! Serait-ce un prurit particulier à notre ville?

Comme prévu par Félicité, Stanislas abandonna l'idée d'un *Bernis à Venise*. Les recherches l'avaient amusé, les premières pages le rebutèrent. Il était trop loin de la psychologie du cardinal pour entrer aisément dans sa peau. Roger Vailland avait dit l'essentiel en quelques pages brillantes et justes, mais Vailland, s'il n'était pas Bernis, aurait aimé l'être et cela suffisait. Vailland avait eu la malchance de naître au XX$^e$ siècle. Il était fait pour le XVIII$^e$. Stanislas était un homme de son siècle et il lui serait toujours difficile d'en sortir pour s'identifier à une autre période de l'histoire.

Il y a des idées dans l'air. Au moment où Stanislas amassait des notes et des livres, l'Américain mentionné par Franco Lombardi avait déjà commencé à écrire : *Les Amours du cardinal de Bernis*. Le livre parut en même temps qu'à Munich Holger Zerfüss publiait sa monumentale et allemande biographie du cardinal. Paolo Carlotto cacha sa déception. Il n'avait pas réussi à inspirer son ami mais se consolait avec l'aventure casano-vienne de la jolie nonne.

Le lendemain de l'enterrement à San Michele, nous étions repartis pour Paris, déposant Georges Kapsalis à Milan où un train l'amènerait à Cannes. Nous n'avions pas lu de journaux depuis plusieurs jours et encore moins écouté la radio. Comme nous passions la frontière à Vallorbe, le douanier nous conseilla de faire le plein en Suisse et même d'emporter un bidon de secours. Avec un superbe accent vaudois, il ajouta :

— Quand on est assez fou pour se jeter dans la gueule du loup, on ménage au moins sa retraite.

La gueule de quel loup? Il me semble que nous ne l'interrogeâmes même pas. Le Jura était déli-cieux en ce mois de mai 68 et nous n'y vîmes aucun loup. Les postes d'essence étaient ouverts et tout le monde travaillait. En approchant de Paris par l'autoroute, l'atmosphère changea : nous étions les seuls à remonter vers la capitale. À notre gauche, sur l'autre voie, les voitures se succédaient au touche-touche, surchargées de bagages hétéro-clites comme aux mois de mai et juin 1940.

— Les rats fuient! dit Stanislas. Hitler est sorti de sa tombe, et le lieutenant général von Briesen a repris Paris. Si nous ne nous heurtons pas à des encombrements, nous arriverons à temps pour le défilé sur les Champs-Élysées. A-t-il encore son cheval noir? La Reichswehr sait-elle encore mar-cher au son du tambour?

371

Non, la Reichswehr ne défilait pas sur les Champs-Élysées mais quand nous arrivâmes place de l'Étoile, la foule regardait des jeunes gens qu'on nous dit être des étudiants et qui pissaient sur la flamme du Soldat Inconnu. Il n'y avait plus de transports, à peine quelques autos et de jolies filles, comme au temps de l'occupation allemande, pédalaient, jupes relevées. Il faisait beau, les marchands ambulants vendaient des ballons rouges et, faute de cinémas, les Parisiens se promenaient en famille sur les trottoirs que n'agressaient plus les voitures. En somme, on aurait pu se croire un jour de fête, un de ces dimanches anglais où il n'y a rien à faire qu'à lécher les vitrines. J'emmenai Stanislas sur la rive gauche. Tout le début du boulevard Saint-Germain était désert et les immeubles gardaient leurs volets fermés. Des cars de police et des ambulances remontaient à vive allure vers le boulevard Saint-Michel. J'arrêtai devant les bureaux de Saeta. Il n'y avait personne et il fallut demander la clé au concierge. Il ne l'avait pas. Emeline Aureo, qui habitait rue de Sèvres, était passée la prendre. Elle avait vieilli, Mlle Aureo, et j'avais bien été obligé de la mettre à la retraite. L'apparition de Stanislas fit l'effet d'un coup de tonnerre à cette petite femme ratatinée qui se teignait en blond paille depuis un sermon de Félicité : une femme n'a pas le droit aux cheveux blancs.

— Vous ici, monsieur Beren ! Vous devez à vos

lecteurs de vous mettre à l'abri. Les révolution-
naires brûlent tout... même les voitures des innocents.

— Parce qu'il y a encore des innocents à Paris ?

Il pensait à ces jeunes gens, fils de bourgeois
aisés, qui compissaient le Soldat Inconnu devant la
foule passive. Emeline Aureo n'avait pas compris
la question. Elle cherchait un manteau pour sortir,
en remit un jaune canari sur la patère et choisit
une redingote grise qui lui parut mieux adaptée
aux circonstances.

— Il ne faut pas se faire remarquer, dit-elle.
Heureusement que Mme Beren n'est pas avec
vous !

— Heureusement !

— Elle n'est pas fatiguée au moins ?

— Oh, si, Emeline, très fatiguée.

— Vous ne devriez pas la laisser seule.

— Je la rejoindrai dès que je pourrai.

Quelques jours plus tard quand elle sut la vérité,
elle en voulut à Stanislas et je dus expliquer que
c'était sa façon à lui de nier un chagrin qui serrait
sa gorge.

Nous revînmes boulevard Saint-Germain, toujours parcouru de cars de police et d'ambulances
comme dans un film américain. Des détonations
sourdes grondaient plus loin.

— Je suis revenue chercher la clé, dit-elle. Les
« responsables » sont partis.

Jusqu'au dernier souffle, elle serait « responsable » ! Nous nous attendions à trouver les bureaux en désordre. Non. Tout était bien rangé : manuscrits en pile sur les tables des lecteurs, machines couvertes de leur housse. Dans la corbeille, quelques lettres par porteur.

— La poste ne fonctionne plus ! Mais le téléphone automatique marche encore. Vous pouvez appeler qui vous voulez. Tokyo, par exemple...

— Je ne connais personne à Tokyo, dit Stanislas.

— Oh, c'était une façon de parler et pas aussi absurde que vous le croyez : juste avant votre départ de Londres le service étranger a reçu une demande de traduction des Japonais. Attendez... je vais retrouver ça... Tenez... voilà ! C'est pour *Vivre à trois*.

— Mais vous êtes au courant de tout !

Elle ne se résignait pas à la retraite. Sa vie s'était jouée dans cette maison poussiéreuse où Stanislas interdisait qu'on changeât un bureau de place. Tout devait rester comme au temps d'André Garrett et de M. Dupuy. Emeline Aureo y veillait et j'avais même dû supplier la femme de ménage d'user d'une tête-de-loup pour déloger les toiles d'araignée aux encoignures du plafond. Elle l'avait interdit et dans la maison on ne l'appelait plus que l'araignée. Certes on ne lui demandait plus de me moucher ou de me conduire au Luxembourg pour voir Guignol rosser le gendarme, mais elle l'aurait fait si, abolissant le temps, j'étais retombé en enfance.

— C'est sépulcral, dit Stanislas. Allons au quartier Latin.

Elle écarta les bras comme si nous devions passer sur son corps pour nous jeter dans cette « gueule du loup » dont le douanier vaudois nous avait avertis. Stanislas avait toujours le don de calmer ses exaltations. Il l'embrassa sur les joues :

— *Morituri te salutant!* Emeline, nous vous laissons la garde de la maison. Que personne n'entre en notre absence !

Nous l'oubliâmes et elle resta vingt-quatre heures dans les bureaux, n'osant même pas descendre au bistrot se payer un croissant et un café. Elle serait probablement morte là si nous étions partis un mois. Mais il n'y avait pas de quoi se distraire un mois. Après avoir écouté Sartre, au grand amphithéâtre de la Sorbonne, nous parler de la révolution devant un auditoire choisi de dames de gauche en tailleur Chanel, et une concierge nous raconter son problème de poubelles sur la scène du Théâtre de France, nous en avions eu assez. Les rues offraient un meilleur spectacle. Stanislas relevait dans un carnet les slogans de la révolution : « Sous les pavés, la plage. » « Il est interdit d'interdire », « Faites l'amour, ne faites pas la guerre », et sur un mur, une grossière écriture bleue intimait aux passants : « Soyez heureux. »

— Un souffle est passé, disait Stanislas. Les philosophes et les politiciens essayent de le récupérer. Crois-tu que Sartre aurait jamais écrit : « Sous les pavés, la plage » ? Il n'a jamais vu une plage de sa vie. Dommage que Breton soit mort, il aurait reconnu ses petits-enfants : « Vous qui ne voyez plus, pensez à ceux qui voient ! » Ils croient faire une révolution et, en réalité, ils ridiculisent ceux qui se disent leurs maîtres. C'est excellent. Il faudrait les laisser aller jusqu'au bout. J'aime bien cette fête. Dommage qu'elle pousse en avant des grotesques... Devant ça, le bonheur que j'ai à ne m'être jamais intéressé à la politique, est si grand que je rends grâce à ma paresse...

Il est vrai qu'il ne s'était jamais intéressé à la politique, poussant poliment vers la porte ceux qui venaient lui faire signer des manifestes :

— Je ne signe pas les textes des autres. D'ailleurs il y a une faute de français dans le vôtre. Personne n'est à l'abri des fautes de français mais j'entends n'assumer que les miennes, et ça suffit.

Rien ne le faisait plus rire que les idées générales.

— Je pense toujours à Anatole France auquel un journaliste demandait son opinion sur je ne sais quelle forme de gouvernement : « Moi, une opinion ? Comme au Café du commerce. Ah non ! »

Opinion ou pas, la secousse de Mai 68 l'émut et le laissa plus pensif que je ne l'aurais cru. Il y vit une éruption romantique dans le calme plat d'une époque, un signe de vitalité qui interrompait les ronrons, le sien comme ceux de beaucoup d'autres. Il

376

eut beau affecter d'être seulement un observateur, jusqu'au début de juin quand le calme revint il se promena dans les quartiers chauds de Paris, se rendit à des meetings où l'emphase cachait mal le néant des propositions, se plongea le matin dans la presse avec une passion gourmande. Il me téléphonait :

— Mauvaise journée : il n'y a pas le plus petit Clavel à se mettre sous la dent, même pas un Jacques-Arnaud Penent. Le lyrisme tombe en panne sèche. On sent bien que les vacances approchent. Tout ce joli monde part se reposer à Saint-Tropez. J'ai envie de les rejoindre. J'y retrouverai cette jolie fille qu'hier ils promenaient sur leurs épaules. Elle brandissait le drapeau noir et elle avait le torse nu : de jolis seins qui méritent le soleil.

Il n'y alla pas, mais retourna à Londres pour l'été. Sur cette période, je n'ai que deux lettres de lui. La première est datée du 4 août 1968 :

Où est la jolie fille aux seins nus de la place Edmond-Rostand ? Il m'arrive de penser à elle : allégorie de la liberté en marche, de la révolution triomphante. Les grandes lames de fond dépoitraillent les femmes. La Révolution française les a libérées du corsage. Regarde les gravures représentant des Merveilleuses : tout est dehors. Je me souviens d'un petit livre de Raymond Dumay, un journal de la Libération de Paris : il en avait vu le signe dans une jeune fille qui se baignait les seins nus sur le quai au pied du pont Alexandre-III. Cela s'appelait, je crois, *Les Seins de la liberté.* Tu verras — mais il faut un peu de temps pour qu'une mode prenne

— que les femmes se promèneront bientôt les seins à l'air. Ce sera la plus noble conquête de la mini-révolution de 68. Je voudrais bien qu'on retrouve le nom de la jeune fille hardie juchée sur les épaules des étudiants.

La deuxième lettre, datée du 25 août 1968, répondait à une question que je lui avais posée par téléphone : travaillait-il ? Je m'inquiétais qu'il ne s'accrochât à rien :

Tu m'as surpris et j'ai dû te paraître évasif. Accuse mon esprit de l'escalier. En fait, j'ai deux idées entre lesquelles je balance : une histoire de l'emprisonnement et de la libération des seins à travers les âges, ou comment nos conquêtes sont remises en question, et les réflexions d'un moraliste. Pourquoi les femmes désirent-elles tant montrer leurs seins à certaines époques, ou prennent-elles au contraire plaisir à les cacher à d'autres époques ? Les hommes ont-ils leur mot à dire ? Il y a une vaste enquête à mener, des sondages auprès des deux sexes, une étude sur le sein dans la peinture et au théâtre où j'ai déjà repéré trois seins célèbres, celui de Dorine (ah, Gabrielle Dorziat !) dans *Tartuffe*, celui de la Mari-Gaila (ah, Germaine Montero !) dans *Les Divines Paroles* de Valle-Inclan, celui de Stella (ah, Hélène Sauvaneix) dans *Le Cocu magnifique* de Crommelynck. Il y en a sûrement bien d'autres qu'avec l'aide d'un archiviste je retrouverai, mais, de ces trois-là, je me souviens personnellement et de l'émotion qu'ils soulevaient dans la salle. Tu vois comment une image brève, celle de cette ardente révolutionnaire brandissant le drapeau noir et montrant ses seins dans le Paris de Mai 68, peut donner matière à réflexions. C'est là le côté noble de la chose et je n'ajouterai qu'en appendice les petites hystériques qui se dépoitraillent quand Mike Jagger entre en scène. Du simple défoulement. J'ai vu des photos du grand rassemblement de Woodstock : trois jours d'amour et de paix. C'est plutôt émouvant, mais en examinant bien ces torses nus, j'ai vu beaucoup de platitudes. La pudeur mammaire tiendrait-elle à ce que beaucoup de jolies filles n'ont pas de jolis seins ? Laisse-moi prédire que dans le grand déshabillage qui se prépare — comme si nous allions respirer un coup avant de sombrer dans l'obscurité d'un étouffant puritanisme — la beauté des poitrines ne comptera même plus. On exhibera sans gêne des œufs pochés. À ce compte-là, je préfère la pudeur.

L'autre sujet qui me tente cet été est beaucoup moins sérieux. Tout Londres est parti pour les Baléares, les Canaries, les îles grecques. Je suis absolument seul dans cette ville merveilleuse qui brille au soleil. En me promenant dans Chelsea ou High Kensington, j'ai l'impression d'errer dans une châsse multicolore. Les portes me fascinent. Quel autre peuple que les Anglais oserait utiliser des couleurs pareilles ? Et pourquoi ici, ici seulement, les verts les plus agressifs, le mauve, le violet, le rouge boucher, le noir funèbre, le marron chocolat, le caca d'oie sont-ils tout d'un coup harmonieux, attirants et dans leur ensemble, franchement beaux ? J'irai même plus loin : il arrive que des porches victoriens avec leurs colonnes bicolores et leur fronton triangulaire, aient vu moderniser leurs portes, style Arts déco. C'est simplement absurde et pourtant ça passe... Impossible d'imaginer de pareilles discordances à Paris où l'on ne tolère que le faux noir plat et le faux vieux chêne. Dans le choix de chaque couleur, j'essaie de deviner le caractère des propriétaires, les femmes qu'ils se sont choisies, les chiens qu'ils aiment, les alcools qu'ils boivent et même leurs vices secrets. Pour pousser l'étude plus loin, j'examine les heurtoirs. Leur variété est inouïe. Beaucoup de mains, souvent baguées, tiennent des objets divers : boules de marbre blanc, marteaux, cravaches, têtes de nègre, etc. J'ai même cru reconnaître — mais là tu diras qu'en vieillissant je me laisse obséder — un phallus délicatement tenu par un pouce et un index dorés. L'usage l'a poli de telle façon que la provocation est très atténuée. J'ai amené Harry Dawson pour l'estimer. Il a confirmé mon impression et en soulevant l'objet, a trouvé la date : 1749, ce que confirme, paraît-il, le petit doigt levé avec distinction, une pratique qui, dit encore Harry, n'est plus courante dans ce genre de prestation. C'est ce que dans son français si joliment teinté d'accent anglais, il appelle « une bonne manière ». 1749, souviens-toi, est l'année de la publication de *Tom Jones*. L'Angleterre était en pleine crise libertine. Le XIX$^e$ siècle a refoulé cette explosion de licence gaie, cette liberté de propos. C'est, hélas, la conséquence directe des victoires de Trafalgar et de Waterloo : les Anglais se sont pris au sérieux. Dommage ! Enfin, tu vois que j'ai du pain sur la planche et que je n'oublie pas que je suis ton fournisseur. Tu auras bientôt un livre. Que dis-je ? Un... deux... si ce n'est plus...

Il noyait toujours sa tristesse dans l'ironie ou les silences. Tout compte fait, l'ironie était préférable et laissait un espoir. Son ami, Harry Dawson, expert en bronzes et antiquaire, le rencontrait le soir au Garrick où ils dînaient ensemble. Harry m'écrivit : « Il est très bien et ne parle jamais de Félicité. Nous nous intéressons à des choses d'une inutilité parfaite : sa collection de cannes, de sulfures, de heurtoirs, mais ne craignez rien cher Ami, nous n'en sommes pas encore à porter chaque matin du pain aux bernaches nonnettes et aux mouettes de sabine à Saint James Park. Tout va bien, et je soupçonne (perfidement) Stanislas de se préparer à écrire un livre. »

Ce fut *Salut et mort du héros*, un étrange livre qu'il écrivit en deux mois (octobre et novembre 1968) à Amsterdam. Pourquoi l'écrivit-il en Hollande ? « À cause d'une affiche de voyage. » Oui, c'est une raison qui en vaut une autre, et il fallait laisser les souvenirs s'atténuer. Le roman — si l'on peut appeler roman une longue incantation — dérouta la critique. Elle ne parvint pas à ranger dans le tiroir Beren ce murmure mélancolique, ces personnages fantomatiques qui abandonnent derrière eux des messages sibyllins. La mort — ou plutôt l'idée de la mort — est constamment présente. J'en ai cité un passage au début de ce livre, celui où Stanislas livre la clé de sa rencontre avec Félicité, quarante ans plus tôt, un soir de concert où l'on jouait Debussy. Félicité est là, derrière les mots et les images, invisible mais si présente qu'aucune image ne peut naître sans qu'elle l'inspire. Des portes s'ouvrent sur le néant et tous les gestes d'un homme qui veut mourir ne réussissent qu'à le faire vivre plus douloureusement avec sa peine.

L'écriture du livre fut une véritable délivrance pour lui. Il me remit le manuscrit en décembre 68 à Paris :

— Ne le publie pas maintenant. Attendons un an. Dans un an, je le relirai et nous verrons ensemble si cela en vaut la peine.

Les éditions Saeta le publièrent au printemps 70. Les avis partagés, les réactions étonnées, des articles de complaisance ne l'étonnèrent pas. On lui demandait d'écrire toujours le même livre et il publiait un roman qui ne ressemblait à aucun des précédents. Il est probable que s'il avait donné une suite à *Vivre à trois* et à *L'Abeille* on lui aurait reproché de se répéter. Curieusement, pour la première fois depuis près de quarante ans, Béla Zukor trouva quelque intérêt à *Salut et mort du héros*. « M. Beren s'est donné toute sa vie bien du mal pour écrire de mauvais livres alors qu'il lui était si facile d'en écrire un bon, enfin... n'exagérons rien... un livre lisible et qui révèle que sous le snob, le mondain, le dandy, le richard, il y a peut-être un homme sensible. Je dis : peut-être. Qu'on me comprenne, c'est sans doute là un artifice mais j'avoue mon plaisir à certaines pages. Voilà ce que c'est de vieillir : on devient indulgent. » C'est le dernier article de Béla Zukor qui fut retrouvé, le lendemain, mort dans son appartement.

— Cela fait tout de même quelque chose de perdre son ennemi n° 1, dit Stanislas. Paix à ses cendres ! Les méchants diront qu'il est mort de n'avoir pas épanché sa bile la veille. Sa haine l'avait conservé en bonne santé. Je ne doute pas qu'il sera remplacé.

Aux réticences qui accueillirent la parution de *Salut et mort du héros*, Stanislas resta indifférent. Détaché de lui, livré au public, le livre ne l'intéressait plus. Je connaissais sa réaction, et c'est la raison pour laquelle il gardait dans un tiroir le plus longtemps possible un manuscrit. Je lui avais arraché *Audrey, L'Abeille, Vivre à trois*, pour ne pas dire volé. Avec *Salut et mort du héros*, je n'ai pas agi autrement. La tâche me fut facilitée par un concours de circonstances qui est lié à tous les jeux de hasard qu'il jouait avec la vie et que la vie jouait en retour à ses œuvres d'imagination. C'est, en effet, en 1970 que, trente-sept ans après l'accident fatal, Nathalie resurgit de la manière la plus inattendue, soulevant une dernière passion. La dernière. Bien sûr cette passion ne pouvait se comparer à l'émerveillement de la première, mais enfin ce fut une passion née de cendres que Stanislas aurait pu croire refroidies à jamais. Oui, la Nathalie des *Temps heureux* revint, personnifiée avec une incroyable vérité par Mimi Bower, cette jolie blonde dont les appas lui avaient valu le titre de « Playmate of the month » dans un numéro de *Playboy* de 1968 où elle apparaît nue sur une bicyclette dans un jardin de style japonais. Avec une mère russe, un père dans la police montée du Canada, un premier mari mexicain vite divorcé et, à ce moment-là, un producteur d'origine polonaise, elle était la créature rêvée pour interpréter Nathalie dans un rôle où l'on baragouinait toutes les langues. C'était — j'écris « c'était » puisque, on le sait, elle disparut en 1972 dans un accident d'avion — c'était une de ces ravissantes filles aux yeux bleus d'une candeur exquise. Le numéro de *Playboy* qui contribua à la lancer la présentait en short et chemisette sur le campus de Berkeley où elle étudiait *(sic)* la biologie. On la voyait également nager nue dans une piscine et lire Freud sans culotte, vautrée sur un grand sofa recouvert d'une peau de zèbre. L'idée que ces jolies fesses pensaient à Freud en faisant l'amour avait séduit Ladislas Serkinski, le producteur de *Mille ans pour aimer* et de divers autres succès de genres très différents. Le jour où Mimi qui lisait *réellement* des livres, lui dit qu'elle aimerait incarner la Nathalie de *Singtime*, il donna le roman — récemment paru en club, puis en collection de poche aux États-Unis — à sa secrétaire qui le lut pour lui. La secrétaire ayant marqué de l'enthousiasme, Serkinski envoya un télégramme pour convoquer Stanislas à

Hollywood. Stanislas, avec la même désinvolture, convoqua Serkinski à déjeuner pour le lundi suivant à Paris. Le contrat n'aurait jamais été signé si Mimi, possédée par son idée, n'avait embarqué de force son producteur dans l'avion.

J'ai assisté à ce déjeuner au cours duquel Stanislas, l'esprit ailleurs, laissa Serkinski rêver tout haut avec une chaleur qui aurait pu faire croire qu'il avait lu le livre. En fait, un lecteur lui en avait préparé un résumé de dix pages qui, à la demande de Serkinski, avaient été réduites à deux. Il connaissait donc la trame et ce qu'il savait des personnages lui venait de Mimi. Tout de suite, elle apparut ce qu'elle était : une adorable fille dont le visage et le corps étaient le handicap. Comment prendre au sérieux ce joli nez, ces grands yeux bleus pétillants de drôlerie et de curiosité ? Il aurait fallu l'écouter alors qu'on la regardait avec une gourmandise grandissant de minute en minute. Le matin même, j'avais apporté à Stanislas le numéro de *Playboy* qui marquait l'entrée de Mimi dans la vie publique. Nous avions contemplé ces photos en couleur qui, en réalité, la trahissaient. Oui, elle avait ces beaux seins ronds et heureux, ces bras gracieux et on ne pouvait douter qu'elle fût vraiment blonde, mais elle était diabolique aussi car, dès son arrivée la veille, elle avait couru chez le coiffeur se faire couper les cheveux comme Nathalie, dans un grand magasin pour s'habiller d'une jupe de sport, d'un chandail blanc trop large pour elle, de chaussures à talons plats, d'un béret incliné sur le côté.

Quand il la vit, Stanislas pâlit. Je l'entendis murmurer : « C'est elle ! » Il écouta mal Serkinski. Je le sentais perdu dans sa mémoire, cherchant ce qui pouvait contredire la réalité de cette résurrection. Quand Mimi dit quelques mots en russe, je crus qu'il se lèverait pour partir. La situation était intenable et Mimi faillit perdre la partie par son zèle excessif. Sa grâce naturelle la sauva. Le producteur qui était tout sauf un imbécile, perçut le danger : on ne parla plus de film, de contrat, de distribution. Serkinski feignit d'oublier le motif de son voyage à Paris. Il avait du talent pour les imitations. Un moment il fut Clark Gable, Charles Boyer, Marlène Dietrich, W. C. Fields, John Wayne, une suite de numéros qui, dans les milieux où il évoluait, remportaient toujours un joli succès. Stanislas manifesta un intérêt poli qui aurait fait tourner au désastre la fin du déjeuner si Mimi n'avait pas été là. D'abord effondrée parce qu'elle comprenait qu'en s'identifiant trop tôt à Nathalie, elle avait risqué la catastrophe, elle reprit confiance : le regard que Stanislas portait sur elle changeait. Elle fut certaine qu'il ne voyait plus Nathalie à travers elle, mais elle Mimi, à travers la morte de la Moyenne Corniche, la femme-enfant que la vie amusait tant. Il fallait être aveugle pour ne pas saisir qu'une tempête se levait, que deux êtres inconnus l'un de l'autre une demi-heure auparavant se retrouvaient ensemble sur la crête d'une vague et n'apercevaient plus ceux qui, restés au creux des lames, nageaient éperdument pour ne pas se noyer. Mimi avouait vingt-deux ans et Stanislas soixante-deux. La différence est minime dans certains cas. Ils n'allaient pas se marier, avoir des enfants, vieillir ensemble. Ils allaient simplement quitter la table le plus vite possible, partir sans se retourner et faire l'amour pendant que j'entretiendrais Serkinski du contrat à signer entre lui et les éditions Saeta pour la vente des droits de *Singtime*. Quand ils se levèrent, le producteur me parla peut-être un peu plus vite, avec ce qu'on pouvait penser être un rien, juste un rien, d'angoisse, une ombre de déception. On jouait sans lui. Mais sa dignité — sinon son amour-propre — n'était pas en cause. En fait, il était marié, heureux avec sa femme et ses enfants. Un court moment, l'agréable cycliste nue dans le jardin japonais avait distrait sa vie, mais, du jour où elle devenait une vedette, cet amusement représentait un risque que cet homme aventureux dans les affaires et timide en amour n'aimait pas affronter. Il est possible qu'à ce déjeuner il ait ressenti un lâche soulagement. Mimi avait été un des éléments du décor de sa vie, un peu plus qu'une Rolls ou une Cadillac, un peu moins qu'une super-production avec quarante éléphants, vingt lions, dix crocodiles et un ballon dirigeable.

Je n'ai pas précisé que nous déjeunions au Grand Véfour.

« Grave erreur! dirait Stanislas. On ne déjeune pas dans *un* restaurant. On spécifie lequel et où. On ne boit pas du vin, mais un bordeaux ou un bourgogne de telle année, de tel cru. La vie est riche en détails que les romanciers négligent parce qu'ils ne connaissent rien à l'existence et vivent dans des bibliothèques où ils mangent du papier et boivent de l'encre. Quand j'entends dans un bar un type commander *un* whisky je sais que c'est un plouc à qui on pourrait aussi bien servir *un* alcool à brûler... »

Donc, c'était au Grand Véfour où Raymond Oliver nous avait réservé la table dédiée à Jean Cocteau dont en traversant le jardin du Palais-Royal nous avions évoqué le souvenir, la dernière fois où Stanislas l'avait rencontré dans le petit appartement de la rue de Beaujolais. Le ton était à la mélancolie comme il sied dans les jardins déserts à l'heure du déjeuner, quand les enfants sont partis et qu'il ne reste sur les bancs que des vieillards sans heures.

À quel moment Stanislas et Mimi s'éclipsèrent-ils, je ne sais plus. Peut-être ne les vîmes-nous pas, tellement c'était écrit, inéluctable. Serkinski avait ouvert un calepin et préparait des notes sur le contrat que je signerai au nom des éditions Saeta et de Stanislas. Le savoir-vivre exigeait que nous ne commentions pas le départ brusque de Mimi et de

Stanislas. Serkinski but plusieurs cafés et tira d'un étui d'affreux petits cigares italiens, âcres et pestilentiels dont il m'expliqua qu'il avait pris le goût lors de la campagne d'Italie avec l'armée Patton.

— Infumables par d'autres que moi, dit-il, mais ils me rappellent tant de souvenirs! J'ai rencontré ma femme à Naples. Elle est italienne.

Il regarda sa montre.

— Trois heures! Ils doivent être en train de faire l'amour. Votre ami a-t-il toujours conduit ses conquêtes à cette allure-là?

— Pas toutes, probablement.

— Ce sera son record. Il faut préciser, pour la beauté des choses, que Mimi n'est pas une fille facile. Elle montre volontiers son derrière, mais défend qu'on y touche. Comme elle me fait assez gentiment ses confidences, je peux même vous apprendre que votre ami est seulement son numéro trois. C'est incroyablement peu dans la carrière qu'elle envisage et avec son physique. M. Beren est un champion. Quel âge?

— Soixante-deux ans.

— Eh bien, d'abord il ne les paraît pas, et ensuite voilà qui laisse de l'espoir à tout le monde.

Les tables se vidaient. Nous étions parmi les derniers et Serkinski se renversait sur sa chaise dans la pose d'un homme que le déjeuner laisse rêveur. Je n'ai pas dit à quoi il ressemblait et même si cela importe peu, il serait équitable de signaler qu'il n'avait rien du producteur tel qu'on le voit dans les films à charge. Ni bedonnant, ni chauve, ni frisé blanc, n'arborant pas de cravates voyantes ou de bague douteuse. Non, c'était un homme au physique discret, au visage maigre et animé, au regard d'un bleu si pâle qu'on l'aurait cru presque aveugle. On l'imaginait bien piquant des colères épouvantables et dans la minute qui suivait, retrouvant son calme. À la manière dont il observait le Grand Véfour où il déjeunait pour la première fois de sa vie, on devinait qu'il en prenait les mesures et gravait les fresques si gracieuses dans sa mémoire. Un jour, on retrouverait dans une de ses productions ce restaurant où il avait perdu Mimi Bower et décidé de *Singtime*.

Le lendemain, je le raccompagnai à son avion. Mimi et Stanislas restaient introuvables. Serkinski me retint encore une minute par le bras.

— Vous direz à Mimi, quand elle réapparaîtra, que je suis heureux pour elle, mais qu'elle ne doit pas oublier qu'il faut mener de front ses amours et son travail. Elle en est capable : c'est une fille de premier ordre bien que son ambition ne soit pas encore assez affirmée. Je vous avouerai franchement que je préfère la voir tomber amoureuse d'un sexagénaire que d'un gigolo qui l'épuiserait dans les plaisirs et lui dévorerait les sommes considérables qu'elle gagnera bientôt avec son premier grand rôle. Elle n'est pas bête du tout et j'ai eu le temps d'apprécier son intelligence. Elle lit pour moi, me rendant un immense service. En face d'un livre, j'ai toujours été frappé d'inappétence anxieuse. Mon psychanalyste assure que c'est une maladie difficilement curable. Pendant de longs mois nous avons cherché, lui et moi, dans mon enfance le traumatisme qui m'a rendu allergique aux livres. Nous n'avons rien trouvé. En revanche, les fées m'ont doté d'un assez joli don : je suis un excellent physiognomoniste. J'ai tout su de Stanislas Beren dans les cinq premières minutes de notre rencontre d'hier. Il y a dans les traits de son visage le signe d'un curieux mélange intérieur de certitudes et d'incertitudes qui sont le propre des plus intéressants créateurs. Le talent est à ce prix. Cela se voit dans son regard et dans le dessin mouvant de sa bouche quand il fait à son interlocuteur la grâce de prononcer quelques mots.

— Je vous assure qu'il parle, mais cela dépend de son humeur.

— Se fait-il régulièrement psychanalyser ?

— Jamais. La psychanalyse est une des bonnes plaisanteries qui l'ont toujours fait rire.

— Il y viendra.

— J'en doute.

Il parut surpris. Le haut-parleur appelait les passagers du vol pour New York. Serkinski prit ma main et la serra énergiquement comme s'il voulait se donner du courage.

— Vous savez ce qui me fait plaisir dans cette histoire ? Eh bien, ma femme sera très contente. C'est une Napolitaine charmante, un peu enveloppée pour son âge et qui n'aime que son intérieur, ses enfants. Elle me laisse des libertés, mais elle est si heureuse lorsque je reviens à elle que j'ai déjà un frisson en pensant à sa joie quand elle saura que c'est fini avec Mimi Bower. Je sais ce qu'elle fera : elle renverra le cuisinier pour la soirée et cuisinera elle-même des tagliatelles. Elle prépare les meilleures tagliatelles de Beverly Hills, ce qui n'est pas peu dire. Et, en cachette, elle allumera un cierge pour M. Beren, en priant le ciel de lui conserver longtemps cette petite amie qui m'a été soufflée d'une façon un peu... cavalière. Au revoir, mon cher...

Le tournage commença un an après. Stanislas serait probablement resté indifférent au scénario et aux dialogues si Mimi ne l'avait supplié de s'en occuper. Le film intéressait peu Stanislas qui répétait à chaque interview qu'ayant écrit un roman, il s'en tenait à ce roman alors que Serkinski, depuis Hollywood, reconstituait avec des scénaristes le vrai puzzle de la vie de Nathalie et de Vladimir. En somme, le producteur passait au-dessus de la fiction pour retrouver les faits dédaignés ou romancés par Stanislas. La méprise était si complète qu'il fut question de rompre le contrat et de laisser Serkinski et ses scénaristes raconter ce qui leur plaisait. On serait arrivé à la rupture si le titre n'avait tout d'un coup semblé à Serkinski un élément capital, peut-être même, dans son optique, l'élément capital du film. Selon ses distributeurs, *Singtime* se vendrait dans les chaînes de cinéma parce que le livre, après une lente carrière, avait tout d'un coup, à la faveur d'un retour de mode, connu une vogue inespérée. Dans l'impasse, le producteur céda et Stanislas écrivit le scénario et les dialogues qui, on s'en doute, furent massacrés au tournage et, pis encore, au découpage final, mais enfin il en resta quelque chose, surtout grâce à l'interprétation de Mimi Bower, une si parfaite Nathalie que ceux qui se souvenaient de la vraie en eurent le souffle coupé. Le reste de la distribution était de qualité. Là il faut rendre hommage à Serkinski et au metteur en scène, Joe Pressner, dont c'est le grand mérite. Pour le rôle de Vladimir, ils engagèrent Ivan Eliner, un jeune comédien soviétique récemment passé à l'Ouest. Ce fut le début de son éclatante carrière. Serkinski avait d'abord dans l'idée de transposer l'histoire en Californie au mépris du contrat qui exigeait le tournage en France. La force de résistance de Stanislas tint beaucoup, comme je l'ai dit, à ce qu'il se moquait que l'on fît ou non le film. Mimi était là et ne le quitta guère que pour de rapides voyages à Hollywood où elle convainquait Serkinski de céder. C'est donc au Cap-Ferrat que l'on tourna et, par une chance assez rare, dans la maison même où avaient vécu Nathalie et Vladimir. Dans les musées de voitures, on ne trouva pas le modèle désiré de la Duesenberg. La production n'hésita pas et construisit un prototype qu'aux dernières images un cascadeur écrasa contre un arbre. Tout manqua encore s'effondrer quand Stanislas s'aperçut que, sournoisement, un « rewriter » de Serkinski avait glissé une scène qui ne laissait plus de doutes sur les relations incestueuses de Nathalie et de son frère. Dans le roman, le lecteur est laissé libre d'imaginer la chose ou de ne même pas y penser. La production promit de ne pas utiliser cette scène, mais à la première mondiale qui eut lieu au théâtre chinois de Sid Grauman à Hollywood, elle n'avait pas été coupée. Stanislas n'ayant pas voulu venir aux États-Unis, je le représentais dans la loge du producteur en compagnie de Mimi dont ce fut le triomphe ce soir-là. Elle contemplait comme un conte de fées cette assistance élégante et brillante, qui avait déjà décidé sur des on-dit qu'une petite fille blonde aux yeux de myosotis serait sacrée vedette. Assise droite à l'extrême bord de sa chaise comme une invitée qui ne sait pas encore si on va l'admettre ou non, elle masquait son angoisse derrière un sourire exquis. En blanc, le cou et les bras nus, elle épousait la célébrité. Combien d'années conserverait-elle ce charme ingénu qui attire tant les hommes? Dans le monde du cinéma où son destin se dessinait maintenant, elle allait affronter sans autre atout que sa volonté les embûches terribles qui ruinaient d'autres femmes aussi belles ou aussi douées qu'elle, et Stanislas ne la guiderait plus, ne serait plus là pour lui faire travailler ses scènes, choisir son parfum, sa coiffure, lui apprendre à se tenir à table, à lire Vladimir Nabokov et non pas Philip Roth, William Faulkner et non pas John dos Passos, Thomas Pynchon et non pas Truman Capote. Cela, elle ne l'avait pas encore envisagé, et dans cette vague d'admiration qui montait vers elle d'une salle fabriquée à dessein par la publicité, il ne fallait pas qu'elle y pensât. Elle rayonnait de tant de bonheur que Serkinski et moi en étions imprégnés avec je ne sais quelle sourde crainte qu'un incident, une méchanceté de la vie, ruinât cette exaltation.

Quand se déroula l'épisode qui la présentait sans équivoque dans les bras d'Ivan Eliner, je ne pus que me taire. Peut-être avec une pardonnable hypocrisie Mimi avait-elle voulu cette scène qui fut supprimée dans la version présentée en France, la seule que verrait Stanislas et qu'il ne vit d'ailleurs pas, non par manque de curiosité, mais parce qu'il lui fut intolérable que l'écran ressuscitât à la fois Nathalie et Mimi, son double.

Plusieurs fois pendant le tournage en 71 et 72, j'étais allé au Cap-Ferrat, rejoindre Stanislas qui, distrait par l'ambiance régnant autour de Mimi et des cinéastes, écrivait mollement les dernières nouvelles de *L. comme Londres*[1] qu'à sa parution un critique salua d'un article sulfureux intitulé *R. comme raté*. Félicité avait vendu La Désirade à leur retour d'Amérique, et Stanislas habitait, au Grand Hôtel du Cap, une chambre voisine de celle de Mimi. À six heures du matin, le coiffeur et la maquilleuse la réveillaient pour qu'elle fût prête à neuf heures. Mimi frappait à la cloison. Il la rejoignait, s'asseyait dans un fauteuil et pendant que l'on tournoyait autour d'elle, l'aidait à répéter ses répliques. Le sérieux intense du travail de Mimi contrastait avec le personnage flou, volatile, de la femme-enfant qu'elle incarnait à la fois dans la vie et devant la caméra. Jamais, il ne l'accompagna sur les lieux du tournage, et quand j'étais là nous partions pour une longue marche sur le chemin de ronde des douaniers. Je le sentais aussi heureux qu'angoissé, désireux de me parler pour se convaincre que tout ce qu'il se disait dans sa tête avait une réalité. Un interlocuteur docile l'aidait à y croire.

— Cela finira mal ! disait-il. Il y a une telle différence d'âge ! Mais comment me refuser Mimi ? Je me nourris de sa jeunesse.

— Elle me dit qu'elle vous prend tout, qu'elle

1. Éditions Saeta, novembre 1972, quinze jours avant la mort de Mimi à qui il est dédié. En Angleterre, quand on épelle un mot au téléphone, on se sert des noms de ville : A. comme Aberdeen, B. comme Bristol.

est votre vampire. Vous avez mille choses à lui apprendre.

— Mimi se trompe : le vampire c'est moi. Oui, comment cela finira-t-il? C'est intolérable de penser qu'un événement extérieur, un tiers pourront décider d'elle, de moi. L'idée qu'elle me quittera pour un autre homme est si blessante que je vais, moi, la quitter le premier. J'ai fixé une date : quinze jours après la sortie du film.

— Elle le sait?

— Non. Pas encore.

— Quand le lui annoncerez-vous?

— Après le tournage.

En fait, il décida de ne le lui dire qu'après la première à Hollywood pour ne pas gâcher l'émerveillement dans lequel elle vivrait ce jour-là. Pendant la projection au Grauman, je ne pouvais m'empêcher de penser à la fragilité du bonheur de cette jeune femme rayonnante qui n'imaginait pas que le succès, les nouveaux contrats la sépareraient de l'homme aimé, et qu'il l'avait prévu. Dès qu'après l'ovation et la sortie dans cette mer de voitures qui embarquaient les hommes en smoking et les femmes en robe longue frissonnantes sous les capes de vison, nous fûmes au Beverly Hills Hotel, elle appela Paris. Avec les huit heures de différence, nous étions sûrs de le trouver aux éditions Saeta où il signait les exemplaires de presse de *L. comme Londres*.

— Stan, c'est un triomphe!

Elle me passa un écouteur.

— Je suis fier de toi, répondit la voix lointaine.

Allait-il lui annoncer sa décision? Il se tut, pas assez cruel pour lui gâcher un plaisir dont il devinait l'intensité.

— Stan, on me propose mille choses!

— Accepte.

— Je refuse tout, je veux vivre près de toi et tu ne voudras jamais vivre ici.

— Ne sois pas folle. Accepte.

— J'ai compris que tu ne veuilles pas voir le film. C'est à cause de Nathalie.

— Il y a longtemps que j'ai oublié Nathalie. C'est à cause de toi que je n'ai pas voulu voir le film. Je t'aime en chair et en os. Tu sens bon et ta peau a un goût tout à fait agréable. En photo, tu n'es rien.

— Es-tu content de ton livre?

— Aussi content que je puisse être de quelque chose. En fait, je ne suis content que de toi. Ce livre t'est dédié.

Elle se tourna vers moi, le regard interrogateur ne sachant pas ce que cela voulait dire. D'un geste, je lui fis comprendre que c'était un hommage.

— Cela te fait plaisir? demanda-t-il anxieux.

— Très... Après L. c'est M. n'est-ce pas? Eh bien ton prochain livre s'appellera *M. comme Mimi*.

— C'est juré!

Je regagnai Paris le lendemain. Mimi devait accompagner Serkinski à Chicago, Philadelphie et New York pour présider des représentations de gala. Entre Philadelphie et New York l'avion privé de la production perdit un réacteur et se posa en catastrophe sur une autoroute. Il n'y eut qu'un mort : la jolie fille qui, trois ans auparavant, montait nue sur sa bicyclette dans les allées d'un jardin japonais, se baignait nue dans une piscine, lisait Freud sans culotte, la petite fille qui était arrivée au Grand Véfour en jupe courte, large chandail, coiffée d'un béret et en était repartie avant le dessert avec un homme de quarante ans plus âgé qu'elle, un homme dont elle aimait un vieux roman longtemps méprisé du public. Une grâce spéciale avait voulu qu'elle ignorât la décision de Stanislas. Il apprit la nouvelle par le journal que le serveur du Ritz déposa sur sa table avec le plateau du petit déjeuner.

— Tu sais? me demanda-t-il au téléphone.

— Oui.

— Depuis quand?

— Dix minutes.

Suivit un long silence. Je devinais ce qu'il pensait exactement. Ce sursis de quinze jours qui avait prolongé l'illusion de Mimi, c'était son propre verdict. Il avait décidé qu'ils se quitteraient exactement le jour où elle était morte. Toujours sa hantise que les événements ressemblassent à ce qu'il écrivait.

— Cette fois, je n'avais rien écrit. Je ne l'avais dit qu'à toi, n'est-ce pas?

— Bien sûr.

— J'ai dû penser avec trop de force, trop d'acharnement qu'il fallait nous arrêter là...

— Vous aviez raison...

Il y eut un nouveau silence.

— C'était, dit-il, quelqu'un de si différent de tout ce que j'ai connu. Je ne peux pas parler d'amour parce qu'à mon âge on ne charge plus ce mot du même sens que dans la jeunesse ou la maturité. Mimi, c'était un fruit frais à portée de ma main. Peut-être le dernier fruit du compotier. Je l'ai pris avec un rien d'imprudence, satisfaisant à une de ces envies immédiates dont on sait qu'elles se paient tôt ou tard. Elle m'a dérangé, elle a troublé le calme dans lequel je m'enfonçais et devenais de bois. Par moments, je lui en ai voulu. Maintenant que c'est le silence, je la remercie de m'avoir rappelé aux émotions des rencontres, aux mélancolies des départs, aux craintes de perdre l'être qui rend la vie aux natures mortes, aux paysages inanimés, aux âmes saisies par la fraîcheur du soir...

En fin de matinée, je le retrouvai m'attendant dans les Tuileries près de la statue de Maillol qu'il aimait, la pure jeune fille à la lisse peau de bronze, au corps enveloppé de rondeurs placides. Ce jour de novembre était si lumineux que sans les parterres appauvris, le vert fade des pelouses, le bleu myope du ciel froid et les promeneurs engoncés dans leurs manteaux, nous aurions pu nous croire en été.

— L'idéal de Maillol, me dit-il, est infiniment apaisant. Je ne connais rien de plus rassurant que cette recherche d'une beauté qu'avec les années il a amplifiée et simplifiée jusqu'à la perfection. On a écrit à tort que ses visages de jeune fille étaient dépourvus d'expression. C'est une vue très superficielle. La sérénité est l'expression suprême, bien supérieure à la colère, à la tristesse, au dépit qui sont des incidents de la vie et, pour l'artiste, des facilités. Il y a d'ailleurs une exception : une petite Pomone que j'ai vue dans une collection particulière, offrant un fruit dans chaque main. Elle date de 1910, avant que Maillol ait rencontré la sérénité, et son expression diffère des Vénus ou de la Méditerranée à la mairie de Perpignan. Ce petit visage retient un chagrin enfantin, le reflet d'une pudeur violée, réduite au silence... J'espère que tu es libre à déjeuner.

— Bien sûr.

— J'ai retenu une table au Grand Véfour.

Je l'aurais juré. Le soir de l'enterrement de Félicité à Venise, nous avions dîné dans la trattoria où ils avaient accoutumé de se rendre depuis des années. C'était son idée : remettre les pas dans les pas, pour effacer tout de suite. Pour nier. Nous traversâmes donc les jardins du Palais-Royal marchant entre deux haies d'arbres dénudés et graciles, mais cette fois il ne fit pas d'allusion à Cocteau. Les mêmes vieillards sans heures qu'il y a deux ans, assis le dos rond sur les bancs, chauffaient au soleil leurs mains maigres et tavelées. Un enfant qui courait s'étala dans la poussière et resta les bras en croix. Sa mère le releva d'une poigne solide et l'épousseta aux genoux et à la poitrine. Dans le visage d'une jeune fille que nous allions croiser, nous lûmes l'inquiétude, un rien d'ennui et, soudain, le bonheur : derrière nous arrivait à grands pas un jeune homme nu-tête. On ne nous donna pas la table de Cocteau, mais une autre plus petite sous la jolie cariatide à la chevelure en grappe de raisin, à la mine penchée, au regard en coin filtré par les paupières oblongues. Avec un rien de coquetterie, tourné vers le miroir, Stanislas, de la paume, lissa ses cheveux qu'un léger vent avait décoiffés sur les tempes.

— Je me déplume, je grisonne. Encore un an ou deux et j'aurai ma vraie tête, celle que je dois figer pour impressionner les amis et les curieux qui viendront me rendre le dernier hommage... Ne crois pas que ce soit ennuyeux de vieillir. C'est même plutôt amusant si on n'imagine pas la petite boîte et la pourriture qui s'installe dedans. Sais-tu que quand le prince de Joinville est venu chercher le corps de l'Empereur à Sainte-Hélène et que le docteur Guillard a ouvert le cercueil et défait le linceul, Napoléon est apparu en très bon état? Le nez avait souffert, mais le menton et les sourcils restaient intacts, les lèvres entrouvertes montraient des dents à peine jaunies. On a refermé le cercueil, et, depuis, plus personne n'a pensé à l'ouvrir. Il faut concéder que Napoléon est quelqu'un d'exceptionnel et que j'ai des chances d'échapper à ce genre de curiosité, à moins qu'un jour la place manquant au cimetière de San Michele, on procède à d'ignobles « réductions ». J'ai vu pratiquer cette opération un jour, précisément à San Michele avec Félicité quand nous cherchions un endroit confortable pour nous deux. En un clin d'œil, on a vidé trois cercueils en un. Les nouvelles générations de morts sont impitoyables et jouent des coudes avec une brutalité qui fait peur. Tu sais que pour agacer Arrigo Beyle, *il Milanese*, j'ai déjà fait préparer la pierre qui me recouvrira. Une pierre, oui. Pas de marbre, c'est trop froid, j'ai horreur du marbre. Il y a un artisan dans une échoppe des Fondamente Nuove, un homme charmant et gai, les sourcils blancs de poudre parce qu'il manie la ponceuse dès le matin, qui est en train de graver : 1908-19. Stanislas Beren, Parisien. Je n'ai pas encore le dernier chiffre, c'est toi qui le feras mettre. Stendhal aimait bien Milan mais enfin il n'y vivait plus depuis des années, un peu comme moi avec Paris, à cela près que l'on ne m'y arrête pas comme on l'aurait arrêté lui s'il s'était montré à Milan, tout diplomate qu'il était.

Mais enfin on choisit une ville plus pour les amitiés qu'on y a gardées, les amours qu'on y a vécues que pour son art de vivre ou ses monuments. Londres est une ville irrésistible et j'y ai peu d'amis. Venise est un bain de beauté presque suffocant. À San Michele, en compagnie de Félicité, je serai un peu à l'écart. On ne viendra pas trop souvent m'importuner. Toi, peut-être... de temps à autre, et de moins en moins souvent avec les années, mais nous nous connaissons bien et nous sommes capables de grands silences attentifs...

Un autre jour, j'aurais osé interrompre son badinage macabre. Là c'était impossible. Derrière la périphrase de sa propre mort, il évoquait la mort de Mimi Bower dont il ne fut pas une seconde question, dont il ne fut plus jamais question. L'après-midi, après notre déjeuner, regagnant son hôtel le portier l'avertit que des journalistes l'attendaient, que la télévision téléphonait sans cesse pour lui demander de passer le soir aux nouvelles de sept heures. Il envoya un chasseur chercher son passeport dans le tiroir de la table de nuit et, sans bagages, partit pour Orly où il monta dans le premier avion pour Londres. Le lendemain et la semaine suivante, les journaux, les magazines publièrent de nombreuses photos de lui en compagnie de Mimi Bower. Mille absurdités furent écrites : qu'ils allaient se marier, qu'à la suite d'une dépression il se soignait dans une clinique, et même qu'ils étaient brouillés puisqu'on ne l'avait pas vu lors du gala de la première au Grauman. À Londres, il était à l'abri. *Singtime* remporta un gros succès aux États-Unis et, sous son titre *Les Temps heureux*, fut plutôt mal accueilli à Paris. Les Français détestent qu'on raconte « leurs » histoires et, pis encore, qu'on les tourne chez eux.

J'allais oublier un détail qui a son importance. Après le déjeuner, comme nous remontions la rue Saint-Honoré, à hauteur de Saint-Roch, nous fûmes témoins d'un accident : un taxi happa un vieillard qui traversait la chaussée au feu vert. Le vieillard — je me souviens encore de son imperméable gris, de son chapeau mou noir dans le ruisseau — resta étendu sans vie sur le trottoir. Stanislas me prit le bras :

— Connais-tu le mot de Stendhal à son ami di Fiore : « Il n'y a pas de ridicule à mourir dans la rue quand on ne le fait pas exprès. » C'est daté de 1841. Il est mort en 1842 dans la rue. Je ne sais pas pourquoi cette phrase m'obsède.

Que dire des cinq dernières années? Il n'est jamais là où on l'attend. À Venise et à Londres oui toujours, mais par accès et non plus aux saisons qu'il affectionnait. À Venise il est allé pour porter sur les fonts baptismaux le premier enfant d'Adriana, ex-sœur Annunciata. Ce garçon s'appelle Stanislas. Deux ans plus tard, il y a une petite fille qu'on prénomme Félicité. Le bouche à oreille suggère que Stanislas Beren est le père du garçon et peut-être aussi de la fille. C'est supposer qu'après la mort de Mimi Bower, il a continué de voir Adriana. Rien n'est impossible. Elle parlait peu et il n'avait rien à lui dire. En somme, ils étaient faits pour s'entendre. Stanislas passe par Paris en coup de vent. *L. comme Londres* n'a eu, comme tous les recueils de nouvelles, qu'un succès modeste, mais la télévision française en a tiré deux films. Il ne les a pas vus, comme il a refusé de voir *Les Temps heureux*. En revanche, il a tout à fait changé d'attitude à l'égard de ses anciens livres.

Ne disons pas qu'il les dédaignait (ou feignait de...) mais il ne les relisait pas, et voilà qu'il les reprend un par un, les corrige, sabre, ajoute et, généralement, les préface pour le lecteur nouveau. La préface est modeste. Elle explique que le roman doit être lu en tenant compte de l'optique d'une époque. Il dit à peu près : « Attention, les mœurs ont tellement changé, le temps a tellement accéléré que mes romans sont devenus des romans historiques. Prière de les lire comme tels, comme on lit du Balzac ou du Flaubert. » Il n'efface pas des prophéties hasardeuses comme celle où Jezero Skadarsko, tirant la leçon du siècle, annonce à son souverain que les nations s'effondrent, que l'Europe est l'âge d'or des peuples. Non, de ces maladresses, il se moque : un romancier n'est pas une pythonisse, et peut-être est-il bon d'amuser le lecteur avec ces erreurs évidentes. Ce qui vieillit dans un livre, ce ne sont pas les personnages et leurs propos, c'est l'auteur. En se relisant, il s'aperçoit qu'en quelques décennies il a su apprivoiser les mots, les économiser, courir à l'essentiel.

Si je récrivais entièrement mes livres, je me contenterais d'un sec résumé de dix pages où l'essentiel serait dit. Et encore... dix pages c'est beaucoup[1].

À Paris, il passe sans s'annoncer, rend une

1. Préface de *Cryptogramme*, nouvelle édition 1973.

courte visite à Emeline Aureo qui, après une attaque, végète dans une clinique de Saint-Cloud, s'arrête à mon bureau et m'emmène déjeuner ou dîner. Nous remettons nos pas dans nos pas, sans en parler parce qu'il n'est pas besoin de rappeler que là venait Félicité, ici Audrey ou Mimi. À moins que nous nous installions à la terrasse d'un café de la place Auguste-Comte pour manger un sandwich et boire une bière. Je sais que parmi les étudiants qui sortent de la Sorbonne, il cherche la silhouette de celui qui fut son seul ami, André Garrett. Stanislas n'a pas vieilli physiquement, mais confesse des étrangetés :

— Je croyais être insensible au froid. Si j'y avais été sensible, j'aurais dû en crever dans mon enfance. Eh bien, tout d'un coup, j'ai des frissons. À Venise, à Londres, je vis les pieds dans le feu. À Paris, je n'ose plus ouvrir la fenêtre. Hier, à Lausanne le hall du Beau-Rivage m'a paru si glacial que j'ai voulu tâter les radiateurs : ils brûlaient. J'ai regardé autour de moi : il n'y avait que des vieillards jaunes et rabougris dans des fauteuils immenses, mains crispées sur les cannes ou les béquilles. J'étais parmi des moribonds dans une de ces maisons des morts comme il y en avait en Chine avant Mao. Les vieillards y arrivaient avec un balluchon, s'allongeaient sur une planche et s'éteignaient sans bruit. J'ai pris la fuite : je n'en suis tout de même pas là ! L'avion Genève-Paris m'a sauvé de cette antichambre de la mort.

Demain je pars pour Marrakech. Tout le monde me déconseille d'y aller. Il y fait horriblement chaud en juin, mais là, au moins, je revivrai. As-tu jamais lu un récit plus effrayant que *Maître et serviteur*, la mort de Vassili Andréitch, l'endormissement de Nikita et le cheval bai gelé debout entre ses brancards?

— Vous êtes malade.

— Pas du tout. En bon sexagénaire, je me surveille : cholestérol, urée, albumine, numération globulaire. C'est très amusant. Tous les six mois, on m'établit un bulletin de santé que j'ai appris à déchiffrer. Le diagnostic est parfaitement clair. Je ne souffre de rien. Sauf de ce froid...

— Vous avez froid parce que vous n'écrivez plus rien.

— J'avais des histoires à raconter. Je les ai racontées. Je n'en ai plus. Je me tais.

— Vous avez renoncé au *Bernis à Venise*, mais il y a d'autres sujets. Pourquoi pas un *Stendhal à Milan*?

— J'en suis incapable.

— C'est vous qui le dites.

— Parce que je le sais. Ma vie littéraire est close. Reste à publier *Un déjeuner de soleil*. Ce sera ton affaire.


Dans ces cinq dernières années, je n'ai presque rien su de lui. Des cartes postales m'apprenaient son passage en Grèce, en Turquie, en Espagne, au Portugal où il retrouvait Mario Mendosa. Après quoi, il regagnait Londres, Venise, comme un chien sa niche, disait-il. Au cours de ces voyages, des amitiés se nouaient, sans lendemain, de brefs engouements pour des originaux rencontrés dans un hôtel, un bar, un avion. En ayant vite épuisé les charmes, il se déliait aussi rapidement qu'il s'était lié. Trop seul dans un hôtel où il s'ennuyait, il me pressait de venir passer deux jours avec lui. Ainsi le retrouvai-je à Guéthary où il relisait Toulet, à Vichy où il relisait tout Larbaud, à Barbezieux où il se promenait *Le Bonheur de Barbezieux* à la main, imitant la voix de Chardonne, mais le plus souvent je le rejoignais dans la maison de Chelsea ou du Largo Fortunio et nous passions de longues soirées ensemble après avoir dîné au Guinea Pig, au George and Dragon, ou chez Simonetti qu'il affectionnait particulièrement.

— Je n'ai plus froid quand tu es là!

— Pourquoi revenez-vous si peu à Paris?

— L'habitude s'est perdue. Je crains Paris. En fait, je crains tout.

Il ouvrait ses tiroirs et nous tombions sur des masses de photos, de lettres, d'articles découpés par Félicité qui les collait dans des livres blancs.

— C'est long une vie! Il s'en passe des choses. Les visages se découvrent, s'éloignent, reviennent ravagés, se voilent dans l'oubli. À la longue, ça fait une foule.

Nous ouvrions de grandes enveloppes bourrées de lettres qu'il humait et jetait dans le feu.

— Il faudrait ne rien garder. J'ai dû, moi aussi, écrire trop de lettres. Pense à récupérer un jour celles que j'ai adressées à Eva Moore. Je ne veux pas qu'elles traînent. C'était une erreur. Qui n'en fait pas? Il m'est arrivé avec elle une histoire amusante. C'était en 56 ou 7, je ne sais plus, j'avais depuis trois mois un dachshund à poils durs qui m'aimait bien. Malheureusement, je ne pouvais pas l'emmener à Londres. À cause de lui, je n'avais pas mis les pieds en Angleterre depuis des semaines. Eva qui habitait le Sussex — et y habite toujours — est venue me retrouver à Paris, mais à Paris nous étions mal à l'aise. Elle craignait à chaque coin de rue de tomber sur un ami. Nous avons dû aller nous cacher à Biarritz. J'ai mis Günther, le dachshund, en pension et nous sommes partis par la route. Eva délirait de joie, moi j'étais un peu triste et, pendant le trajet, je me suis plusieurs fois surpris à poser la main sur les cuisses d'Eva, à la place où d'ordinaire Günther sommeillait. Elle n'y voyait pas de mal, mais l'inquiétante confusion s'est accentuée pendant les trois jours passés à l'hôtel du Palais. Je pensais tout le temps aux yeux implorants de Günther quand je l'avais quitté. Il faut croire que ma passion pour Eva n'était pas sans failles. Pendant ces trois jours, l'image du dachshund s'est interposée entre elle et moi. Il paraît que la nuit, réveillé en sursaut, par

411

ce que je croyais être un aboiement, j'ai touché le nez d'Eva pour voir s'il était chaud ou froid. Une autre fois, comme nous nous promenions avenue de la Chambre d'Amour — un nom qui faisait intensément rêver mon amie —, j'ai cessé d'écouter l'histoire idiote qu'elle racontait pour m'adresser à une dame tenue en laisse par un dachshund sosie de Günther. Eva m'a plaqué là pour regagner l'hôtel et faire sa valise. Dans le fond, cela m'arrangeait bien. Il y a des tas de femmes avec lesquelles on a un plaisir très grand à passer une soirée, même une nuit et qu'on ne supporte pas vingt-quatre heures d'affilée. Cela dit, elle avait raison de jalouser le dachshund : il était plus attachant qu'elle. Entre les deux, je n'hésitais pas. Nous ne nous sommes plus revus.

— Et Günther?

— Dès mon retour à Paris, je suis allé le chercher. Il m'a regardé avec un tel air de reproche que je me suis demandé s'il me pardonnerait jamais. En sortant du chenil, il s'est précipité sur la chaussée. Une voiture l'a écrasé. Je n'ai plus jamais eu de chien... Tiens, voilà une photo d'Eva.

Une jeune femme aux cheveux courts et bouclés, assise sur le gazon d'une maison de campagne anglaise, tendait un long cou et, la bouche en cul-de-poule, lâchait des ronds de fumée. Le majeur et l'index de la main droite brandissaient un fume-cigarette noir. Quel âge? Trente ans au plus. Donc dans les cinquante maintenant. Je notai l'adresse. Stanislas semblait préoccupé à l'idée que ces lettres risquaient de tomber dans les mains d'un inconnu.

S'il lui arrivait de prendre plaisir à la vie, il le cachait. Réflexe de défense contre soi-même, ultime pudeur d'un homme que la vie comblait encore, et qui, cependant, se penchait avec inquiétude sur son passé.

— J'ai refusé tous les engagements, et on en a abusivement déduit qu'une dimension m'avait manqué. Avec ton père, nous avions décidé, très jeunes, de prendre le sérieux à rebours. Tout ce qu'on nous assurait être grave nous paraissait risible, et, du même coup, tout ce qui paraissait futile aux yeux de la mode, était digne de notre attention. Quand la guerre a pris André en otage, je me suis juré de tenir notre promesse de rester sourd à cette respiration du monde qui, plus j'allais, me semblait, au regard du but poursuivi, frivole et criminelle. J'avais déjà payé.

— Quand?

— Jusqu'à mon arrivée à Paris, mon enfance a été atroce. Je ne dirai jamais où ni comment, mais je peux t'avouer que j'ai souffert comme une bête : du froid, de la faim, de la peur. J'ai veillé dans l'angoisse et, écoute-moi bien, j'ai tué un homme. Oui, à seize ans. Avec un fusil, mais de si près que je l'ai vu mourir...

Il se tut un instant comme s'il regrettait son aveu, la révélation de cette chose dont je ne pou-

413

vais plus douter qu'elle l'avait tourmenté en secret, toute sa vie. Enfin, c'était dit, contrairement à ce qu'il s'était juré.

— Quand j'ai été sûr qu'il ne bougeait plus, je l'ai approché. Imagine un jeune soldat couché sur le dos, les yeux grands ouverts, le visage très pâle. Si on lui avait retiré sa grosse capote de bure, son casque et ses cartouchières, on aurait vu qu'il était presque aussi jeune que moi. J'ai voulu lui fermer les yeux, mais on m'a tiré par une jambe et je suis tombé sur lui. Ma bouche a rencontré sa joue et j'ai posé un baiser hâtif sur cette peau imberbe, encore tiède. Après... je ne sais plus très bien. On m'a caché dans une grotte et j'ai sangloté pendant des heures. Bien sûr, c'était lui ou moi, mais alors pourquoi, si je l'avais vraiment haï, n'était-ce pas lui qui me pleurait et moi qui reposais sous le ciel glacé, avec un visage calme qui resterait pour toujours dans sa mémoire, comme un atroce remords... C'est à ce moment-là qu'on m'a expédié en France avec, peut-être, la vague idée de sauver un dernier atout pour l'avenir. Tu vois comme j'ai dû les décevoir quand je suis revenu cinq ans après... Ma première fugue... Je les ai vus tels qu'ils étaient : des possédés dont le rêve se terminait en brigandage. On m'a marqué le bras au fer rouge et je suis reparti. Ton père et Félicité ont eu le tact de ne pas me demander des explications... Après ça il y a eu d'autres fugues moins avouables, mais la première était celle d'un homme hanté par le visage d'un jeune mort... J'ai serré les dents, attendu de payer... L'addition ne m'a pas été présentée... Enfin... pas encore...

Nous étions sur la plage du Lido, assis dans le sable. Chaque fois que nous nous baignions là, ses pensées se dirigeaient vers l'invisible côte dalmate. L'aveu était énorme. Il n'en dirait pas plus. Quels avaient pu être les sentiments de cet enfant des montagnes quand il était entré dans la classe de troisième à Janson-de-Sailly parmi ces petits bourgeois qui s'emmitouflaient dans des cache-nez pour jouer en cours de récréation? Ils n'avaient jamais entendu de coups de fusil qu'en battue, sagement accroupis derrière leurs pères. Ils souffraient d'indigestion parce qu'ils mangeaient trop de chocolats achetés à la concierge du lycée. Ils avaient peur dans la nuit de l'appartement quand leurs parents sortaient le soir. Ils souffraient d'angoisses quand le professeur cherchait une victime pour réciter *Le lac*. Stanislas aurait pu, aurait dû les mépriser. Il avait préféré attendre quelques mois dans le silence, mais les observant, les comprenant. Son second destin était parti de là.

Je le regardais un demi-siècle après. L'âge épaississait son buste, ses jambes musclées de marcheur. Les mains larges aux doigts courts éclataient une noix dans la paume. La veille je l'avais vu harponner par le col un jeune hippie qui battait une fille et lui déchirait ses vêtements devant les passants apathiques, en plein quai des Escla-

415

vons. En se relevant, le garçon avait voulu se jeter sur Stanislas qui l'avait arrêté d'un coup de pied dans le ventre. Oui, il était en bonne santé. Mais il n'écrirait plus et parlerait avec plus de plaisir des années 30 que des années 70. Revoyait-il encore Adriana? À une allusion, je me doutais que ses moyens n'étant plus les mêmes, l'amour-propre l'empêchait de se risquer sur un terrain où il avait assez brillé pour que beaucoup de femmes se le fussent recommandé. À moins qu'Adriana, épanouie, soumise, reconnaissante, fût assez simple de cœur pour l'accepter tel quel, moins brillant peut-être, mais plus prévenant.

À la fin de l'été 77, mû par un pressentiment, il m'appela au bureau des éditions Saeta. Je lui appris qu'Emeline Aureo se mourait.

— J'arrive.

Nous accompagnâmes ensemble au cimetière Montparnasse le cercueil de cette femme dont le dévouement valait une sainteté. Au retour, les yeux de Stanislas s'embuèrent.

— Les derniers témoins s'en vont. Heureusement que je t'ai raconté quelques petites choses.

Le soir même, il partit pour Londres par le train. En descendant du taxi devant le porche de sa maison de Chelsea, un homme courant sur le trottoir le bouscula. Eut-il le temps de voir ce qui se passait? C'est improbable. Deux coups de feu claquèrent, manquant le fuyard, mais tuant net Stanislas.

Le chauffeur du taxi, occupé à compter sa monnaie, n'a rien vu. Deux passants ont décrit un homme en imperméable vert, un autre en chandail et pantalon bleu. Basanés, bien sûr. Tous les tueurs dans la rue sont basanés, c'est une affaire entendue et c'est aussi une affaire classée. Quand on ne sait rien, on invente. On a dit, on a dit... et on dira encore longtemps... que Stanislas est mort sous les balles d'un mari outragé, qu'il écrivait un roman sur le « milieu » londonien et qu'on craignait ses indiscrétions, qu'il gardait des relations étroites avec un mouvement terroriste serbe et que des Croates l'avaient abattu, ou le contraire... J'en passe... Stanislas n'outrageait aucun mari, connaissait bien quelques patrons de bar à Soho mais n'avait jamais songé à écrire quoi que ce fût sur la pègre londonienne, et quant aux organisations secrètes serbes ou croates, il les ignorait totalement et les eût fuies si elles avaient cherché à l'embrigader. Le romanesque et le goût des énigmes dussent-ils en souffrir, on peut affirmer qu'il est mort par hasard. Quantité d'êtres meurent par hasard, sans qu'on s'en inquiète plus que d'un fait divers, mais parce que c'était lui, cet accident qui relevait du plus banal, du plus quotidien terrorisme urbain, échauffa les imaginations. Les hypothèses fleurirent, chacun eut une clé pour ce meurtre intolérable de stupidité. Il semblait impossible d'admettre devant l'impuissance de la police à retrouver le poursuivi et le tueur, que Stanislas était la victime d'un de ces milliers de meurtres annuels dont on ne retrouve jamais la cause. Je n'oubliais pas son pressentiment le jour où, rue Saint-Honoré, nous avions vu mourir sur le coup un homme renversé par une auto. Et la petite phrase qu'il avait citée : « Il n'y pas de honte à mourir dans la rue quand on ne le fait pas exprès. » Non, il n'y pas de honte. À part une tache de sang sur le trottoir — et la pluie l'avait tout de suite lavée — c'était une mort propre et sans douleur. Il était déjà en bière quand j'arrivai à Londres, mais Harry Dawson, l'ami qui l'accompagnait dans son exploration des portes et des heurtoirs, m'assura que les deux balles ayant frappé au cœur, le visage avait aussitôt pris une expression paisible, soulagée même, comme celle du jeune soldat abattu par Stanislas cinquante ans plus tôt.

Trois jours après, porté par la grande gondole noire aux lions d'or, Stanislas traversait une dernière fois la lagune en direction de San Michele. Les murs rose ocré gansés d'une dentelle de marbre blanc flottaient sur les eaux vertes, enserrant les noirs cyprès. Stanislas rejoignait Félicité sous un ciel taché de flocons nuageux dont les ombres portées couraient sur les eaux. Nous étions souvent venus visiter Félicité sans mélancolie, pour nous remémorer les beaux jours, captivés par la végétation qui protégeait les tombes des ardeurs du soleil : fermes et orgueilleux cyprès, rosiers géants, faux poivriers dont les baies corail se mêlaient au gravier des allées. Moines et nonnes faisaient sépulture à part. Dans un triangle, les militaires dormaient sous des croix entretenues avec une respectueuse dévotion par de jeunes recrues.

À l'arrivée de la gondole funèbre, les portes grillagées s'ouvrirent et les croque-morts ayant débarqué avec le cercueil sur les marches tapissées d'algues, notre cortège s'engagea dans l'allée jusqu'à la dalle déjà ouverte par les fossoyeurs. Au passage, je saluai comme nous le faisions toujours du vivant de Stanislas, le buste martial du général Cadorin et le médaillon avec la tête de la générale bien-aimée, la matrone italienne dans toute son horreur. Ils voisineraient avec les Beren, mais je doute qu'une réelle intimité naisse jamais entre eux, même dans la paix des nuits étoilées de San Michele quand, le cimetière ayant fermé ses portes aux affligés, les âmes mortes se promènent en rêvant sous les arbres. La dalle préparée depuis longtemps recouvrit les deux cercueils accotés : Félicité Beren 1895-1968, Stanislas Beren 1908-1977, Parisiens.

Au retour, échappant aux quelques amis présents et ne voulant pas voir le visage gonflé de chagrin d'Adriana, je sautai dans le premier vaporetto de passage croyant regagner Venise et me retrouvai à Torcello où Stanislas aimait tant venir travailler dans une chambre de la Locanda Cipriani. Si l'on doit croire que les morts exercent encore un empire sur nous dans les jours qui suivent l'enterrement, je ne dois pas douter que Stanislas m'a obligé à lui rendre le genre d'hommage qu'il préférait : déjeuner dans le jardin aux grenadiers, commander son menu habituel : melon au jambon de Parme, langoustines de l'Adriatique, glace napolitaine. À cette même table, il m'avait lu un jour les *XVI sonnets luxurieux de M. Pierre Arétin*, « surnommé le fléau des princes, le magnifique, le divin ». Sa voix portait. La table voisine où déjeunaient quatre Français s'était tue pour écouter ce joli chapelet d'obscénités. Je n'avais pas cette plaquette avec moi pour en goûter, comme il le faisait, le savoureux italien :

*Fottiamci, anima mia, fottiamci presto,*
*Poiche tutti per foter nati siamo...*

À la table voisine, une jeune femme en blouson de cuir, ses longues jambes serrées dans un pantalon de coutil délavé, ses cheveux blond vénitien tenus sur la nuque par un catogan, ouvrit son sac et en sortit un livre qu'elle commença de lire après avoir retiré d'épaisses lunettes de soleil. Dans l'œuvre de Stanislas, beaucoup de silhouettes passaient ainsi, poétiques jeunes femmes dont il fixait un instant le profil, traits de lumière en un moment d'ennui ou de lassitude. Celle-là lui aurait plu par son air de liberté, la façon dont elle buvait son vin rouge sans quitter le livre des yeux et piquait les petits artichauts, *carciofini*, dans son assiette ou, parfois, s'arrêtait de lire, remettait ses lunettes de soleil et observait, pensive, le ballet des garçons en veste blanche autour des tables, comme si une phrase du livre correspondait à l'animation du restaurant en plein air. Elle aurait pu incarner Albina Sansovino héroïne de *L'Abeille* ou même Redja Matchka dans *Le Compte à rebours* sans être aussi provocante que la chatte rousse, et elle avait un peu du charme d'Audrey bien qu'on la devinât volontaire et sûre de soi. Quand elle reprit son livre, après un temps de réflexion, le titre m'apparut : *L. comme Londres* en édition de poche française, avec la photo de l'auteur sur la couverture. Elle en était au début et lisait donc la première nouvelle, l'histoire de John Mine, l'amoureux de *La Tempête* de Giorgione.

Une grande joie m'envahit comme si ces derniers jours avaient été un mauvais rêve. Stanislas revenait à mon côté pour effacer de sa légèreté désabusée, son horrible et absurde mort, la minute où j'avais vu son cercueil rejoindre celui de Félicité dans le caveau de San Michele. Ce jardin inondé de soleil était le sien, cette lectrice de profil était sienne, et nous nous retrouvions à Torcello. Dans un moment, je lui demanderai de se poster sur le pont en dos d'âne qui franchit le canal intérieur pour la photographier contemplant son reflet dans l'eau plate et verdâtre, mais non, j'avais déjà fait cette photo du quai opposé : l'image était trop petite, le reflet invisible, le ciel gris.

Le maître d'hôtel déposa sur la table de la jeune femme le mot que je griffonnai au dos d'une carte postale : « Savez-vous que l'auteur dont vous lisez le livre a été enterré il y a une heure à peine à San Michele ? » Elle tourna la tête et reposa son livre. Le maître d'hôtel attendait un signe pour rapprocher les deux couverts. Je me dirigeai vers la jeune femme qui gardait la carte postale à la main.

— Je le sais, dit-elle. J'y étais.

— Je ne vous ai pas vue.

— Vous ne regardiez personne. Mon nom est Sheila Moore. Ma mère s'appelle Eva. Elle a été très amie de Stanislas Beren.

— À mon tour de dire : je le sais.

— Asseyez-vous. Finissons le déjeuner ensemble.

En bon Vénitien, avec autant de plaisir que Paolo Carlotto en avait eu à réunir Stanislas et sœur Annunciata, le maître d'hôtel apporta mon couvert. Sheila Moore remit ses lunettes de soleil, mais j'avais eu le temps de voir ses yeux, une douce couleur verte.

— Je suis venue vous poser une question. Une question très importante. Savez-vous si je suis la fille de Stanislas Beren ?

— Quel âge avez-vous ?

— Vingt ans.

— Qui vous a mis cette idée dans la tête ?

— Ma mère.

— C'est une drôle d'idée.

— Il y a un peu plus de vingt ans, ils ont passé trois jours ensemble à Biarritz.

— À la suite de quoi ils se sont brouillés.

Je lui racontai l'histoire du dachshund Günther. Elle parut déçue.

— Ma mère a rêvé.

— De toute façon, vous ne lui ressemblez pas

— Je ne ressemble pas non plus à Eva.

— Et quand vous a-t-elle annoncé cette intéressante nouvelle ?

— Il y a cinq ans. Nous étions allés à Londres à la première de *Singtime*. J'avais bien aimé le film. Elle m'a dit que Stanislas Beren avait été son amant, qu'elle avait une centaine de lettres de lui et qu'il était mon père.

— Sincèrement, je n'en sais rien. L'idée n'a pas effleuré Stanislas.

— C'est très curieux : depuis quelques années, elle parle tout le temps de lui. Vous a-t-il parlé d'elle ?

— Deux fois et chaque fois pour me prier de récupérer ses lettres. Je ne sais pas pourquoi cela le préoccupait.

Elle allongea la main vers le grand sac de cuir dont elle avait déjà tiré l'exemplaire de *L. comme Londres*.

— J'ai les lettres.

— Avec vous?

— Oui, Maman avait pensé à un geste un peu sublime. J'étais censée les jeter dans la tombe sur le cercueil. Je ne sais pas ce qui m'a retenue.

— Les avez-vous lues?

— Bien sûr.

— Alors vous devez savoir pourquoi Stanislas ne voulait pas qu'elles tombent dans le public.

— Non, franchement je ne vois pas. Ce sont de jolies lettres, un peu exaltées. Je crois que ma mère lui plaisait beaucoup. Il lui prêtait des qualités, une sensibilité, une intelligence qui — et je suis bien placée pour le savoir — lui font défaut. Il a dû s'illusionner et, au réveil, regretter ses épanchements.

Ainsi après la mort d'Audrey, avait-il cherché à oublier en s'inventant une passion, et, la lucidité revenant, il avait mesuré tout ce que cette passion avait d'imaginaire. Un coup d'œil froid à l'objet, et l'aventure — terminée par l'échec comique de Biarritz — lui avait paru indigne d'effacer le souvenir d'Audrey.

— Qu'allez-vous faire de ces lettres? demandai-je.

— Les brûler.

— Il me semble que c'est une bonne idée.

Elle déposa sur la table une grosse enveloppe. Cent lettres? Ce n'étaient que cent courts billets comme il en écrivait tant selon l'humeur des jours

424

ou des nuits sans sommeil. Un des billets glissa de l'enveloppe et je tendis la main.

— Non, dit-elle. Il ne faut pas. Personne.

— Vous les avez bien lues !

— Je n'aurais pas dû.

Elle appela le maître d'hôtel et lui demanda de brûler l'enveloppe sur le feu de charbon de bois allumé à l'angle du jardin.

L'admirable avec les Italiens est que toute extravagance, à condition qu'elle soit le vœu d'un étranger, paraisse normale. Seul problème : on grillait encore deux langoustes pour une table d'Américains, mais aussitôt après les lettres seraient jetées au feu. Il le jurait : « *Lo giuro !* » Un quart d'heure plus tard il ne restait rien d'une erreur de Stanislas.

— Vous êtes satisfait ?

— Moi pas ! Mais lui doit l'être.

Elle haussa les épaules. Il ne fallait plus y penser.

— Croyez-vous que l'histoire de John Mine soit vraie ? dit-elle.

— Je ne crois pas. Il inventait facilement et beaucoup. Peut-être a-t-il rencontré un jour à l'Accademia un couple comme les Mine. Ajoutez-y sa propre passion pour Giorgione et vous aurez la recette.

Nous avions fini de boire nos espressi quand elle ôta ses lunettes noires et m'offrit son visage, nu, sans apprêt.

— Vous ne trouvez vraiment pas que je lui ressemble?

— Non, mais il aurait pu imaginer une jeune fille comme vous. En vous apercevant tout à l'heure, j'ai pensé que vous étiez le type de femme qui lui plaisait, et même que vous aviez quelque chose de cette Albina Sansovino évoquée dans *L'Abeille*.

— Je connais tous les livres de Stanislas Beren et je n'aime pas Albina Sansovino.

— Je ne parlais pas de son caractère, mais de son physique.

— Alors, je n'ai peut-être pas tellement tort. Il y a un lien entre lui et moi si j'ai l'air de sortir de son imagination.

— Personne ne vous empêchera de le croire.

L'avais-je vexée? Elle remit ses lunettes de soleil et appela le maître d'hôtel.

— Ce déjeuner est pour moi! dis-je.

— Au fond, vous me le devez bien... Il y a un bateau à trois heures. Je préfère partir seule.

— Comme vous voudrez! Je suis désolé de vous décevoir au sujet de Stanislas Beren.

— Vous ne me décevez pas. Ma conviction est trop forte.

Elle se leva, remit l'exemplaire de *L. comme Londres* dans son sac.

— Je n'avais pas, dit-elle, l'intention de vous en parler, mais... après tout, pourquoi pas? Si je m'intéresse tant à Stanislas Beren, c'est aussi parce que je suis écrivain...

— Vous avez déjà publié un livre?

— Il sort le mois prochain à Londres.

— Stanislas ne comptait pas d'écrivains parmi ses antécédents. Il y a des cas de génération spontanée.

— Il y a aussi des hérédités.

D'autres s'étaient identifiés aux personnages de Stanislas Beren. Sheila Moore à son tour se voulait fille des œuvres — à tous les sens du mot — d'un homme qui, dans sa méfiance instinctive, refusait les paternités. Libre à elle de le croire, mais sa recherche donnait du pathétique à son personnage mal à l'aise sous les airs hautains. Comme elle s'éloignait sans un « au revoir » j'eus l'impression fugitive, impossible à définir tant l'idée disparut aussitôt, que sa silhouette et sa démarche m'étaient connues, que Stanislas avait souvent tourné le dos avec la même brusquerie à quelqu'un, quelque chose qui le contredisait ou le heurtait. L'impression ne dura pas. Ce fut un éclair, assez fort cependant pour laisser une trace dans la mémoire, glisser un doute. Un instant auparavant, elle avait posé la seule question importante : « Quelqu'un a rêvé! » Eva Moore ou Stanislas Beren? L'idée d'avoir quitté une femme à cause de l'image obsessionnelle d'un chien malheureux était une idée de romancier, assez amu-

sante pour qu'un homme lui sacrifiât son
« machisme » d'une nuit.

Je ne l'ai plus revue. Le *Time Literary Supplement*
publia deux mois après une interview de la jeune
romancière appelée ici Sheila Moore. Son livre
paraissait un succès, dû peut-être plus à son jeune
âge et à sa photogénie qu'à la qualité pourtant
réelle de son roman. Dans l'interview, le nom de
Stanislas Beren était mentionné trois fois.

Peu après mon retour de Venise, j'obtins le
droit d'ouvrir le coffre de la maison de Chelsea. Il
contenait un dossier vert sur lequel on lisait en
lettres capitales, patiemment calligraphiées :

UN DÉJEUNER DE SOLEIL

RÉCIT

Le dossier ne conservait qu'une note arrachée à
un calepin. « Désolé, mon grand, mais ne cherche
pas : j'ai détruit le manuscrit. Toute réflexion
faite, l'histoire d'Audrey n'appartient qu'à moi. La
pensée que s'il m'arrivait un accident, ces pages
pourraient être lues par des tiers, m'est soudain
intolérable. Londres, le 2 juin 1977. »

# POSTFACE

*1.* Les Faux-Monnayeurs *(1925) d'André Gide représente un moment important dans l'histoire du roman. Édouard, le personnage principal, est un romancier en train d'écrire un roman. Il prolonge, je crois, d'une certaine manière, les préoccupations esthétiques de Gide qui le fait s'expliquer au cours d'un dialogue :*

« ... *j'invente un personnage de romancier, que je pose en figure centrale ; et le sujet du livre, si vous voulez, c'est précisément la lutte entre ce que lui offre la réalité et ce que, lui, prétend en faire.* »

*Pourquoi ce personnage utilise-t-il le mot* « lutte » *? Selon Gide, la réalité de l'artiste romancier doit se révolter* contre *la tendance intrinsèque du roman de courir après la réalité du monde. Le roman, tel qu'on l'a connu du moins, tendra toujours à rester dans la* « ressemblance », *nous dit Gide quelques lignes plus haut, mais le vrai artiste fera prévaloir sur elle l'essence et les propres intérêts de l'art.*

*Avec* Les Faux-Monnayeurs, *Gide semblait dire que,*

*si le roman voulait continuer d'exister, il ne le pouvait qu'aux dépens de lui-même, en s'insurgeant contre sa propension constante à imiter la réalité, en exprimant ses soupçons à l'égard de son lien profond avec le réel. Au moment où son héros, Édouard, écrit ses réflexions, tous les romans, l'ensemble des romans précédents écrits durant des siècles, sont rangés dans une malle hermétiquement fermée sur laquelle on peut lire en gros caractères : L'ART DE LA VRAISEMBLANCE. Qui pourrait donc, après Gide, aspirer légitimement à écrire des romans ? Seul celui qui ferait du soupçon un acte de foi, celui qui déclarerait qu'il ne croit plus au roman les yeux fermés et qui ne l'utiliserait que comme une fausse monnaie pour passer outre. C'était quelque chose comme un avertissement : attention aux romans, ces bêtes féroces, qui, dès qu'ils échappent à notre vigilance, se précipitent vers leur chère réalité. Domptons-les. Tordons-leur le cou. Éventrons-les. Faisons tout notre possible pour que l'hydre illusoire de l'imitation ne dévore pas la vérité de l'artiste.*

*Je ne sais pas pourquoi cette réserve de Gide a été à ce point entendue en France. Peut-être parce qu'ici plus qu'ailleurs on a vu en elle la solution définitive de l'énigme romanesque. En revanche, je sais que, du coup, elle fut transformée en une sorte de loi universelle, en nécessité de fer et, dans l'ère postgidienne, on n'écrira plus de romans que pour ratifier cette loi. Le roman est,* par principe, *un « genre littéraire » qui imite la réalité, répète-t-on, depuis, inlassablement. Or l'artiste audacieux (progressiste, moderne, iconoclaste) se méfiera toujours du roman du passé, écrira le sien au « deuxième* degré », inventera des techniques pour neutraliser la « ressemblabilité ». L'artiste nostalgique (académique, réactionnaire, conventionnel) continuera à produire des œuvres dans l'innocence prégidienne. Quel en est le résultat ? Tous les deux, qu'on dirait adversaires, donnent finalement raison à Gide, car ils acceptent et renforcent le postulat que roman égale ressemblance. Sauf que le premier engendrera désormais dans le soupçon; et le deuxième dans l'idylle.

Peut-on se débarrasser de ce dilemme, peut-on créer une ouverture dans cette voie sans issue ?

2. Pour définir Un déjeuner de soleil (1981), il suffit de reprendre, en les corrigeant légèrement, les phrases que Gide met dans la bouche de son Édouard. Dans le cas de Michel Déon cela devrait donner quelque chose comme :

« ... j'invente un personnage de romancier que je pose en figure centrale; et le sujet du livre, si vous voulez, c'est précisément le va-et-vient entre ce que lui offre la réalité et ce que, lui, en fait. »

Des petites retouches : j'ai remplacé le mot « lutte » par « va-et-vient » et supprimé le verbe « prétend ».

Ainsi on peut dire que comparée à celle d'Édouard, la nouvelle situation n'est plus dramatique. Le personnage de Déon est à l'aise, il n'est ni pour ni contre la réalité et, en plus, il n'aime pas parler de ses « prétentions ». Je l'imagine sceptique, ironique, regardant Édouard, son

431

*confrère, enfermé dans des dilemmes et des soupçons que lui n'a jamais eus.*

Un déjeuner de soleil *est la réponse aux* Faux-Monnayeurs, *une réponse romanesque. Déon s'approche à son tour de la malle étiquetée* L'ART DE LA VRAISEMBLANCE. *Mais il ne veut pas en faire usage. Il veut tout simplement vérifier si le contenu correspond à l'étiquette collée par Gide.*

3. *À peine la question posée, quelle éruption de romans ! Des romans différents, opposés, en conflit avec eux-mêmes et avec les autres. La réalité, la même réalité, peut être triste, ou gaie, ou farceuse, ou désespérante, ou sentimentale, ou cynique, ou sublime, j'en passe. Si cela arrivait à Édouard, il se précipiterait pour vite refermer le couvercle. Déon jubile, saute de-ci de-là pour recueillir les morceaux jetés en l'air. Il est devant un trésor. La première surprise passée, il décide d'y mettre un peu d'ordre. Et tout d'abord il doit s'occuper de l'étoffe de son héros, qui va montrer tout au long du livre la même surprise, le même émerveillement de vivre dans le monde fascinant du roman. Qu'il se trouve là, c'est dans l'ordre* naturel *des choses. Il n'éprouve aucun tourment, aucun doute. Il est là ; et il est heureux.*

4. *Nouveauté absolue, Michel Déon a écrit l'histoire d'un romancier. —* « La belle affaire ! » *Laissez tomber votre sourire : je ne parle pas d'un romancier-personnage semblable aux dizaines de milliers qui prolongent les travaux et les jours de leurs despotes. Déon écrit l'histoire*

*véritable d'un romancier, c'est-à-dire l'histoire de ses romans. Pour vous donner une idée de cette œuvre, je dirais qu'il faut imaginer la « biographie » d'un roman- cier connu, écrite, par exemple, par un spécialiste améri- cain,* de celles qui envahissent le marché, en y ajoutant intelligence et sagesse romanesque. *Encore faut-il souligner que le personnage de Déon n'a jamais existé, ce qui complique encore la tâche. Car si le spécialiste ne fait qu'accorder une œuvre, le plus souvent mise dans les boîtes des clichés, à une vie plus ou moins connue, Déon doit lier une œuvre jamais réalisée à une biographie hypothétique. Il doit aussi y intégrer leur réalité, leur contact avec le monde. Déon joue sur trois canevas : la vie de l'œuvre (treize romans), la vie du romancier (1908-1977) et leur commerce avec la réalité. C'est un pari presque impossible à tenir ; un défi « composition- nel » ; une sorte de puzzle à trois dimensions. Pourtant le résultat est plein de grâce, de fraîcheur et de simplicité.*

*D'abord, comme il se doit dans un roman où les romans deviennent personnages, le romancier — person- nage lui aussi — tombe du ciel. Ses parents ? Silence ! Son enfance ? Silence ! Ces innombrables traumas d'enfance qui conduisent à la littérature ? Silence ! Un beau jour de 1925 — tiens, tiens, la date des* Faux- Monnayeurs —, *Stanislas Beren est déposé dans le monde du roman. Il a dix-sept ans. Nous le rencontrons dans une classe de lycée, la bouche fermée, entouré de camarades curieux. Il les regarde. Il compose déjà ses récits. La langue lui sera donnée plus tard.*

*Maintenant il faut commencer à dérouler le fil des*

*œuvres; car ce sont elles qui mèneront le jeu. Les treize
romans. Ils n'apparaîtront d'ailleurs ni dans l'ordre de
leur publication — toutes les indications nous seront
fournies : titre, date, maison d'édition —, ni dans celui
de leur gestation (en suivant la vie de Beren). Ce sont des
personnages et, en tant que tels, ils obéissent aux exigences du roman :*

$$1 - 2 - 11 - 7 - 12 - 3 - 4 - 8 - 0 - 5 - 9$$
$$- 10 - 6 - 13.$$

*(Je parlerai plus tard de ce zéro qui ne correspond à
aucune œuvre publiée.)*

*À ce premier désordre ajoutons les remarques sui-
vantes : a) Il y a des allers et retours dispersés dans
l'ensemble du roman; b) La première mention d'un
roman ne signifie pas qu'il sera développé aussitôt (par
exemple, le résumé du premier roman,* La Vie secrète
d'un orgasme, *de 1932, sera donné après celui du dou-
zième,* Paradise of a Gambler *de 1970); c) Tous
n'ont pas la même importance (*Trois Petits Tours *n'est
mentionné qu'une fois,* Audrey, *vingt-quatre); d) Tous
ne seront pas présentés ni commentés de la même manière
(quelques lignes par exemple pour l'un, plus de cinquante pages pour l'autre); e) L'un diffère de l'autre
par son impact sur l'auteur et sur la réalité. Bref, c'est
bien la vie des romans.*

5. *Aucun des trois canevas — œuvre, auteur, réalité
— n'est abordé directement. Déon fait appel à un média-
teur, Georges Garrett, le narrateur. Il est né en 1935 et il
est le fils d'André Garrett, ami et parent de Stanislas*

Beren. L'amitié avec André s'est forgée au lycée, ils sont devenus parents un peu plus tard, lorsque Stanislas a épousé la sœur de la grand-mère d'André. Voilà donc Georges, le narrateur, qui, de surcroît, est lié à Stanislas par des intérêts éditoriaux : il travaille dans la petite maison d'édition qui publie les livres de Stanislas.

Sources : les romans mêmes ; le journal de son père ; les confidences que Stanislas Beren lui livre parce qu'il est le fils de son ami ; quelques lettres et notes ; les témoignages des gens de l'entourage de Stanislas — parents, amis, collègues. C'est la fresque magnifique d'une petite société cosmopolite, libre d'esprit et de mœurs, tenue ensemble par le seul foyer du roman bérénien.

Sources supplémentaires qui viennent brouiller la fresque : l'accueil du public ; le cancan littéraire ; la critique ; les interviews ; les adaptations ; les traductions ; les ruses éditoriales ; les thèses universitaires ; la référence à des faits bien réels de la vie littéraire parisienne (telle opinion sur Chardonne ou Cioran, telle appréciation de thèses défendues par Sartre, etc.) ; les propos d'écrivains ou critiques connus sur l'œuvre de Beren (Jean Cocteau, Kléber Haedens, Roger Caillois, etc.).

Quel sens donner à ce conglomérat de témoignages ? Comment dissiper le brouillard qui entoure chaque événement, chaque personne ? Georges Garrett exprime à toute occasion son scepticisme qui va parfois jusqu'à la raillerie (parlant des « thèses » : « Laissons les policiers et les médecins légistes de la littérature fouiller son état civil... »). Pourtant le but n'est pas pour autant de mettre en doute la vérité de cette vie paralittéraire et de la *réalité en général. Garrett ne cherche pas à déceler le mensonge par rapport à la « vérité » de la vie de Stanislas ou de son œuvre. Au contraire, il prend un très grand plaisir à alimenter son récit avec la richesse, la polysémie et l'anarchie du réel. Même là où il y a, en apparence, une étroite relation entre, par exemple, tel événement et tel personnage du roman de Beren, Garrett se sentira obligé de chercher le décalage et de rendre à la réalité son opacité et son autonomie.*

*6. Quelques exemples de la conjonction du roman avec la réalité :*

*Stanislas fait le portrait faussé d'une jeune fille, portrait qui suscitera l'amour de son ami André Garrett et leur mariage (le roman choisit pour nous).*

*Dans une ébauche, au début de sa carrière, Stanislas décrit sa propre mort (dons prophétiques).*

*Un homme apparaît et essaie de persuader le romancier qu'il est son personnage, l'accusant même de l'avoir défiguré (la réalité indomptable).*

*Une fois le roman terminé, l'écrivain décide de jouer « en mieux » son propre héros (la vie corrige le jeu des personnages).*

*Stanislas étudie la vie d'un libertin vénitien et mène en même temps une aventure amoureuse digne du Décaméron (la réalité romanesque n'est pas un passé mort).*

*Dois-je continuer ? À chaque tournant d'Un déjeuner de soleil, nous tombons sur une nouvelle possibilité, sur une variante inattendue. Les liens du roman avec la réalité s'avèrent dans la pratique d'une richesse quasi infinie. Édouard, le héros gidien et ses soupçons sont mis entre parenthèses. D'ailleurs, peut-on encore suspecter le roman, cette merveille des merveilles, ce miracle de nuances et de détournements, d'être le copiste scrupuleux de la réalité? Il faut donc arracher à la malle d'Édouard l'étiquette de la « vraisemblance » et y coller une nouvelle : L'ART DU JEU AVEC LA RÉALITÉ.*

7. *Mais qui est au juste Stanislas Beren? Autrement dit quel est son art?*

*Beren est arrivé au roman comme un animal sauvage naît dans sa jungle: en équilibre parfait entre ses besoins, ses projets, ses réalisations et ce que son environnement peut lui fournir. Y a-t-il un* en dehors de sa *jungle, un lieu qui mettrait en cause son équilibre? Beren n'y pense même pas. Il vit* dans le roman. Il y cher*chera toujours sa nourriture.*

*Parcourons dans l'ordre les treize romans de Beren.* La Vie secrète d'un orgasme *(1932) : un accident comme chez Diderot, l'histoire de l'enfant d'un déserteur avec une paysanne évolue vers une épopée tolstoïenne qui, à son tour, conduit à une parabole orwellienne.* Le Compte à rebours *(1936) : un professeur d'université découvre l'amour à travers une histoire à la manière d'E.T.A. Hoffmann et Oscar Wilde réunis.* Cryptogramme *(1938) : Boccace et Laclos se rencontrent pour punir une femme prétentieuse.* Trust me *(1943) : Stefan Zweig corrigé par Marivaux — on arrive à la vérité par l'accumulation des mensonges.* Singtime! *(1944) : Vladimir et Nathalie, frère et sœur, vivent les débordements,* les surprises et le désespoir d'une vie peinte d'après les romans de Scott Fitzgerald. Trois Petits Tours (1957) : Flaubert est omniprésent dans cette histoire d'adultère échoué — Venise sous la pluie, morose, usée par les touristes, brisant l'élan des amants. Une presqu'île (1958) : très peu d'indices sont mis à la disposition de Georges Garrett. Audrey (1960) : une histoire d'amour entre une enfant et un homme âgé ; de la naissance de la passion jusqu'au dénouement, on pense à Alexandre Dumas fils, Henry James et Henry Miller. L'Abeille (1963) et Vivre à trois (1967) : à travers des variantes rocambolesques et autres péripéties sorties des romans picaresques, hommes et femmes sont confrontés à leurs « grandioses » ambitions. Salut et mort du héros (1969) : malgré le peu d'indices, on peut y entrevoir la veine balzacienne. Paradise of a Gambler (1970) : les malheurs d'un vieux joueur déchu de la haute société évoquent Dickens et Dostoïevski. L. comme Londres (1972) : les portraits de personnages extravagants donnent l'occasion de marier l'humour des auteurs libertins du XVIIIᵉ siècle aux fantasmes psycho-pathologiques de nos auteurs contemporains.

Mais attention, même si Stanislas Beren a parcouru les siècles du roman, ce qu'il a fait n'est ni du plagiat, ni du pastiche. On ne peut comprendre sa spécificité qu'en le comparant à son homologue des Faux-Monnayeurs. Édouard a l'histoire du roman derrière lui comme une maison abandonnée, fenêtres closes ; en revanche, Beren entre, éclaire toutes les pièces de cette histoire et s'y installe confortablement.

*Une question donc surgit : est-ce que, à l'ère de Beren, une partie au moins de la richesse formelle qu'offre l'art du roman reste encore dans l'obscurité ? Ouvrira-t-il une porte nouvelle ? Découvrira-t-il une pièce dans laquelle personne n'avait mis les pieds avant lui, un recoin encore inexploré ? Non plus. Beren est le romancier emporté par les romans comme les papillons par les fleurs. Par sa seule présence éthérée, il les met en valeur mais, dans le jardin du roman, aucune autre fleur ne paraîtra.*

8. *Adolescent, Stanislas Beren tire sur un ennemi. Une balle, et le corps de cet inconnu s'écroule tout près de lui. Nous sommes au début des années 20, dans les Balkans (Monténégro ?). Après on l'envoie en France. Il y restera, il deviendra un grand romancier.*

*À Londres, une nuit de 1977, une autre balle — tirée par qui ? — atteint Stanislas et met fin à sa vie.*

*La vie de Stanislas ou la vie du siècle : entre une balle balkanique et une balle londonienne, des milliers de romans jaillissent et éclatent en l'air telles des bulles de savon sans laisser aucune trace[1]. Est-ce là toute la parabole de notre siècle ?*

*Il me semble que non. Beren a beau agrémenter sa vie avec la légèreté et les merveilles du roman, le résultat final de son œuvre n'est pas le néant, comme lui-même le pressentait en toute modestie dans une ébauche de jeu-*

---

1. Je pense que ce jeu aurait beaucoup plu à Leo Perutz dont l'esthétique a plus d'un point commun avec celle de Déon.

*nesse. Paradoxalement, dans sa frivolité et sa complète insouciance des problèmes graves du temps, il dévoilera, comme nous le verrons tout de suite, le signe indélébile de notre siècle, le signe qui, malheureusement, ne partira jamais en fumée en accompagnant notre vanité.*

*Des treize romans que Beren a écrits, il aime tout particulièrement* Audrey *(1960), le huitième, non tant pour sa portée artistique que pour les souvenirs personnels qu'il contient. En effet, c'est lui, l'homme d'un certain âge aimé par une enfant, c'est lui qui, plus tard, conduira cette enfant à l'épanouissement érotique. L'aventure, une fois transposée dans le roman, laisse pourtant Stanislas insatisfait. Il a vécu autre chose et cette chose reste insaisissable.*

*Dans les années 60, il retourne en pèlerinage sur les lieux paradisiaques de leur amour : une crique dorée de la Méditerranée. Dix ans ont passé. Il trouve la plage envahie par les constructions ; ce n'est que dépôt d'ordures et corps impudiques. Un paradis perdu ? Le paradis ? Le foyer de son mystère érotique ? L'endroit sacré d'un souvenir qui suppliait de venir au jour ?*

*« Aucun de nos plaisirs n'est oublié. Je n'ignore pas qu'il y en eut de puérils, mais l'amour physique tolère de ces puérilités. C'est un jeu et une investigation joyeuse. Comment expliquer sans cela qu'après le spasme, avant le renouveau du désir, une écrasante tristesse nous assaille pendant quelques minutes ; le jeu a cessé et jusqu'à ce qu'il reprenne, au second souffle, nous nous croyons abandonnés, exclus du paradis. »*

*Voilà les réflexions que Beren livre à son « biographe »*

Georges Garrett à la suite de sa visite à la plage. Ce lieu doit retrouver sa beauté, son sens unique, sa raison d'être au monde. N'était-ce pas ici que le romancier avait découvert quelque chose d'exclusivement lié à son expérience ? La crique dorée était la coquille qui avait retenu l'écho lointain de son suprême bonheur et de sa profonde tristesse. Mais cette crique est maintenant souillée, dégradée, écrasée par l'humanité vacancière. Beren se met à écrire un roman, Un déjeuner de soleil — c'est le zéro de ma liste. Ce sera sa vérité et sa rage contre les fossoyeurs de ses souvenirs. Il le dépose dans un coffre. Il demande à Georges Garrett de le publier quelques années après sa mort. Quand Georges ouvre le coffre, il n'y trouve qu'une petite note pour signaler que Stanislas, tout compte fait, a voulu garder le secret pour lui seul.

Ce n'est pas un hasard si Michel Déon détache ce roman-zéro de toute l'œuvre de son héros pour intituler son propre roman. Car il découvre qu'à l'ère de la terre écrasée par des constructions toute la nébuleuse des romans disparaîtra dans le trou noir du silence ; que seul le non-écrit gardera encore la signification de nos vies ; que le zéro l'emportera sur l'imagination.

Je passe mes jours et mes nuits en compagnie de Stanislas Beren. Comme je comprends son amertume et sa fierté ! Il a signé à sa manière la parabole des deux balles. Entre la première et la seconde, nous avons enterré nos plus beaux souvenirs sous le ciment, sous d'immenses *dalles en béton armé qui ne disparaîtront jamais de cette terre.*

*Chers lecteurs, avez-vous connu les criques dorées de la Méditerranée?*

Lakis Proguidis

# DU MÊME AUTEUR

UNIVERS LABYRINTHIQUE, illustré par B. Dorny.

HU-TU-FU, eaux-fortes de Baltazar.

*Aux Éditions La Palatine*

UNE JEUNE PARQUE, eaux-fortes de Mathieux-Marie.

*Chez Alain Piroir*

SONGES, eaux-fortes de Baltazar.

*Chez André Biren*

LETTRE OUVERTE À ZEUS, gravures de Fassianos.

LES CHOSES, gravures de Maud Greder.

*Aux Éditions Laffont*

LE FLÂNEUR DE LONDRES.

*À l'Imprimerie Nationale*

DERNIÈRES NOUVELLES DE SOCRATE, eaux-fortes de
Jean Cortot.

*Aux Éditions La Palme-Montréal*

LES MIGRATEURS DU MONDE, eaux-fortes de Baltazar.

*Aux Éditions Séguier*

ORPHÉE AIMAIT-IL EURYDICE?, essai.

*Composition Euronumérique*
*Impression Bussière Camedan Imprimeries*
*à Saint-Amand (Cher),*
*le 6 juin 1996.*
*Dépôt légal : juin 1996.*
*Numéro d'imprimeur : 1/1361.*
ISBN 2-07-040038-7. / Imprimé en France.